성녀님의 폭군 교화법

성녀님의 폭군 교화법 2

펴낸날 2020년 1월 15일 초판 1쇄
지은이 해 연

펴낸이 차보현
펴낸곳 (주)연필
출판등록 제2017-000009호
전화 070-7566-7406
팩스 0303-3444-7406
이메일 editor@bookhb.com(편집부)
bookhb@bookhb.com(영업부)

ISBN 979-11- 6276-539-5 (2권)
979-11- 6276-537-1 04810 (세트)

성녀님의 폭군 교화법

해연 장편소설

II

차례

종결, 험난한 귀가길

카마엘이 돌아온 즉시, 정신이 가물가물해져 있던 난 그의 등에 업혀서 잠들어 버렸던 것 같다.

눈을 떴을 땐, 숙소의 침실 안이었다. 난 고개를 들고 두리번거렸다. 한쪽에서 카마엘이 푹신한 소파에 앉아, 눈을 감고 있는 것이 보였다.

딱딱한 의자가 아니라서 그나마 다행이었다. 그도 힘들 텐데, 호위를 선다고 내 방에 있는 걸까. 라기보단 내가 의식을 찾고 비밀통로로 다시 기어들어 갈까 봐? 죄책감이 찾아든다.

내가 일어나는 기척을 느꼈는지, 카마엘이 천천히 눈을 떴다. 평소처럼 빠릿하게 반응하지 못하는 걸 봐선, 피곤한가 보다. 나는 일어서려는 그를 제지했다.

"앉아 있어."

"평안히 주무셨습니까."

"응, 나야 뭐 잘 잤지."

당연한 거 아니야? 원래 평소에도 잘 자는데 유독 달게 잤다. 아주 꿀잠이라 몸이 가뿐해졌다. 난 침대에서 내려서며 물었다.

"다들 어떻게 되었어? 상황은 잘 수습했고?"

아까는 낮이었는데, 방 안 자욱이 어둠이 내려앉은 걸 보니 밤이었다. 그것도 아주 늦은 밤. 몇 시간이나 지난 걸까. 그가 명확하게 보고해 왔다.

"예, 부상 입은 이들은 치료를 받고 있고, 사절단들은 각국에 전갈을 보냈습니다. 본국의 일행들은 모두 무사하며, 대사제들도 몇 시간 전에 잠자리에 들었습니다."

"내분이 일진 않으려나? 어쩔 수 없는 사정이 있었다곤 해도, 야파 왕국이 칼리스에 협조한 건 사실이잖아."

신뢰는 깨어졌다. 왕도는 더 이상 사절단에게 안전한 곳이 못 되었다. 한시바삐 서둘러 떠나고 싶을 터였다. 몇 명이나마 사망자가 있었고, 부상자도 상당했다.

"이 왕자가 살해당했기에, 사절들은 당장은 야파 왕국을 책하지 않기로 결정한 모양입니다. 칼리스의 음모가 드러난 지금, 그건 나중 문제. 수습하는 대로 귀환하는 것으로 결론지어졌습니다."

계획이 실패했으니 왕속 특무단이 돌아가 보고를 마치는 즉시, 칼리스가 귀환하는 사절단을 공격하려고 들 가능성이 있었다. 어쩌면 병력을 모아 바로 쳐들어올지도 모르지.

그들이 노골적으로 전쟁을 벌이기 전에, 인질로 잡히지 않게 각자의 나라로 귀환이 이루어져야 할 거다.

그렇다고 너무 서둘러서도 안 되었다. 안전하게, 그러나 신속하게 움직여야 했다. 꼭 불난 건물에서 대피하는 요령을 말하는 것 같잖아? 실제로도 상황은 그러했다.

"이대로는 충분치 않아."

칼리스의 음모를 막아 냈다. 하지만 그걸로 끝일 순 없었다. 이후가 있어야 했다. 대칼리스 연합의 위기의식은 견고해졌고, 칼리스와 나란히 설 수 없다는 건 명백한 현실로 다가왔다.

그러나 야파 왕국은 이미 심장부까지 점령당한 것이나 마찬가지다. 이런 상태로 야파 왕국을 믿을 수 있을까?

삼 왕자건, 야파 왕이건 그들의 생각이 어떠하건 타국의 인식은 그러할 터였다. 그 믿음은, 신의가 아니라 능력적인 믿음을 뜻했다.

야파 왕국은 현재, 자기방어 능력조차도 부족한 것처럼 보였다.

이 왕자가 살아 있었다면, 계획된 뒤치기 느낌이 더 났을 텐데, 그가 죽어 버려서 야파 왕국은 일방적인 희생양이 되어 버렸다. 그 사소함이 많은 것을 뒤바꿔 놓았단 게 실감 났다.

하지만 이대로, 수확 없이 돌아갈 순 없었다. 내가 얼마나 용썼는데! 뭔가 방법이 있을 거다.

곰곰이 생각에 잠긴 내게 카마엘이 말해 왔다.

"내일 정오, 마지막 회담을 가지기로 했습니다. 그때까지 뭔가를 더 할 수 있을 겁니다."

난 고개를 끄덕였다. 오늘 하루 고단했을 대사제들이 휴식을 취하게 내버려 두자. 아침까지 내가 생각하고 정리해서 완성해 두면 될 테지.

"카마엘도 쉬어 둬."

"저는 괜찮습니다."

"피곤하잖아. 곧 성국으로 돌아가려면 체력을 회복해야 할 텐데."

"이대로도 충분합니다."

그의 단호한 말에선 결단코 내 방을 벗어나지 않겠단 의지가 느껴졌다. 더 이상 실랑이는 무용하다. 난 한숨을 푹 내쉬었다.

"나 어디로 갈 거 아닌데."

이 방에 있을 거라고! 하지만 호위인 그가 내 신변이 위협당하는 이 엄청난 사건이 있은 직후에 나를 혼자 있도록 내버려 두는 건, 명백히 근무 태만이었다.

설득하는 걸 포기한 난 몸을 돌려 두 겹의 침대 시트 중, 얇은 위에 것을 벗겨 내렸다. 그리고 카마엘에게 다가가 몸에 덮어 주며 손바닥으로 어깨를 톡 쳤다.

"그럼 여기서 자 둬."

내 침대에 누우라고 끌고 간다고 한들, 꿈쩍도 안 할 거란 건 안다. 다행히 푹신하고 안락해 보이는 의자였다. 쉬기엔 적당할 거다.

카마엘은 알 수 없는 눈으로 제게 덮인 이불을 내려다보았다.

이윽고 그의 말이 떨어졌다.

"……감사히 받겠습니다."

"응, 그래."

눈을 내리감는 그를 두고, 나는 소리 나지 않게 조심하며 책상에서 종이를 꺼냈다. 그리고 펜으로 연신 뭔가를 끄적였다.

내가 나름의 계획을 짜며 꼴딱 밤을 새운 그 아침, 야파 왕이 깨어났단 소식이 들려왔다.

*

"어서 오십시오."

내가 안내된, 궁 중심부에 위치한 방은 이전에 야파 왕이 갇혀 있었던 장소와는 좀 떨어져 있었다.

두들겨 맞은 멍은 가셨지만, 초췌한 안색의 삼 왕자가 나를 맞았다. 충혈된 눈도 여전하다. 한숨도 자지 못한 것 같았다.

부왕을 구했으나 형을 잃었다. 그 기분이 어떨진 굳이 상상하고 싶지 않았다. 나는 위로하듯 그에게 월신의 축복을 내렸다.

"은빛 달의 가호가 있기를."

"……안으로 드시지요."

뭔가를 애써 참는 기색으로 말한 삼 왕자는 문밖에 남았고, 들어선 방 안에서 나는 곧장 침대를 향해 걸어갔다.

"오셨소."

상체를 일으켜 앉은 채, 나를 맞이하는 장년 남성을, 난 찬찬히 들여다보았다. 완전히는 아니지만, 노인처럼 초라하다가 다시금 젊음이 돌아온 모습이었다.

저주가 그의 기를 빨아먹었으나, 내가 저주를 뿌리쳤고 어마어마한 성력을 불어넣었으니 그때와 같은 몰골이라면 그 또한 이상한 일이다.

일어날 힘까진 없어 보였지만, 야파 왕은 꽤 상태가 괜찮아 보였다. 깨어나자마자 바로 나를 찾았다고 했다.

나는 아침까지 준비해 둔 것들을 이카루스에게 건네고 언질을 해 둔 채, 곧바로 눈앞의 야파 왕을 만나러 왔다. 그가 멀쩡한지 확인해야 했으므로.

"눈부신 빛을 보았다오."

총기가 살아 있는 눈으로, 그가 느닷없이 말했다.

"나는 저 암흑 속에서, 허우적거리고 있었소. 헤어 나올 길 없는 삭막한 어둠. 간간이, 바깥의 상황이 어른거리듯 떠올랐지만, 무엇도 할 수 없었다오. 온몸이 꽁꽁 묶인 채, 그 안에서 벌레처럼 바르작거리다가 죽을 거라고 생각했소만. 그런데—"

그가 숙연하게, 고개를 숙여 보였다.

"성녀께서 나를 구했소. 이 은혜, 갚을 길이 없소. 감사할 뿐이오."

나는 그의 하얗게 센 정수리를 응시했다. 그를 살렸단 미약한 뿌듯함이 치밀자마자 그보다 더 복잡하고 암운 같은 상념이 흘러들었다.

"어디까지 알고 있어?"

아빠에서 할아버지뻘쯤 되는 그에게 말을 놓으려니 좀 그랬지만, 내 반말은 익히 입에 밴 것이었다. 다행히 야파 왕은 그의 아들들과는 달리 신경 쓰지 않는 기색이다.

그렇지, 신경 쓰지 않아야지. 난 자그마치 생명의 은인인데!

"의식을 차린 후 아라곤에게 그간 있었던 일에 대해서 이야기를 들었소."

그의 아들, 이 왕자 레가스의 죽음에 대해서도 전해 들었단 말이라는 걸, 나는 바로 눈치챘다. 왕의 눈에 끓는 듯한 뭔가가 맺혔기에.

"다시 한번 감사하오. 나를 살려 준 것도, 칼리스의 음모를 저지해 준 것도."

"이제는 어쩔 셈이야? 일단은 몸을 추슬러야겠지만."

한 번 침입했으면, 두 번도 침입할 수 있다. 왕궁은 왕인 그에게도 안전한 장소가 아닐 터였다. 야파 왕이 차분하게, 앞으로의 대처에 대해서 털어놓았다.

"칼리스를 추적하는 건 무리라 판단했소. 아라곤이 병사를 보내 쫓게끔 했지만, 병력의 손실만이 있었소. 당분간 내부의 첩자를 색출하고 내실을 기해야지요. 그리고 성녀께서도 아시는지 모르겠지만, 왕궁에는 비밀통로가 있소. 내게 저주를 건 칼리스의 암살자가 잠입한 루트요."

아델이 침입한, 그리고 내가 잠시 들어선 적 있었던 그 비밀통로. 나는 긍정해야 할지 몰라서, 가만히 있었다. 왕의 말이 이어졌다.

"본디 그 비밀통로는, 왕실의 여인과 아직 어린 후손들이 도망치도록 만들어진 것이었소. 워낙 협소해서 이용하기 어렵고, 잊히다시피 한 곳이라 대처가 미흡했지. 이곳은 비밀통로가 이어지지 않은 곳이오. 궁을 허물고, 비밀통로를 모조리 지워 낼 거요."

"칼리스에는 앞으로 어떻게 대처할 셈이야?"

칼리스는 그저, 계획에 실패해서 물러간 것뿐이다. 비밀통로가 막혀 버리고 침투한 루트가 뭉개진다고 해서, 그 야욕을 포기하진 않으리라. 이건 시작에 불과했다.

"회담에 대해서 떠오르는 기억이 있소. 또한 이전에 생각해 둔 바가 있었소. 이 회담은 비록 칼리스에 강압에 의해서 열렸지만, 언젠가 열렸어야만 할 회담이기도 했소."

그렇지, 그렇게 생각했기에 별 의심 없이 다들 초청에 응해 야파 왕국을 방문했던 거다.

"이런 불미스러운 사태가 벌어졌는데, 사절들을 며칠이고 붙잡아 놓을 수는 없는 법. 내일 마지막으로 회담을 열어, 대칼리스 연합전선에 대한 결론을 내려야겠소. 시간 제약이 있으니 도리어 의견을 하나로 모으기엔 쉬울 거요."

"당신, 회담에 참석할 수는 있겠어? 일어서기도 힘들어 보이는걸."

비꼬는 게 아니라 진심이다. 그러다가 기껏 살려 낸 게 무색하게 회담장에서 거꾸러지면 어떡해, 이 아저씨야! 야파 왕이 엄숙한 얼굴로 말했다.

"나는 왕이오. 그 하루쯤은 견딜 수 있소. 견뎌야만 하지."

저주에 걸린 후유증도 있거니와 깨어나자마자 들은 건 아들이 죽었단 소식일 텐데, 그는 의연하게 견뎌 내고 있었다. 그것은 정말로 왕다웠다. 나는 고개를 끄덕거렸다.

"회담장에 들어서기 전에 우리 대사제에게 축복을 받는 게 좋겠어."

좀 지쳐 보이는 이카루스는 안 되겠지만, 아리안느는 우리 일행 중 가장 쌩쌩한 것처럼 보였으니 그녀에게 시켜야겠다.

오기 전에 잠시 이야기를 들었는데, 강인하디강인한 그녀는 전투가 벌어지는 와중에도 돋보이는 활약을 펼쳤다고 한다.

역시, 아리안느를 데려오길 잘했어. 아무래도 온화한 에이레네에겐 맞지 않는 임무였다.

"다만 묻고 싶은 것이 있소."

뭔데? 나는 눈을 동그랗게 뜨고 그를 바라봤다.

"듣자 하니 혼란한 와중에도 오로지 성국의 사절들만이 침착하게 행동했다더군. 칼리스의 음모를 미리 알고 대처한 것처럼."

왕이 침착하게 물었다.

"어떻게 그럴 수 있었는지 여쭤봐도 좋겠소?"

나는 잠시, 뭐라고 답해야 할지 고민했다. 추궁하는 듯한 기색은 아니었다.

하지만 칼리스에 첩자를 두었다고 진실 비슷하게 말하기에도 뭐했다. 혹시 새어 나가면 아델이 위험해질 수도 있잖아.

"나는 성녀인걸."

나는 대충 에둘러 말했다. 마치 신께서 내게 계시를 내리기라도 한 것처럼.

그래, 내가 성녀이기에 아델과 그런 식으로 연을 맺을 수 있었고 그 때문에 이번 일도 대처할 수 있었지. 거의 아델의 공이었다.

일순 아델의 뒷모습이 뾰족 솟아올라 상으로 그려져 스쳤다. 긁힌 듯이 무시할 수 없는 감각이었다.

경고를 무시한 내가 어떻게 되든, 내버려 둘 수도 있었는데. 아델은 끝끝내 나를 외면하지 못했다. 그가 인질로 잡혔기에, 나는 무사히 왕에게 걸린 저주를 풀 수 있었다.

내게 칼리스의 음모를 알려 준 사실이 밝혀지지 않더라도, 임무가 실패하는 데 지대한 역할을 한 아델이 칼리스로 돌아가 무사할 수 있을까. 그렇게 칼리스가 녹록한 나라일까.

불안감이 밀려 들어온다. 왕속 특무단원 아지스, 그 무도한 자가 아델을 어떻게 대했었지. 이 왕자가 아델에 대해서 뭐라고 말했지?

그만치 중요한 지위의 아델을, 그 한 번의 실수로 어떻게 하진 않을 거라는 희망적인 관측으로 낙관할 수만은 없었다.

그렇게 칼리스가 정상적으로 돌아가는 곳이라면, 고작 열 살의 소년인 그를 성국에 잠입시키지 않았을 테니까.

하지만 그래, 내가 현재로서 할 수 있는 건 없다. 아무것도.

아델 바보, 멍청이! 그러게 성국으로 귀화하라니까. 까짓거

가만있어도 칼리스와 전쟁할 판인데, 불씨가 되면 어때?

하지만 아델은 내 제의에 응하지 않았다. 그는 도망치기보단 제가 사는 터전에서 치열하게 싸울 소년이었다. 그걸 너무도 존중해 줬단 생각이 든다.

그냥 카마엘을 시켜서 뒷목을 내리쳐 기절시키고 끌고 갔어야 했나. 다음에 기회가 온다면…….

입술을 꾹 깨문 나는 다짐하듯 말했다.

"당신처럼, 우리 쪽에서도 회담을 이대로 흐지부지 끝낼 수 없다고 생각했어. 회담에 대해서 정리해 둔 자료가 있어. 신성교국 쪽과도 아침에 의견을 교환하기로 했으니, 합의를 이끌어 내긴 어렵지 않을 거야. 회담 전에 양국의 대사제들과 이야기를 나눠 보는 게 좋겠어."

사절들 모두가 죽거나 사로잡힐 뻔했다. 그들을 구한 건, 신성교국과 성국의 사람들이었다. 그 사실만으로도, 두 단체 회담의 결정권을 가진다.

야파 왕이 선뜻 고개를 끄덕였다.

"알겠소."

"그리고 이 왕자의 일은 유감이야. 마지막으로 가는 길에, 내가 축복을 내리고 싶어."

"……감사하오."

왕이 떨리는 음성을 토해 냈다. 그래, 어떻게 그 속이 평안하겠어. 아들을 잃었는데.

몇 마디 말을 나눈 난 곧 이 왕자의 관이 있는 방으로 안내되었다. 검은색의 차가운 관에 누워 있는 그는 정갈하게 수습된 모습이었다. 피를 잔뜩 쏟아 내어 파리하게 질린 얼굴만은 마지막으로 보았던 때와 같았다.

삶이 태양신의 것이라면, 죽음 이후 그를 인도하는 것은 월신이시니. 나는 그를 향해 고개를 숙이고 축복을 내렸다.

성력이 새어 들어, 흠집투성이의 육신을 완전한 상태로 수복한다. 그러나 그가 상실한 삶은 다시 돌아오지 못했다. 그는, 나 또한 어쩔 수 없는 일이니.

몇 번 얼굴 본 사이에 불과한데, 이 왕가 레가스의 죽음이 이상하게도 애달팠다.

그곳을 빠져나가며, 나는 숨을 크게 들이마셨다. 아직 사태는 해결을 향해 다가가고 있었다. 그건 즉, 아직은 아니라는 뜻.

성국으로 돌아가는 그 순간까지, 안심하긴 일렀다. 난 의지 있게 중얼거렸다. 정신 바짝 차리자고! 나는 성국을 다스리는 성녀란 말이야.

그리고 나와는 달리, 정신 빠진 듯한, 혹은 제정신이 아닌 듯한 그 인물. 신성교국의 법황 히스칼 예레스.

신성교국과 합의를 이끌어 내는 데 가장 큰 장애물이라고 여겨졌던 건 역시 그였다.

칼리스의 음모에 대해서 다 듣고도 입을 다물었던 히스칼이라면, 이번에도 파투를 내 버리려고 할 수 있겠지. 근데 그가 과연, 나에 대한 개인감정 때문에 그랬을까?

그 단순한 이유 너머에, 뭔가가 있을지도 모르겠단 생각이 새삼 찾아들었다.

여하간 내 걱정이 무색하게 정작 히스칼은, 양국의 논의에서 완전히 배제되었다. 신성교국 측 숙소를 찾은 이카루스의 말에 따르면, 법황은 얼굴도 볼 수 없었다고 한다.

신성교국 측 분위기 역시도 영 좋지 못했다. 히스칼이 모든 사실을 알고 그들에게 침묵했단 걸 눈치챘나 보다.

자신들의 신을 대리하는 자가 믿을 수 없는 자라면 어떨까. 나는 그 기분을 상상할 수 없었다.

이카루스는 히스칼의 배신이나 다름없는 행각에 대해서 굳이 말을 꺼내지 않았다고 한다.

신성교국 측에서는 적극적으로 의견을 내기보단 우리 쪽에 따르겠다고 마음을 굳힌 듯이 보였다고도 했다.

"카스라 대사제에게 우리 쪽 입장에 대해서 말하고 합의점을 이끌어 내는 데 성공했습니다. 자세한 내용에 대해서는 회담 전에 야파 왕을 알현하여 좀 더 논의하여야 할 테지요."

'읽어 보시겠습니까?'하고 권하길래, 나는 고개를 저어 보였다. 이따가 회담장에서 듣는 것만으로 족하다. 경제 제재나 군사협력 조약 같은 거였는데, 단어만으로도 골치 아팠다.

"그리고 성국에서 전갈이 왔습니다. 우리를 맞이하러 야파 왕국의 국경으로 군대를 보내오겠다더군요."

여기서 닥친 일에 대해서 듣고, 얼마나들 놀랐을지 모르겠다. 에이레네의 걱정스러운 얼굴이 눈에 선했다.

"회담이 파하는 즉시, 성국으로 출발할 겁니다. 채비를 해두라 일렀습니다."

"응, 알았어."

이제는 거의 끝나간다.

*

정오에 맞춰 회담이 개최되었다. 회담이 진행되는 동안 나는 사절단을 돌아보았다.

성국과 신성교국, 그리고 야파 왕국을 포함해서 총 12개국이었나. 많기도 하네. 밀레토, 하렐리아, 로베라, 스포르차…….

왕국의 이름을 죽 읊조려 보던 난 곧 고개를 저었다. 칼리스란 거대한 실체 앞에서, 조금 큰 점들의 집합처럼 느껴졌다.

그러나 그 점들이 모여서 만들어진 집단은, 능히 하나의 거대한 적에 대항할 만하다.

나는 문득 그를 보았다. 히스칼은 선량함이 감도는 얼굴로, 회담이 이루어지는 내내 자리를 지키고 있었다. 참석하지 않을지도 모른다고 생각했는데, 그럴 순 없었나 보다.

그의 대사제들은 하나같이 굳은 얼굴로 히스칼을 포위하듯 서 있었다. 특히 대사제 카피토. 그는 히스칼과 어떤 관계일까? 하지만 재가 내가 묻는다고 대답해 줄 리 없지.

내가 어떻게 히스칼을 움직였는지, 아직도 모르겠다. 그는 그 강력한 성력으로 자신만을 지킬 수 있었다. 법황답게 남에게 자애를 베푸는 성격도 아닌 듯하니.

그래도 히스칼은 날 돕는 걸 택했다. 그렇단 건 그의 마음속에도 법황다운 마음이 남아 있단 것 아닐까.

누군가에 대한 미움이, 신의 사도로서의 본분도 잊을 만큼 강렬할 수 있는지 나는 잘 모르겠다.

하지만 히스칼은 비틀려 있었고, 그 비틀림을 단순히 히스칼의 천성이라고 말할 수는 없을 터였다.

상념 속에서 회담은 빠르게 종지부를 맺었다. 야파 왕이 말하고 월신의 대사제가 지지한다. 그걸로 족했다.

회담에서 결정된 내용을 받아 들고, 각자의 땅으로 돌아가는 길을 재촉했다.

우리를 향해서 건네지는 무수한 감사의 말들. 사절로 뽑혀 보내질 만큼, 담대한 이들이 대다수라 다행이었다.

마지막으로 우리는 신성교국 사람들과 마주하게 되었다. 와, 정말 멀리서 봤던 것보다 분위기가 우중충한걸? 어딜 가서 태양신의 권속들이라곤 말 못 하겠다.

개중 히스칼만이 반짝반짝 빛을 내고 있었지만, 난 그 녀석 뱃속에 시커먼 구렁이가 꿈틀거리고 있다는 걸 안다.

"비록 험난한 순간을 거쳤지만, 신의 가호가 있었던 덕에 이렇듯 무사할 수 있었던 게 아닌가 합니다."

성격 좋은 대표자 역할의 카스라 대사제가 싱긋 웃으며 말을 걸었다. 그간 꽤 친분을 쌓았는지, 이카루스와 그의 사이가 제법 편안해진 것 같다.

"가시는 길이 평안하시기를 바랍니다."

이카루스가 같은 온도의 미소를 머금은 채 화답했다. 내가 옆에서 쑥 끼어들었다.

"저, 나는 잠시 히스칼과 이야기하고 싶은데."

"법황께서 원치 않으실 겁니다."

카스라 대사제가 난감한 표정을 짓고, 카피토 대사제가 차가운 얼굴로 가로막았다. 그러나 바로 목소리가 들려왔다.

"아니, 나는 원하는데."

햇빛을 머금은 눈처럼 희고 반듯한 얼굴로, 히스칼이 입꼬리를 끌어올렸다.

"카피토는 종종 내 속내를 짐작해 보곤 하지. 하지만 그게 꼭 들어맞는 건 아니거든."

산뜻한 투였으나, 대사제 카피토의 얼굴이 미묘하게 일그러졌다. 화가…… 난 것 같은데 이러다가 맞는 건 아냐?

법황인 그가 대사제에게 폭행당하는 건 상상하기 어려웠지만, 이제껏 보아 온 바에 따르면 가능성 있단 생각이 든다.

"5분이면 돼. 설마, 내가 이 작은 성녀님과 눈 맞을까 봐 걱정하는 건 아니겠지?"

"그래, 히스칼은 내 취향이 아니야."

그런 걱정은 하지들 말라는 듯이 난 강조했다. 어이없단 기색이 양측에 흘렀다.

"……좋을 대로 하십시오. 갈 길을 재촉해야 하니, 길게는 곤란합니다."

분노할 긴장감을 놓쳐 버린 듯한 카피토 대사제가 결국 이마에 손을 대며 말했다.

아마 명목상으로는 그의 상관인 법황과 내가 이야기를 나누는 건, 막을 수 없다고 판단한 것 같았다.

"잘 생각했어!"

그것으로 나와 히스칼에겐 이야기를 나눌 짧은 시간이 주어졌다.

대사제들을 떼어 놓고 난 히스칼과 근처에 있는 방에 들어섰다.

카마엘이 함께 들어오고 싶은 눈치였지만, 그러려면 신성교국 측에서도 함께 들어오려고 할 테지. 그는 결국 문밖을 지키고 선 걸로 만족하기로 했다.

무엇보다도 다른 사람들 앞에서는 히스칼의 진심을 이끌어내긴 어려울 테다. 워낙 가식적인 녀석이니까!

그가 고개를 모로 기울이며 물었다.

"왜 나를 불렀지, 성녀님?"

상냥한 말투. 히스칼은 아직 가면을 벗지 않았다.

"궁금한 게 있어서. 그때 넌 네 말만 하고 가 버렸잖아? 그건 공정하지 못해."

사실 안 묻는 게 덜 골치 아플 것 같지만, 알아챈 걸 모른 척하는 것도 영 그런 일이다.

나중에 어떤 파장이 닥칠지도 모르고 지금 묻지 않는다면 영영 답 듣지 못할 것 같았다. 히스칼의 입가에 실금 같은 미소가 실렸다.

"한 번쯤, 더 이야기하게 될 거라 생각했지. 말해 봐."

"네가 나를 싫어하는 이유를 곰곰이 생각해 봤는데 말이야."

그래, 생각하고 또 생각해야 했지! 아무리 봐도 난 호감 상인데, 호감 상인 날 싫어하려면 어떤 특별한 이유가 필요할까 하고.

"너는 네가 법황인 게 싫은 거니? 그래서 성녀인 내가 이대로 만족하고 사는 게 마음에 들지 않는 거고?"

정곡을 찔렀는지, 히스칼의 표정이 미미하게 굳어 들었다. 그가 목소리를 낮추어, 물었다.

"너는 네게 어떤 선택의 여지도 없이, 반드시 가야 하는 길이 있고 평생을 그 주어진 길대로 살아가야 하는 게 만족스러운가."

"나는 만족하는데?"

난 눈을 말똥말똥 떴다. 비꼬는 게 아니다. 나는 정말로 만족하고 있거든. 왜냐하면 내 암울했던 전생을 떠올려 보면 만족스러울 수밖에 없는 삶이니까.

하지만 맞아, 스스로 선택하는 삶을 중시하는 이에게 그게 주어지지 않는다면, 불행할 수 있겠지.

아무리 해도 충족할 수 없는 단 하나가 있다는 걸 선명히 안다면, 비뚤어질지도 모른다. 내겐 비교 대상이 되는 삶이 있어서 대비가 되지만, 그렇지 못하다면…….

근데 아무리 생각해 봐도 법황씩이나 되면서 그러는 건 너무 배부른 생각 아닌가. 날 때부터 길거리에서 태어나 어떤 선택의 여지도 없이 죽어 가는 아이들도 수두룩한데.

적어도 히스칼은 등 따시고 배부르긴 하잖아?

하지만 그것만으로도, 충분치 못하다는 걸 알기는 안다. 가지지 못한 것에 대한 열망이란 비이성적이니.

자줏빛 눈이 차가운 색채를 띠었다.

"너는 성녀지. 신이 내린 성녀. 그러니 그럴 수도 있겠지."

내가 그럴 수 있다는 건 머리로는 이해하지만, 가슴으로는 반감이 치솟는다는 듯한 말투였다.

뭐야, 내가 타고난 성녀라서 체질적으로 이 삶을 살아가는 데 적합한 체질과 사고와 성격을 가졌을 거라는 건가? 딱히 그런 건 아닌데.

난 온화하지도 따사롭지도 않고 흔히 말하는 성녀다운 성격도 아니다.

단지 내겐 바람이 있었다. 행복한 삶. 그리고 성녀로 태어나 살아온 이때까지 그 바람은 이루어지고 있었다. 그렇기에 내가 성녀인 게 만족스러웠다.

내가 꾸는 꿈은, 성녀로서 이룰 수 있는 꿈이기도 하다. 마음이 충만하다면 만족스럽지 않기 어려운 법이지.

그럼 히스칼은 마음이 충만하지 못하다는 걸까. 하긴 그의 대사제들은, 히스칼을 아끼고 공경하는 것 같지 않았어. 의무적인 부하 같달까.

그렇다면 히스칼은 고독할지도 모르겠다는, 생각이 스쳤다.

"그렇게 법황 자리가 싫으면, 그만두면 되지 않아?"

순전히 궁금해서 물었다. 나처럼 타고난 성녀가 아닌 법황이라면 원한다면 다른 이가 그 자리를 대체하게끔 할 수 있지 않을까. 나보다 자유도가 높지 않아?

히스칼이 슬쩍, 입꼬리를 올렸다.

"나더러 죽으라는 거야? 뭐, 너라면 내 죽음을 바랄 자격이 있겠지만."

그래도 제가 내 뒤통수를 때렸단 건 자각하고 있는지 히스칼이 해사한 얼굴로 말했다. 놀랍게도 잘잘못은 구분할 줄 아는군. 나는 히스칼의 평가를 약간 상향했다. 그런데—

"법황 아니면 죽음이라고? 뭐가 그래?"

난 눈을 동그랗게 떴다. 하지만 법황은 죽으면 누가 그 자리를 대체한다며. 그렇단 소린…….

"네가 죽기 전에는, 누구도 법황이 될 수 없는 거구나."

참 강제적인 시스템이다. 히스칼처럼 법황이 되길 바라지 않는 이가 그 자리에 앉았고, 죽음으로밖에 그 운명에서 벗어날 수 없다면 불만을 품는 것도 이해가 간다. 그러나 그 불만이,

"그렇다고 해도, 너는 현재 법황이잖아. 너는 너를 따르는 이들을 저버리려고 했어."

히스칼의 행동을 정당화할 순 없었다. 나는 엄숙하게 말했다.

"일이 잘 흘러가지 않았다면, 모두가 위험해졌을 거야. 너는 네 권속들과 거기 있는 사람들의 안위 따윈 상관없었던 거잖아."

그 자신의 안위는 생각했을지 모르겠다. 반항아들은 원래 뒤까지 생각하지 않는 법이거든.

"아무리 네가 법황이라고 한들, 대사제들도 기분이 좋진 않을 거야."

"내가 그런 거, 신경 쓸 거 같은가?"

히스칼이 눈을 휘며 재밌다는 듯이 하하 웃었다.

"왜 신경 써야 하는 문제에 신경을 안 쓰니? 그건 방종이야!"

법황은 자기 마음대로 살아갈 사람이 올라앉는 자리가 아니다. 그건 명백했다. 그가 그 자리를 마음에 들어 하지 않는다면, 책임과 의무뿐만이 아니라 자기가 얻은 이권도 모조리 내려놓아야 하지 않을까.

물론, 이권이라 하기엔 히스칼이 법황답게 강한 발언권을 가지고 있진 않다. 신성교국 밖으로 나올 일 없어서 여태까지 그 사실이 소문나지 않았겠지만, 나는 이제 안다.

히스칼은 스산하도록 가라앉은 목소리로 속삭였다.

"나는 '내 대사제들'이 모두 그 자리에서 죽어도, 전혀 상관없었을 거야."

얘는 구제 불능이 맞아! 그니까 죽어도 상관없는 상대가 기분 나빠하든 말든 상관없단 말이지.

가운데 절벽이 팬 듯한 골이 느껴졌다. 그만하면 적의나 악의에 가깝다. 난 모르겠어. 어떻게 법황이 자신의 대사제들을 그렇게까지 생각하게 될 수 있지?

그건 히스칼이 나쁜 놈이어서일 수도 있겠지. 하지만 그렇게 되기까지는 이유가 있었을 거야.

물론 히스칼이 겉보기로는 아무리 그럴듯해도 나는 그가 똥 퍽퍽 싸지르며 병균을 실어 나르는 유해조류, 흰 비둘기 같은 녀석이란 걸 안다.

그래도 마지막엔 나를 도와줬다. 아주 갱생이 불가능한 건 아니란 말이지.

근데 내가 왜 이 녀석의 삶과 성격 형성 과정에 대해서 번뇌에 잠겨야 하는 거지?

내가 아무리 성녀라지만, 성전의 상대인 칼리스인 아델도 모자라서, 다른 신의 권속인 법황에게까지 신경을……. 몹시 피곤해지는 듯한 기분이다.

그래서 나는 평범한 덕담을 꺼냈다.

"원치 않은 삶 때문에 온 사방에 심술을 부리는 것보단 좀 더 좋은 길을 찾아낼 수 있을 거야."

그래, 괜한 나를 싫어한다면서 괴롭히지 말고!

"그랬지, 그리고 나는 그 길을 찾아냈어."

히스칼은 다시 법황다운 얼굴로 돌아왔다. 스스로를 감추는 가면 같은 미소다. 불길한 감각이 가슴으로 스며들었다.

"그 길이 뭔데?"

"5분이 다 되었어."

방을 나서려던 그의 옷깃을 난 재빨리 붙잡았다. 그리고 와르르 질문이 쏟아냈다.

"그 펜던트는 뭐였어? 왜 네가 칼리스의 펜던트를 가지고 있던 거야? 왜 줄곧 정원을 배회했던 거지?"

단순히, 나를 만나기 위해서는 아닐 것이다. 아니, 나를 만나는 건 그의 목적에 있어서 부수에 가까웠다.

"너는 어떻게 칼리스를 상대로 그렇게 여유롭게, 네 대사제들에게 언질조차 주지 않고 가만히 있을 수 있었던 거야."

네가 안전할 수 있단 확신은 어디서 얻었고? 히스칼이 제 옷깃을 잡아챈 내 손을 잡아 거두었다.

"……너, 아주 멍청이는 아니었구나."

하얀 손의 감촉은 차가웠다. 태양신의 권속인데도, 몸에 열 따윈 남아 있지 않은 것처럼.

아니, 그에게도 열은 있었다. 그의 안에서, 푸르도록 타오르고 있는 뭔가가 있었다. 일순 그걸 엿본 듯한 기분이 들었다.

"잊어버려."

산뜻하게 말한 히스칼이 손에 힘을 주었다. 살짝 얼얼할 정도로, 세게.

어어? 어디 아녀자의 손을 함부로 잡아! 지금 내게 손힘으로 압박을 준다는 전형적인 위협을 시전하는 거야? 난 굴하지 않고 입술을 삐죽 내밀었다.

"다 말해 버린다."

"말해 버려도 소용없는데."

날 놓아 버리고 문 앞으로 다가선 히스칼이 몸을 반쯤 뒤로 돌렸다. 그리고 내게로 슬쩍 곁눈질하며 말했다.

"그 펜던트, 이젠 내게 없거든."

없다는 건……?

그러나 내게 더 질문할 기회는 주어지지 않았다. 히스칼은 방을 빠져 나가 버렸고, 나는 잠시 열린 문을 쳐다보다가 서둘러 뒤따랐다.

*

“다시 만나게 되는 그때까지, 건강하시기를. 낮을 아우르는 금빛 태양의 축복이 있기를.”

“밤을 적시는 은빛 달의 축복이 있기를.”

우리는 서로에게 인사말을 남기고 등을 돌렸다. 마지막까지 나는 사실 좀 고민했다. 그냥 히스칼이 한 짓에 대해서 확 까발려 버릴까 하고.

저 녀석 좀 이상해. 칼리스의 마법 펜던트를 가지고 있었고-증거는 없을지도 모르지만-, 이런이런 말을 했어! 사상이 불순해! 라면서.

물론, 나는 이럴 때만은 철없는 어린애처럼 굴어 버릴 수 있다. 히스칼 같은 녀석한텐 지킬 의리도 없다고!

하지만 ‘성녀가 법황에 대해서 고발하다니. 뭔가 구도가 이상한걸’ 하고 고민하는 사이에 말할 기회가 지나가 버렸다.

……이카루스가 카스라 대사제에게 나보단 은근한 방식으로 언질을 주긴 했을 테니, 괜찮겠지. 신성교국에서도 지금 귀환하는 게 급선무일 거다.

당연히 우리 쪽에도 시급한 건, 무사히 성국으로 돌아가는 거였다.

"속도를 내기 위해서 마차는 이용하지 않는 게 좋겠습니다. 괜찮으시겠는지요."

"응, 난 괜찮아."

"저와 함께 말에 오르시지요."

당연히 나와 함께 하려고 든 건 카마엘이었다. 내가 히스칼과 방에 들어갔다 나왔을 때도 그는 문 앞을 지키고 서 있었다. 언뜻 이야기를 들었는지도 모르겠다.

아델과 함께 야밤에 나돌아다녔다 돌아온 이후로 그는 내 안전에 대해서 약간의 강박증을 가지게 된 듯싶었다. 좀 미안한걸?

그때 한 목소리가 끼어들었다.

"혹시 싸워야 할 상황이 온다면, 카마엘 님이 자유로운 편이 더 나을 수 있어요. 성녀님은 저와 함께 말에 오르시지요."

아리안느가 냉큼 덧붙였다.

"여자인 저와 타는 쪽이 말에 무리가 덜 갈 거예요."

난 미심쩍게 그녀를 응시했다. 아리안느가 날 아주 아주 좋아해서 같이 말을 타고 싶어 하는 건 아닐 텐데. 정말 필요하다고 생각해서 나선 거겠지. 근데 나는 아리안느보단 카마엘하고 말을 타는 게 좋다. 한 가지, 의문이 들었다.

"아리안느가 카마엘보다 무게가 덜 나가?"

내 순수한 물음에 아리안느의 얼굴이 비난받은 것처럼 실룩였다.

"그럼 덜 나가지요! 절 뭐라고 생각하세요?"

카마엘은 건장하다기보단 호리호리한 모델 체형인 데다가 종족도 다르잖아? 요정은 무거울 수 없는 종족이라고! 몸에 살덩이가 많이 달린 아리안느보다는…….

앗, 그렇다고 해서 아리안느가 살이 쪘다는 건 아니다. 아리안느는 키가 크고 늘씬한 체형의, 잘 단련된 몸의 소유자니까. 몸매 하나는 상위 0.0001퍼센트 정도?

몸의 굴곡을 거의 가리는 사제복을 입고서도 그녀에겐 어지간한 모델들은 다 찍어 누를 포스가 있었다.

다만 들어갈 데가 들어간 만큼, 나올 곳도 많이 나와서 전투에 불필요한 부분이 발달했을 뿐.

카마엘 쪽을 쳐다본 아리안느가 입술을 깨물었다. 나와 같은 생각이 들었나 보다. 자기가 탈 말을 살펴보던 이카루스가 말했다.

"아리안느와 타시는 쪽이 더 편안할 겁니다."

"왜?"

라고 묻자 곤란한 얼굴이 되어 버린다. 아리안느가 눈을 흘겼다.

"무슨 소리인지 잘 알겠어요, 아주!"

뭐지? 왜 아리안느와 타는 게 더 편안할 거라는 거야. 나는 의문에 잠겼고, 카마엘도 뭔갈 알아챘는지 순순히 홀로 말에 오르는 쪽을 택했다.

그리고 아리안느의 앞에 앉아 함께 말에 올라탄 난 곧 그 말의 의미를 알아챌 수 있었다.

……푹신하다. 뭔가 말로부터 올라오는 반동을 해소해 주는 듯이. 말을 모는 기술은 카마엘이 나았을 거지만, 이 쿠션감은 대체해 줄 수 없었을 거라고!

이카루스가 말을 잇지 못했던 게 이해가 갔다. 아리안느는 돌아가면 운동해서 군살을 없앨 거라고 중얼거리는 듯했다.

나는 이대로도 충분하다고 말하려다가 화만 돋울 것 같아서, 입을 다물었다.

사소한 에피소드가 있었지만, 가는 덴 지장이 없었다. 왕도로 오는데 종일 마차를 달렸다곤 해도 말로 속력을 높여 달리는 것과는 비교가 어렵다. 마차로는 갈 수 없는 길도 말을 타곤 지날 수 있었던 것이다.

게다가 여기엔 대사제들이 있다고! 그 귀한 신성력으로 계속 체력을 회복시킨 탓에 말들은 도핑을 의심할 만치 쌩쌩하게 속력을 유지하며 달릴 수 있었다.

이런 방법이면 신성교국 쪽도 빨리 귀환할 수 있겠지? 왠지 경쟁심이 솟아나는걸.

누구보다 빨리 돌아갈 수 있었으면 좋겠다. 성국에서만 살아왔다 보니, 그리 긴 시간 성국을 벗어나 있었던 것도 아닌데 향수병이 새록새록 돋아났다.

태어난 이래로 에이레네와 이토록 오래 떨어져 있었던 것도 처음이었다.

돌아가면 치즈 케이크도 먹고, 맛있는 집밥도 먹고 푹 쉬어야지! 다짐하며 난 안장 손잡이를 힘껏 붙잡았다.

어쨌든 돌아가는 길은 신속하긴 했지만, 그다지 편안하지 않았다.

하루 만에 성국의 국경에 다다를 순 없었기에, 우리는 길거리에서 야숙하는 걸 택해야 했다.

밤 내내 불도 피우지 않고 지새우다가 날이 밝자마자 왕도에서 가져온 식량을 간단하게 해치우고 다시 출발했다.

도중에 어느 마을을 들를 예정은 없었다. 아니, 애초에 무엇을 할 여유가 없었다. 그만큼 왕도에서의 일이 여파가 크게 번졌던 것이리라.

그래, 그런 데서 칼리스의 음모를 맞닥뜨릴 거라고 누가 생각했겠어?

하지만 분명히, 야파 왕국에서 성국으로 가는 길은 하나였다. 칼리스로서는 딱히 우리의 행로를 추적할 필요가 없었던 거다. 길이 뻔하니까.

그래도, 별일 있으랴 싶었다. 성국에서 우리의 안전을 위해 군사를 보내오고 있었다. 필요하다면 야파 왕국의 국경을 넘어설 계획이다. 그 또한 야파와 합의가 끝난 일이었다.

하지만 우리가 간과했던 건, 칼리스가 그토록 빨리 움직일 줄 몰랐단 거였다.

전투가 벌어지던 와중에, 이쪽도 희생이 있었지만, 그쪽도 희생이 있었다. 칼리스 왕속 특무단의 많은 인원이 부상을 당하거나 죽음을 맞이했다.

내 성력 버프를 한껏 받은 카마엘이 그토록 활약했으니, 당연한 결과다.

그들을 수습하여 야파 왕국의 추격대를 뿌리치고 본국으로 귀환한다. 그리고 보고를 마치자마자 다시금 병력을 구성하여 치고 들어온다.

고작 이틀이었다. 그게 가능한 일인가? 칼리스는 이런 면에서는 기막힐 만큼 부지런했다.

국경에 인접할 즈음부터, 사방에서 묘한 기운이 느껴지기 시작했다. 마법의 기운.

나는 혀를 내둘렀다. 벌써 여기까지 왔단 말이야? 부지런한 자가 성공한다고. 칼리스는 비록 전쟁광 나라지만, 이렇게 빨리빨리 행동하기에 그리 강성해진 걸지도 몰라.

한 가지 알게 된 사실이 있었다. 칼리스에서 가장 중요한 표적으로 생각하는 건, 다른 누구도 아닌 나라는 것.

칼리스로서도 병력을 분산할 여유는 없었을 테니, 다른 사절들은 그다지 위협받지 않고 있겠지. 그나마 다행인가.

그런데 칼리스의 포위를 느낀 우리로선 별로 안 다행이었다. 참 집요하단 말이지. 끝까지 내버려 두질 않는데.

난 눈살을 찌푸렸다. 하지만 내가 칼리스의 입장이라도 성녀를 성국 밖에서 포획할 수 있는 보기 드문 기회를 잡았는데, 그걸 내버려 두긴 어려울 것 같다. 난 초조함을 느끼며 물었다.

"우리 성국의 군사들은 어디에 있지?"

아무리 내가 곁에 있다곤 해도, 어제 전투의 여파가 다 풀리지 않았다. 카마엘은 제법 멀쩡해 보였지만, 다른 대사제들은 성력을 쓰는 데 곧 한계를 느낄 거다.

칼리스의 저주를 푼 이후로 휴식을 취했지만, 나만 해도 상태가 평소와 같다고 말하기엔 무리가 있었다. 게다가 종일 말을 달렸잖아.

성국에서 호위 병력을 보내겠다고 했는데, 그들은 어디쯤 와 있는 거야? 느림보들! 난 투덜거렸다.

물론, 시간이 촉박했다. 그들도 전갈을 받은 즉시 채비하여 출발했을 테고, 출발할 때 혹여 성국이 빈집털이 당하지 않게 잘 분산하여 병력을 구성할 시간도 필요했을 테니 뭐라고 할 건 못되었다.

하지만 마음이 초조해지는 건 어쩔 수 없다. 기껏 위기를 넘겼다 싶었는데.

"여기까지 와 있어야 했는데. 방해가 있었을지도 몰라요. 아시다시피 야파 왕국과 성국을 잇는 건 그 다리 하나니까요."

그 다리, 처음에 이상이 생겼던 것도 칼리스의 소행이겠지. 충분히 가능한 일이었다.

나는 입술을 잘근잘근 깨물었다. 또, 또 싸워야 해? 진짜 칼리스 지긋지긋하다. 옆에서 말을 달리고 있던 이카루스가 목소리를 높였다.

"여기는 성국과 그리 멀지 않습니다. 성녀님께선, 성국으로 곧장 이동하시는 편이 나을 듯합니다."

나의 안전을 위해서. 그의 목소리는 담담하되 단호했다. 나는 눈썹을 치켜들었다.

"나 혼자 공간이동으로 돌아가라고?"

그 말이잖아. 성국 밖에서는 엄청나게 제약이 더해지기에 덜 자유롭고 성력도 많이 들고, 몸에 부담도 가는 일이지만, 내겐 공간이동이란 수단이 있었다.

야파 왕국의 국경 즈음에선 충분히 이 몸 하나쯤 이동시킬 수 있는 것도 사실이고.

하지만 다른 대사제들이나 카마엘은, 그럴 수 없었다. 오직 나만이 그 방법을 통해서 위기를 모면할 수 있다.

이카루스가 그답지 않게 딱딱한 투로 말을 맺었다.

"성녀님만이라도 안전을 확보해야 합니다."

피부에 닿아 오는 날 선 기운. 또다시 전투의 긴장감이 엄습한다. 우리를 노리고 이렇듯 득달같이 달려올 정도면, 확실히 칼리스에게 순순히 물러갈 생각은 없을 터였다.

그렇다고 해서, 내가 내 권속들을 버리고 혼자 도망가 버릴 순 없는 거였다. 나는 히스칼이 아닌걸. 그렇게는 하지 않을 테야!

"모두, 아직 성력이 충분히 회복되지 않았어. 내가 없으면 성력을 사용하는 데 한계가 금방 올 텐데, 그럴 순 없어."

"성녀님만이라도 무사히 성국으로 이동하신다면, 마음이 편할 겁니다. 저희는 산개해서라도 성국 쪽으로 향할 수 있습니다."

"칼리스라면 내가 없다고 해서 아무 소득 없이 물러가진 않을 거야. 흩어진 먹잇감이라면 더 노리기 쉽겠지. 남은 일행들의 목숨을 보장할 수 없어져."

나머지야 그렇다 쳐도 대사제들, 그리고 카마엘이 있었다. 완전한 상태가 아닌 그들을 마주하는 건, 흔치 않은 일이었다. 성국의 전력을 약화시키기엔 절호의 기회라 여길 터.

물론, 내가 있으면 어쨌든 모두가 나를 지키는 데 신경을 집중할 테지. 하지만 칼리스의 신경도 내게로 쏠릴 거다.

아무리 생각해도 혼자 도망치기보단 똘똘 뭉쳐 싸우는 쪽이 더 나을 것 같았다. 모두에게. 성국 쪽에서도 부지런히 달려오고 있을 테니, 어떻게든.

"여기 있는 사람들을 잃는다면, 성국에 엄청난 손실이기도 해. 난 혼자 도망가지 않을 거야. 그렇게 알아."

엄포를 놓듯 난 단단하게 말했다. 야파 왕국에서 발을 뺀 이후 칼리스가 귀환하는 우리를 쫓기로 결정하는 덴 거의 텀이 없었던 듯싶다. 처음부터 목적은 우리였다는 것처럼.

월신의 저주는 유효했고, 칼리스의 왕은 성국에게 칼을 갈고 있을 터였다.

하지만 칼리스에서도 만반의 준비를 하고 오진 못했을 테지. 병력도 그리 많진 않을 거다. 우리 쪽 수가 적다지만, 해볼 만할 것 같았다.

난 각오를 다졌다. 한 차례 전투를 치러 낸 이후라, 두 번째는 좀 덜 긴장되었다.

그러나 내가 생각한 것보다, 칼리스의 준비는 철저했다.

그래, 우리가 야파 왕국으로 향하는 길에도 술수를 부려 놨던 것처럼 귀환하는 길에도 그들이 습격해 올지도 모른다고 생각하긴 했었다. 그렇단 얘긴, 어쨌든 이건 예정되어 있었단 거다.

차츰 사방으로 조여드는 포위망을 느꼈다. 그리고 어느 순간,

—히히힝!

난데없이 날아온 화살을 스쳐 맞은 말이 다리를 높게 치켜들었다. 주변의 말들도 덩달아 난리가 났다. 영화를 보다가 옆자리 비명에 화들짝 놀라 같이 소리를 지르듯이.

이카루스가 성력으로 지배력을 행사하여, 말들을 가라앉혔다.

“고삐를 늦추지 말고 달립시다!”

다행히 화살은 말 엉덩이를 스쳐 지난 듯했다.

“성녀님, 꼭 붙잡으세요!”

모두가 이제껏 슬금슬금 달리고 있던 말의 속도를 한순간에 높였다. 전력 질주로 여길 빠져나갈 셈이었다.

그러나 그 또한 원하는 대로 되진 않았다.

—파사사.

기다렸단 듯이 공기를 스치는 수없이 많은 소리가 쏟아져 내린다. 모두가 각자의 성력으로 달려드는 화살을 튕겨내거나 받아쳤다. 그러나 모든 화살을 막아 낼 순 없었다.

앞쪽에서 누군가의 말이 귀청이 떨어질 듯한 울음과 함께 또다시 다리를 들고 일어났다. 외마디 비명과 함께 미끄러지듯 낙

마한 성기사는 가까스로 제 자리에 일어섰다.

"나와 함께 말에 타죠."

이카루스가 성력으로 결계를 치고 손짓하여 그를 말에 올렸다. 그리고 침착하게 일행을 지휘하며 또다시 속도를 내게끔 독려했다.

이제 조금만 더 가면 다리다. 하지만 본격적으로 공격하진 않고, 화살만 쏘아 대어 체력을 빼는 것이 수상했다. 앞으로 갈수록 짙어지는 부정한 기운도.

난 그 수상함의 이유를 곧 눈으로 확인할 수 있었다.

"이런."

이카루스가 탄식을 냈다. 고쳐 놨던 다리는, 내가 보였던 기적이 무색하도록 처참히 무너져 내려 이미 잿빛이었다. 내가 기껏 힘써 놨는데!

깊디깊은 협곡에선 바람만 윙윙 불었다. 그 너머에 성국의 군대가 있을 터였다. 우리에게 닿을 수 없을 만치 먼, 거리를 두고.

우리는 궁지에 몰린 쥐였다. 밑으로 뛰어내릴까, 내려다본 아래쪽에는 기괴한 회색 안개가 온통 협곡을 메우고 있었다.

"독연이군요."

이카루스가 창백해진 얼굴로 말했다. 성국에서 병력을 보내오지 못한 까닭이 여기에 있었다.

그들은 여기까지 빙 돌아오는 길을 택해야 할 거고, 그 길이라고 한들 평탄할진 모르겠다.

"칼리스의 마력이 너무 가득해서, 성력이 피부 속에 갇힌 기분이 들어요."

불편함을 느끼는지 아리안느가 얼굴을 확 찌푸렸다. 확실히, 여기. 이 자리까지 몰아넣은 덴 의도가 있었다.

대기가 성력에 비친화적인 느낌. 끌어올려 피부 밖으로 내면, 통증이 밀려올 듯이 버거웠다. 하지만 싸우지 못할 정도는 아니었다.

우리는 모두 숙연하게 말에서 내려섰다. 더 이상 도주할 만한 길도 없었다. 곧 정면에서 화살을 겨눈 칼리스의 군사들이 나타났다. 팽팽히 당겨진 활시위가 가히 위협적이다.

그 옷차림, 기세. 야파에서 도주한 왕속 특무단원들이 앞장서고 있었다. 그들을 뒷받침하는 병사들까지 도대체 몇 명인지 감이 잡히지 않는다.

규모를 보건대, 우리에게 추적이 집중되었단 걸 바로 알아챌 수 있었다. 그렇담 역시 다른 사절들은 무사하단 거겠지.

근데 일단 우리가 위기라고, 위기야! 지독한 놈들! 성국 안에서만 온실의 화초처럼 자라온 나한테 무슨 원한이 그리 깊은 거지?

"자, 자. 성녀님을 인도한다면, 나머지 분들의 목숨만은 살려드리지요."

엊그제 본 익숙한 얼굴이 그들 틈새에서 걸어 나오며 회유를 던졌다. 아지스라고 했지? 이 왕자 살해범! 근데 나? 나를 인도하라니.

내가 아무리 한 귀여움 한다지만. 칼리스에는 열세 살의 어린 소녀를 원하는 자라도 있는 거야? 그런 건 속으로 삼켜야지 드러내면 변태가 된다니까.

가만, 칼리스가 야파 왕국을 통해 음모를 판 게 나를 사로잡기 위함이면, 나는 경국지색인 건가? 어린 나이부터 벌써 나라를 뒤흔들다니, 이 비운의 성녀님이란!

위기 상황이 되니 머리가 쌩쌩 망상적으로 잘 돌아간다. 그리고 내가 무슨 생각을 하든 이 상황을 타파할 길은 보이지 않았다.

우리를 향한 화살촉이 유독 날카로워 보인다. 저걸 맞으면 아프겠지?

난 짱돌을 굴려 보았다. 성녀를 인도한다면 목숨만은 살려 드리겠단 건, 날 사로잡기만 하고 죽이진 않는다는 거 아냐? 아니면 나만 죽이겠다는 건가.

뭐, 그 말을 믿을 수 있느냐면, 당연히 믿을 수 없지.

또 그 말에 응할 수 있느냐면, 여기 있는 대사제들과 카마엘이라면 자신들이 모두 죽더라도 절대로 용납지 않을 일이라고 대답할 터.

만약, 여기 아델이 있다면…….

거기까지 생각한 난 깜짝 놀랐다. 내가 언제 이렇게 의존적인 사람이 되었지? 여기에서 아델을 찾다니. 양심이 좀 있어라. 에스델!

인질로 잡히면서까지 날 도와주었던 아델이다. 그 일로 인해 그가 위험해지진 않을지, 걱정한 적도 있었는데…….

내 시선은 어느덧 칼리스의 포위진을 훑고 있었다. 누군가를 찾으려는 듯이.

팍! 그 순간, 화살이 날아와 내 옷깃에 닿을 듯 말듯 발 앞에 박혔다. 땅에 촉을 묻은 화살대가 좌우로 부르르 떨렸다.

이건 노린 거다. 위협적이고, 예리했다. 나는 화살이 날아온 쪽을 돌아보았다. 그리고 발견할 수 있었다. 그 새파란 눈동자를.

회색 후드를 뒤집어쓴 채, 나를 향해 활시위를 겨누고 있는 한 소년. 그의 활엔 두 번째 화살이 메겨져 있었다.

아델은, 나를 맞추지 않을 거다. 머리 위에 사과를 올려놓고 제대로 맞출지 시험해 보는 믿음까진 당연히 없었지만, 나는 그것을 안다.

그럼에도 불구하고 아델이 나를 향해 활을 겨누고 있단 건, 놀랍도록 가슴 서늘해지는 일이었다. 그게 그와 나의, 상식적인 관계였다.

왜 내 말을 듣지 않았느냐고 비난하듯 싸늘한 눈길이라면 차라리 나았을 텐데. 그는 무생물처럼 차갑고 생기 없는 눈빛으로 날 바라보고 있었다.

너는 네 말을 듣지 않은 날 비난하고 싶을 테지. 내가 여기서, 항복하길 바랄까? 아니면…….

그러나 더 이상 생각할 겨를이 없었다.

"성녀님, 부디."

이카루스가 속삭였다. 난 단호하게 거절했다.

"안 돼."

모두를 놔두고 도망가라고? 하지만 나는 성녀인걸. 누군가를 구하기 위해 자신을 희생하는 것이 성녀의 역할이지. 자신을 따르는 사람들을 버리고 혼자 안위를 추구하는 건 성녀가 할 짓이 아니야.

눈앞에서 포위망이 좁혀 들고 있었다. 고작 백 미터도 되지 않는 거리다.

빽빽하게 이쪽을 향해 겨누어진 화살촉의 끝이 서늘한 빛을 낸다. 공기 중에 빼곡히 박힌 얼음 결정이 빛을 반사하듯이.

화살을 쏘아 성력을 소진시키고, 힘이 빠진 우리를 상대한다. 그런 의도일 터였다. 일행의 모두가 잔뜩 긴장한 채로 나를 둘러싸고 있었다. 그렇게 되어선 안 되었다. 위기 상황이다.

이카루스는 어떻게 해야 할지 고뇌에 잠겨 있는 듯했다. 그렇다면 결정은 내가 내려야겠지.

"최선의 방어는 공격이라지?"

혼잣말한 난 고개를 끄덕였다.

"돌파하자."

배수진을 쳤으니, 궁지에 몰린 쥐는 고양이를 문다는 걸 보여줘야지. 그리고 우리는 찍찍거리는 쥐가 아니라고!

성국 제일의 성기사 카마엘이 망설임 없이 앞장섰다. 그가 검을 빼 들고 앞에 서는 것만으로도, 적 쪽에서 흠칫하는 게 느껴졌다.

많은 왕속 특무단원들이 그의 검에 목숨을 잃었다. 그때에도 수적 우위를 앞세우지 않았다곤 말 못 할 거다.

"제가 주의를 끌 테니, 적들의 주의가 흐트러진 사이 움직이십시오. 저는 신경 쓰지 마시고, 뒤를 돌아보지도 마십시오. 저 하나쯤은 충분히 몸을 뺄 수 있습니다."

그답지 않게 말이 길었다. 무수한 전투를 치러 낸 카마엘에게조차도, 이 상황이 위기로 느껴진단 걸까.

"알겠습니다, 부디 옥체를 보중하시길."

"카마엘 님, 잘 부탁드려요. 성녀님은 우리가 잘 모시겠어요."

대사제들의 결연한 목소리가 잇따랐다. 나도 카마엘에게 축복을 걸며, 말을 보탰다.

"카마엘, 무사해야 해."

좀 다치는 것까진 가슴 아프지만, 허용할게. 내가 금방 고쳐 줄 테니까!

하지만 다른 누구보다도, 카마엘을 잃는다면 나는 이곳 야파에 온 걸 후회하게 될 거다. 그러니 내가 후회하게 하지 말아 줘.

"……시작합니다."

느릿하게 카마엘의 말이 떨어져 내렸다. 그리고 눈앞에서 그의 신형이 사라졌다. 빛살 같은 빠르기였다.

그는 곧바로 적진으로 날듯이 파고들었다. 그 움직임이 지독하게 빨라, 화살은 의미 없이 허공을 갈랐다.

챙, 챙강! 성검에 병장기가 부딪히는 소리가 울려 퍼졌다. 그게 신호라도 된 듯, 이카루스가 외쳤다.

"지금입니다!"

우리 일행은, 일제히 말에 올라타 포위진의 우측으로 파고들었다. 일순 카마엘에게 시선이 쏠려, 쏘아지는 화살은 없었다.

카마엘은 확실히, 자신이 무엇을 해야 할지 알고 있었다. 아주 위협적인 공격을 가해, 자신을 향한 시선을 뗄 수 없게 만드는 것.

그의 쪽을 흘낏 본 나는 경악했다. 카마엘이 아델을 노리고 있었던 것이다!

맙소사. 난 입술을 깨물었다. 아델! 카마엘이 그를 베어 버리기라도 하면…….

아니야, 카마엘은 내가 아델과 친하다는 걸 알잖아. 그리고 아델이 우리를 도왔단 것도 알아. 나를 보아서라도 그렇게 하진 않을 거야.

하지만 카마엘은 어떤 면에서 진실로 비정한, 달의 뒷면 같은 이였다. 그에게 가장 우선이 되는 건, 부인할 길 없이 나. 내 안전.

게다가 카마엘은 내가 아델과 어울리는 걸 좋아하지 않았다. 그리고 나를 도와주었더라도 아델은 칼리스의 귀족이었다. 이 기회에 처리하려 든다고 해도, 어차피 내가 말릴 수 없을 테니까.

쉽게 당하진 않겠지? 양쪽 중 누구라도 피를 쏟는단 생각이 들자 아찔해진다. 이렇게 대치하게 되니, 우리가 적이라는 게 선명하게 실감이 난다.

만약 카마엘과 아델, 둘 중 하나를 택해야 하는 상황이 온다면?

그건 상상하기도 싫은 일이었다. 그러나 아주 멀고 어렴풋하게 느껴졌던 칼리스인, 혹은 적이라는 관념이 내게로 훅 밀려들었다.

아무리 내가 욕심쟁이라지만, 모두 다 가질 수 없단 건 알고 있었다. 그럴 수 있는 것처럼 스스로 착각을 불어넣고 있었어도.

"속도를 올려!"

이카루스의 외침과 함께, 성기사들이 앞서 병사들을 쳐 냈다. 달려드는 기세를 이기지 못하고 길이 뚫렸다.

포위망의 우측, 그리로 돌아 나가 곧장 성국으로 향한다. 마법의 기운이 가득한 대기 속에서, 성력 사용은 최소한으로. 일단 이 자리를 벗어나야 했다.

막 칼리스의 군사를 지나, 돌파에 성공하려던 그때였다. 왼편에서 엄청난 마력이 몰아닥쳤다.

—콰광!

자기네 병사들 따윈 어떻게 되어도 좋다는 듯, 무차별적으로 행사된 마법. 머리가 찌릿할 만치 급하게 성력을 끌어올려 방어했다.

흙먼지가 안개처럼 일고 파편이 튀어, 말의 몸에 박혔다.

히히히힝! 급격히 균형이 기운다. 나는 아리안느 품에 안겨 바닥에 발을 디뎠다.

"괜찮으세요?"

말이 허우적거리다가 옆에서 쓰러졌다. 급히 신성 결계를 펼쳐 마법은 막아 냈지만, 그 여파에서 보호할 수 있는 건 나와 아리안느뿐이었다.

연기가 가라앉고, 서서히 시야가 드러났다. 눈에 보이는 광경이 참혹하다.

우리 일행은 어떻지? 신성 결계의 영향을 받았다지만, 파편 속에서 자유로울 순 없었다. 하나둘 비척거리며 주위로 모여들었다.

말은 모두 죽었다. 우리는 적진에서 탈것 없이 고립되었다.

폭풍이 휘몰아치고 난 이후처럼 마법의 기운이 걷히자 대기가 조금 깨끗해졌다. 칼리스의 병사들이 이쪽으로 슬금슬금 밀려들고 있었다.

카마엘은…… 어떻게 되었지? 아델은? 인질을 잡는 수법이 두 번이나 통할 것 같지 않다. 암울한 상황이었다.

"성녀님."

이카루스가 다가서서 내 이름을 불렀다.

"안 돼."

난 꿋꿋이 도리질 쳤다. 이 상황에서 나 혼자 도망친다면, 여기 있는 사람들은 어떡해?

그 순간, 화살이 발치에 박혔다. 아리안느가 신성 결계를 펼치자 투캉, 투캉, 우박 떨어지는 소리와 함께 무수한 화살이 쏟아져 얇은 막을 후려쳤다. 몸을 꿰뚫을 만한 화살비다.

"이동하자!"

내 말과 함께, 모두가 그 상태로 진영을 유지한 채 달렸다. 그래야만 결계의 보호를 받을 수 있다.

그러나 우리가 부지런히 도망친 방향의 끝에는, 덩그러니 절벽이 놓여 있었다.

아래로 떨어지는 거면 차라리 나았을 텐데. 위로 치솟은 바위 절벽이다. 밧줄도, 계단도 없었다.

여길 넘어서 조금만 더 가면 성국일 텐데. 하필 여기로 몰렸다.

"어떻게 하지?"

날아오르는 건 가능하지만, 자신은 없었다. 이 많은 사람들을 데리고 날았다가 도중에 힘이 다한다면…….

엊그제 잔뜩 성력을 쓴 여파가 남아 있는 데다가, 좀 전에 마법을 막아 낸 탓에 내겐 그리 여력이 없었다. 그건 대사제들도 마찬가지일 터였다. 하지만 할 수 있는 시도가 있다면, 그것뿐이다.

내가 성력을 쓰려고 결심한 순간, 이카루스가 나를 향해 손을 뻗었다.

"성녀님만큼은 무사하셔야 합니다."

굳은 얼굴이었다. 내가 뭐라고 말할 새도 없이, 그가 속삭였다.

"부디 용서하시길."

그리고 강한 성력이 나를 휘감았다.

지쳐 있던 난 저항하지 못했다. 그저 내 몸이 빛에 휩싸이도록 놔둘 수밖에 없었다. 다음 순간, 눈앞의 풍경이 바뀌었다.

나는 망연히 바닥에 앉아 있었다. 저 멀리, 부서지다가 만 다리의 흔적이 보였다. 그러나 여긴 칼리스에게서 쫓겨 섰던, 그 자리가 아니었다.

정확히 반대편. 나는 덩그러니 혼자서 이곳으로 옮겨졌다.

원치 않았다. 하지만 나조차 저항하지 못했다면 이것은— 몸에 묻어나는 성력의 파편을 난 망연히 바라봤다.

대사제가 일평생 단 한 번, 행사할 수 있다는 기적의 구현. 자기 맘대로 사용할 순 없다. 이건 나의 신께서 허락하셨기에.

"성녀님!"

나를 부르는 높은 음성이 들렸다. 난 퍼뜩 뒤를 돌아보았다. 헐레벌떡 뛰어온 여인이 내 어깨를 감싸 안았다.

그녀답지 않게, 머리며 옷이 온통 흐트러져 있다. 잠도 제대로 자지 못한 듯 근심이 깃든 안색이었다. 안도의 숨을 토해 내며 그녀가 속삭였다.

"무사하셔서, 정말 다행이에요."

나는 잠시, 익숙한 그녀의 품에서 심적인 공황을 달래고 있었다. 위기를 맞았는데, 나 혼자 위기에서 빠져나왔다.

나만이라도 안전하길 바랐던 이카루스의 심정을 모르는 건 아니다. 그래도, 어쩔 수 없음을 알고 있어도, 납득할 수 없음이 내 안에서 치솟았다. 난 이걸 원치 않았어.

하지만 이러고 있을 순 없지. 뭔가를 해야 해. 난 자리에서 벌떡 일어섰다.

"에이레네, 군사들은 어디에 있지?"

그들이 고립된 위치를 아는 건 나다. 바로 달려가면, 늦지 않을지도 모른다. 초조감이 치민다. 나는 그들 중 누구도 잃고 싶지 않았다.

"우회하여 야파로 향하고 있어요. 후방에 남아 있던 저만이 성력의 파동을 느끼고 여기로 달려왔어요."

"전갈을 보낼 수 있지? 다리 너머 우측 절벽 밑에 그들이 고립되어 있어. 나도 바로 그리로 가야겠어."

서둘러 그녀의 품을 벗어나려는 날 에이레네가 꼭 껴안았다. 그녀가 다정스럽게, 그러나 단호한 투로 말했다.

"성녀님은 이대로 성국으로 돌아가셔야 해요."

"그럴 순 없어. 이카루스는 이제, 날 여기로 보내서 성력도 사용할 수 없을 거라고."

그가 죽을지도 몰라. 그 생각을 하자, 난 참을 수 없이 두려워졌다. 가슴이 떨렸다.

카마엘이나 아리안느는, 어떻게든 살 수 있을지 모르지. 하지만 이카루스는……. 대사제들은 어린 시절부터 나와 너무도 가까웠다. 가족이나 마찬가지의 존재들.

그들을 잃는 건, 성녀로선 부적절한 말일지 몰라도, 월신의 수많은 신도 중 한 명을 잃는 것과는 전혀 다른 의미였다.

"이카루스도 이렇게 될지도 모른다는 걸 알고 있었어요. 그는 해야 할 일을 했을 뿐이에요."

이미, 의논이 끝난 일이었구나. 난 에이레네의 눈을 보면서 깨달았다.

그래 성녀인 날 타국으로 보내면서, 날 안전하게 대피시킬 최후의 수단을 의논하지 않았을 리는 없겠지.

그리고 이카루스는 최후의 최후에 날 이 자리로 돌려보냈다. 홀로 안전한 이 자리로.

나는 또박또박 말했다.

"카마엘과 대사제 두 명, 그리고 성국의 사람들이 아직 저기에 있어."

난 다리 너머를 손가락질해 보였다.

"나는 그들을 놔두고 성국으로 돌아가지 않을 거야."

이카루스의 결정을 탓할 마음은 없다. 그는 그의 일을 했다. 그러나 그에게 의무가 있듯이, 내게도 의무가 있는 거였다.

나는 성녀로서 내 권속들을 구해야만 했다. 내 존재만으로도 성국의 전력은 강해진다.

"어서 군사들과 합류하자. 늦어선 안 돼."

"성녀님."

에이레네는 내게 동의하지 않았다. 그녀는 흔들리는 눈으로 날 바라봤다.

에이레네도 대사제였다. 주관이 있고 결정권이 있는 대사제. 또한 고집이 있는. 그녀에게 가장 중요한 건 내 안전이었다.

나를 위함을 알았기에 나는 대개 그녀의 말에 따랐다.

하지만—

“에이레네, 내가 명령을 내렸으면 좋겠어?”

이번만큼은, 옳지 않았다.

“나를 후회하게 하지 말아 줘.”

두 번째 사는 삶이라지만, 돌이킬 수 없는 건 마찬가지다. 에이레네는 나를 가둔 손을 놓았다.

“……제가, 성녀님을 보필하겠어요.”

그녀는 나를 데리고 지상을 날듯이 달려, 곧장 성국에서 보내온 군사들에게로 이르렀다. 그 군사들을 이끌고, 우리 일행을 찾아내기까지 그리 오랜 시간이 걸리지 않았다. 고작 몇 시간.

그러나 그동안 내 속이 얼마나 타들어 갔는진 누구도 알지 못할 거다.

“찾았습니다!”

그 외침이 있고, 나는 재빨리 앞으로 나아갔다. 성국의 군대가 등장하자 칼리스의 군사들이 썰물처럼 물러나고 있었다. 척 보기에도 전력 차가 나는 상황이었다.

처음 눈에 들어온 것은 카마엘이었다. 물러가는 칼리스의 병력을 응시하던 그가 내 쪽을 돌아보았다.

“카마엘, 무사했구나. 다들 괜찮아?”

“성녀님, 어째서 여기에.”

치열한 전투를 치러낸 탓에, 뺨에 생채기가 남아 있었다. 옷도 여기저기가 찢기고, 지친 듯이 기운이 흐트러져 있다. 그토록 상처투성이의 그는 처음이었다.

그가 있어서 다행이고, 그가 살아 있어서 더 다행이다. 내가 안전하단 것에 안도하면서도, 내가 여기로 다시 온 것이 마음이 걸리는지 그가 대사제들 쪽을 돌아보았다. 에이레네가 고개를 저었다.

“이곳에 오시겠단 의지가 강렬하시어 어쩔 수 없었어요. 성녀님 덕분에 빨리 찾아내기도 했고요. 다들 상태가 어떻지요?”

“성기사 세 명이 죽었습니다. 그들의 수급을 거두어 장례를 치러 주어야 할 겁니다.”

“다른 이들은?”

“숨은 붙어 있습니다. 치료를.”

포위당했던 인원은 한데 모여 진을 형성하고 있었다. 소수가 다수를 능히 상대할 수 있는 진영이었다.

사제들이 다가가 상처 입은 이들을 수습했다. 카마엘과 에이레네가 대화하는 걸 뒷전으로 하고 나는 그들에게로 뛰어갔다.

“이카루스!”

숨은 붙어 있댔지? 그 점에선 안도할 수 있었지만, 완전히 안도하기엔 또 일렀다. 나는 절벽 바위에 몸을 기댄 채 쓰러져 있는 그를 발견했다.

“이카루스, 괜찮아?”

“그는, 괜찮아요. 잠시 정신을 잃었을 뿐이에요.”

근처에 기대앉아 있던 아리안느가 지친 듯이 목소리를 냈다. 난 창백한 안색의 이카루스에게 성력을 불어넣었다.

“하지만 몸에서 성력이 느껴지지 않는걸.”

거기까지 말한 난 퍼뜩 깨달았다. 그의 몸에서 성력이 느껴지지 않는 건, 칼리스를 상대로 싸웠기 때문이 아니라 나를 이동시켰기 때문이라는 걸. 그것이 그에게 허용된 유일한 기적이었다.

그렇단 소린…….

이카루스는 모든 성력을 잃었다. 그 잃은 성력이 돌아올 수 있을지는 모르겠다.

난 이카루스의 얼굴을 무겁게 내려다봤다. 지금 내가 할 수 있는 건, 살아 있는 사람들을 회복시키는 일뿐이었다.

*

다치고 지친 사람들을 수습하여, 다시 성국으로 향하는 행로에 올랐다 전력의 반절이 자릴 비운 사이, 칼리스가 성국을 노릴 수도 있었기에 길을 서둘러야 했다. 드디어 돌아가는 것이다.

그러나 집으로 향하는 발길은 날듯이 가볍긴커녕 무겁기만 했다. 이카루스는 아직 의식을 차리지 못했고, 몇 명의 성기사들을 잃었다.

큰 희생이 아니었을지라도, 사람이 목숨을 잃는 데 희생의 크기를 재어 볼 순 없다.

난 부쩍 우울해져서 입을 다물고 마차의 침대에 누워 있었다. 피곤하다. 피로와는 별개로 속이 복잡해서 잠은 오지 않았지만.

마차는 상당히 넓었다. 나와 이카루스가 누운 침대를 포함하여 총 네 개의 침대가 있었고, 거기에 앉을 공간이 더 있었다.

모여 앉은 이들이 두런두런 이야기를 나누는 목소리가 들렸다.

"이상한 일이 하나 있더군요. 그들은 많은 준비를 했어요. 다리를 무너뜨린 마법, 또 일행을 향해 행사했던 그 강력한 마법. 그게 끝이었을지도 모르지만, 절벽을 무너뜨리는 게 그들에겐 더 좋은 방법일 텐데도 우리를 몰아붙이기만 할 뿐 그 이상 뭔가를 하지 않았어요. 결과적으로 시간이 끌렸고, 성국의 군사가 도착하기까지 시간이 생겼지요."

"그건 카마엘 님을 노렸기 때문이 아닐까요. 이런 말씀 드리긴 뭐하지만, 카마엘 님이라면 혼자가 되는 쪽이 누군가를 지키는 것보다 안전할 테니까요."

"그건 동의해요. 이카루스가 성녀님을 안전한 곳으로 이동시킨 이후, 카마엘 님은 남은 일행들을 지켰고, 정말 무용이 대단하시긴 했지만, 사실 오래 버티시지 못할 줄 알았어요. 이카루스는 기절했고, 카마엘 님은 오래도록 싸우셨고 그분을 도울 만한 대사제라곤 저 아리안느밖에 없었으니까요."

"성녀님의 부재를 알지 못했을 수도 있지요. 그들은 어디까지나 성녀님을 사로잡길 원했으니 그 같은 방법을 택하지 못할 만도 해요."

"성녀님을 사로잡길 원했다……라."

에이레네의 눈길이 내게로 와 닿았다. 나는 자는 것처럼 눈을 감고 있었다.

"왜 그래야 했을까요? 칼리스는 월신의 저주 때문에, 성국을 증오하고 있지요. 차라리 사절단의 몰살을 바란 쪽이 걸맞아요."

모두가 침묵을 지켰다. 성녀를 사로잡아 내세워서, 완전히 성국을 무너뜨리고 싶기 때문에? 가능성 높은 추측들이 속에서 스치고 있으리라.

에이레네가 나지막이 입을 열었다.

"여하간, 큰 탈 없이 끝나서 다행이에요. 밤의 그늘로 걸어 들어간 이들에게 월신의 가호가 있기를."

"그들이 마지막으로 간 길에 달빛이 깃들기를."

엄숙해진 분위기 속에서 난 눈을 깜빡였다. 왜, 칼리스가 절벽을 무너뜨리지 않았는지 난 알 것 같았다.

하지만 누구에게도, 심지어 카마엘에게조차도 꺼내 놓을 수 없는 사실이었다. 그 이름을 떠올리는 것만으로도, 죄책감이 드는걸.

나는 사실 아까, 카마엘에게 묻고 싶었다. 차마 묻지 못했지만, 그리고 물을 상황이 안 나는 지금도 여전히 묻고 싶지만, 꾹꾹 삼키고 있었다. 이 초조감을 마땅히 감수해야 하는 것처럼.

아델은…… 무사한 건지. 다치진 않았는지.

카마엘은 아델을 노렸다. 그건 칼리스의 주의를 흐트러뜨리기엔 가장 효율적인 방법이었다. 카마엘을 막아서기란 쉽지 않았을 거다.

그래서, 걱정이 되었다. 이카루스도 카마엘도 아리안느도, 우리 성국의 사람들도 걱정했지만, 아델에 대한 걱정도 강렬했다. 도저히 모른 척할 수 없을 만큼.

칼리스에서 그리 적극적인 공세를 펴붓지 않았다면, 그건 아델이 건재하단 뜻이겠지? 아델이 다치거나 죽었다면, 칼리스에서도 그 정도로 넘어가지 않았을 거다.

그렇게 스스로를 납득시키면서도, 완전히 위로가 되진 않았다. 확인받고 싶었다.

하지만 그건 지쳤음에도 말에 올라 경계를 늦추지 않고 있는 카마엘에게 당장 꺼낼 수 없는 말이었다.

내가 아델과 연을 맺은 이후로, 이렇게 칼리스와 성국이 정면으로 충돌한 건 또 처음이다. 이번엔, 이 정도로 끝났다. 하지만 앞으로도 이 정도로 끝날지 알 수 없었다.

많은 상념을 안고 나는 한참을 누워 있었다. 마차가 달리고 달려 성국에 입성할 때까지.

*

돌아오고 나서 회의가 열렸고 끝이 났다. 나는 곧바로 기도실로 달려가 월신께 조르고 매달렸다. 하지만 바뀌지 않은 것이 있었다.

[그는 대사제에게 일생에 단 한 번 허용된 기적을 사용했단다. 이는 어쩔 수 없는 일이란다.]

"성녀인 제가, 그에게 성력을 부여한다고 해도요?"

[그의 성력은 모두 소진되었고, 그릇은 깨어졌다. 그는 그 대가로 성력을 사용할 수 없는 몸이 되었지.]

"하지만 월신님은, 그에게 성력을 돌려주실 수 있으시잖아요."

[에스텔, 나는 그럴 수 없단다.]

단호한 맺음이었다.

성녀란 이름을 달고서도 난 무엇도 바꿀 수 없었다. 그것이 가슴 아팠다.

이카루스는 모든 성력을 잃었다. 때문에, 그는 더 이상 대사제일 수 없게 되었다. 성력이 없는 대사제란 건, 존재할 수 없으므로.

나를 피신시킨 대가로, 그는 날개를 잃었다. 그리고 신의 권속에서 평범한 인간이 되었다.

"대사제 자리가 비었으니, 은퇴한 분이 다시 그 자리로 돌아오시게 되었어요."

회의를 마치고 에이레네가 부드러운 투로 내게 속삭였다. 깨어났을 때 이카루스가 어떤 표정을 짓고 있었는지 기억한다.

그는 후회하지 않았다. 슬퍼하지도 않았다. 그저 담담한 얼굴로, '이제 더 이상 월신의 권속으로서 직무를 수행할 수 없게 되어서 아쉽군요.'라고만 말했다.

이카루스가 그대로 수긍할지라도, 나는 수긍할 수 없었다. 대사제가 아닌 이카루스는 상상도 해 본 적 없었으므로.

그가 내게 기적을 사용하지 않아도 되도록, 내가 스스로 도망치는 편이 나았을까? 말 안 듣는 성녀 때문에 성력을 잃었다고 생각하진 않을까.

하지만 이카루스는 주룩주룩 눈물을 쏟아 내는 날 보며 희미한 미소를 머금었다. 그는 한마디 탓하는 말 없이, 그것이 자신의 사명이며 선택이라고 말했다.

'저는 제 소임을 다했을 뿐입니다. 성녀님의 탓이 아니니 울지 마세요.'

가진 것, 그리고 이제껏 살아온 삶을 모두 놓고 살아간다는 건 어떤 기분일까.

사실 그는 괜찮을지도 모른다. 그런데 내가 괜찮지 않았다.

*

회의 하루 뒤, 나는 휴식을 취하고 있는 카마엘의 집으로 찾아갔다.

다른 사제들이 이미 그의 회복을 돕기 위해 성력을 썼지만, 그래도 내가 그의 회복을 돕고 싶었다. 이번 임무 때문에 내내 너무 고생을 많이 했으니까.

"그는 무사합니다."

날 보자마자, 카마엘이 먼저 말을 꺼냈다. 나는 카마엘이 말하는 '그'가 누군지 단박에 알아챘다.

"호위가 많아서 미처 파고들 수 없었습니다."

내가 뭐라 말하기 전, 카마엘이 말을 이었다.

"하지만 성녀님, 저는 손속에 사정을 두지 않았습니다. 다음에 다시 그를 만나게 된다면, 그때에도 마찬가지일 겁니다."

카마엘에게 아델을 해치지 말라고 말할 수 없었다. 그게 그의 입장에선 당연한 거겠지.

그럼에도 아델이 어떻게 된다면 나는 아마, 카마엘을 원망할지도 몰라. 아니, 원망하게 될 거야.

나는 카마엘에게 말해야만 했다. 그건 더없이 강렬한 기분이었다.

"아델은 우리를 도왔어. 그가 도왔기에, 대비할 수 있었어."

난 카마엘을 똑바로 쳐다보았다. 칼리스의 소행과 마음 아프게 잃은 것들 때문에, 혼란스러울지라도 빛이 바래지 않는 것이 있었다. 내가 부인할 수 없는 한 가지가 있었다.

"나는 아델에게 빚이 있어."

"그렇다고 해도, 그는 칼리스인입니다. 그가 성녀님을 위한다고 한들, 그 외의 모든 것에서 그는 성국에 반하는 존재입니다."

"아델은 칼리스가 성국을 침략하도록 놔두지 않을 거야."

"그렇다면, 칼리스가 성국을 침략하지 않는 대신, 그 외의 모든 나라를 짓밟는다면 내버려 두실 겁니까."

그것이 성국에게 온당한 일이냐고, 묻는 눈이었다. 나는 분명히 대답했다.

"아니, 그렇지 않을 거야."

월신의 성지로서, 성국은 인간계에서 주어진 역할과 의무를 준수해야 한다. 칼리스의 앞길을 막아서는 것도 피할 수 없는 일이었다.

하지만 나는 아델에게 빚이 있었다. 그것도 아주 비싼 빚. 나는 그걸 갚아야 했다. 그게 어떻게 공생할 수 있는지는 모르겠다. 그렇다고 내가 진 빚을 없는 걸로 할 순 없다.

설혹 그 때문에 비난받는다더라도 상관없으니, 부디 내가 올바른 선택을 할 수 있기를.

나는 다만 기도했다.

*

칼리스의 주의가 성국의 사절단에 쏠린 사이 타국 사절들이 모두 무사 귀환에 성공했다는 소식이 전해졌다. 칼리스의 음모는, 일단은 무산된 것으로 보였다.

그러나 그로부터 고작 한 달도 지나지 않아, 어떤 비보가 성국으로 도착했다. 야파 왕국의 함락.

막 내부적으로 회담 결과에 대한 의견을 추슬러 대칼리스 연합을 움직이려던 참이었다.

어떤 도움의 손길을 줄 새도 없이, 음모의 자취를 지워 내듯 일어난 사태에 모두가 황망해 했다. 또한 경각심이 몸을 일으켜 세웠다.

아무리 한 번 칼리스에게 꿰뚫렸다곤 하나 단시간에 야파 왕국을 점령해 낸 칼리스의 군사작전은 실로 공포스러웠으므로.

연합에선 동요를 숨기지 못하는 이들도 있었고, 어찌할지 갈피를 잡지 못한 이들도 있었다.

그러나 그들에게 결단은 요구되지 않았다. 야파 왕국을 점령해 낸 뒤 본격적인 활동에 나설 줄 알았던 칼리스는 또다시 침묵에 빠졌다.

연합의 국경 너머로 위협적으로 오가던 칼리스의 군대는 다시금 본국으로 돌아갔다.

누구도 그 이유를 알지 못하는 의문스러운 상황 속에서 세월은 유수와 같이 흘러갔다. 해소되지 않은 불편한 긴장감을 안은 채로.

외전

독선

“그들이 성국으로 도착했다고 합니다.”

“그래.”

병력을 수습하고 잠시 휴식을 취하기 위해 모여든 막사였다. 코앞까지 치밀었던 성기사 카마엘의 검을 떠올리며 아델은 눈살을 찌푸렸다.

그자는 진심이었다. 진심이 아닌 적이 있나 싶은 자였지만, 적이 되니 정말 거침이 없다.

카마엘의 검은 거의 자신에게 이를 뻔했다. 아지스가 잘 막아선 것이지 그가 주저했던 게 아니다. 카마엘은 언제든 자신을 제거할 기회를 노리던 자였다.

사감이 있든 없든 이가 바득 갈린다.

‘정말 마음에 안 들어.’

성녀 곁에 찰싹 달라붙은 모양새도 마음에 들지 않지만, 자신과 성녀 사이에 그가 군견처럼 이를 드러내며 서 있는 것도 마음에 들지 않는다.

그자는 장애물이었다. 그들 사이에 존재하는 수많은 장애물 중 하나.

'하지만 그보다 성녀를 잘 지킬 수 있는 자는 없지.'

필요하다. 호위로서의 카마엘이. 그가 없는 곳에서의 성녀의 안전을 위해서. 아직까지는 그랬다.

하지만 성기사 카마엘은 결국 자신이 성녀를 손에 넣는 데 가장 큰 장애물이 될 것이다. 그가 있어서 애초에 성녀를 노리는 계획의 실패 확률이 높아진 것도 사실이었다.

약혼자라던가. 절로 이맛살이 구겨졌다. 진지하지 않은 말이라는 건 알고 있지만, 그걸 의식하지 않을 순 없다. 성녀는 여러모로 그를 흔들었다.

"계획대로 하시겠습니까."

"그래."

다 잡은 먹잇감을 놓쳤다. 원래라면 문책을 피할 수 없는 것이 맞다. 왕은 성녀를 원했다. 광증에 시달리며 분노에 가득 찬 채, 월신을 저주하고 또 저주하며 성녀를 제 앞에다가 가져다 놓기를 바랐다.

그랬다간 왕은 성녀를 찢어 죽였을 것이다. 죽이진 않더라도 저와 같은 고통을 겪게 하려고 얼마든지 잔인한 짓을 벌였겠지.

아직 칼리스를 다스리는 건 부왕이었고, 그렇게 되면 아델로

선 왕을 막을 수 없다.

아델의 소망은 삼 년 전과 같았다. 성녀를 가지는 것. 가지기 위해선 온전하게 지켜야 했다. 부왕에게서, 그리고 칼리스에게서.

그렇기에 이번 임무에서 아델이 해야 할 건 하나였다. 왕의 눈을 가리고 성녀를 구하는 것.

다리를 망가트린 걸로 끝나길 바랐는데, 야파까지 일을 끌고 오게 되었다.

그 때문에 그는 야파 왕자의 손에 목숨을 위협당하는 수모까지 감수해야 했다.

'정말 별짓을 다 하는군.'

열세 살의 나이에도 불구하고 냉정하기로 소문난 그이건만, 성녀만 만나면 모든 것이 어긋나고 만다. 그 어긋남을 틀고 틀어 그가 원하는 대로 돌려놓으려면 위험을 감수해야 했다.

어차피 그에게 목숨을 건다는 건 특별하지 않은 일.

왕속 특무단은 거의 수중에 넣었다. 왕의 명에 반기를 들 정도는 아니지만, 그의 명에 따라 입을 다무는 정도는 할 것이다. 아델은 왕의 후계자로서 자기 자리를 굳혀 가고 있었다.

칼리스의 계획대로 모든 게 이루어졌지만, 결국 실패했다. 그거면 변명이 될 것이다. 성국이 만만한 상대라고는 왕도 생각지 않을 테니. 포장해서 적당한 성과만 들이밀면 된다.

'생각보다 잘 해결되었어.'

고비를 넘었다. 그의 생에서 가장 어려운 일을 해냈다. 거의

다. 성녀는 돌아갔고, 그에겐 남은 과제가 있었다. 야파 왕국을 완전히 점령하는 것.

"대사제가 성력을 희생하여 기적을 펼쳤으니, 그 역시도 대가를 치러야겠지요. 성력이 사라진 걸 느끼셨지요? 복구되지 않을 겁니다. 대사제의 전력 무효화는 곧 성국의 전력약화를 말합니다. 실패 사유가 어느 정도 감안될 겁니다."

"함정을 파 놨다고 한들, 부왕 대에는 엄두도 내지 못했던 일이다. 야파를 가지면 만족하셔야지."

광증이 심해진 왕이다. 제대로 상황을 인지할 능력이 있다면 오히려 이상한 일.

지금으로서는 아델을 제외하고 그의 역할을 할 수 있는 왕자가 없다. 그 때문에라도 왕은 그를 벌하지 못하리라.

'믿는 구석이 없는 것도 아니지.'

성녀와의 밀통. 아지스는 눈치챈 것 같았다. 속은 알 수 없어도 자신이 한 말을 지키는 자다.

그는 부왕의 편이 아니다. 아델을 칼리스의 왕으로 만들기 위해선 더한 일이라도 눈을 감아 줄 터.

"아, 그리고 한 가지 더 말씀드리고 싶은 게 있습니다."

"무엇이지?"

"법황에 관한 건입니다. 이것을."

아지스가 내보이는 물건을 아델은 뚫어지게 쳐다봤다.

신성교국의 법황 히스칼 에레스. 오묘한 보랏빛 눈동자가 인상적인 곱상한 소년이 바로 뇌리에 떠올랐다.

신성의 대리자에게 기대될 법한 온기와는 거리가 먼, 속내를 감추고 있는 차가운 눈빛. 성녀하곤 완전히 딴판인 그는 차라리 아델을 닮았다. 그 이유가 이것인가.

"흥미롭지 않습니까."

"그렇군. 쓸모가 있겠어."

무슨 꿍꿍이인지는 모른다. 하지만 흥미가 일었다.

"제가 한번, 알아보지요."

아지스가 물러가고 아델은 타닥거리는 모닥불 앞에서 잠시 피로를 녹이며 생각에 잠겼다.

꽤 느긋하게 유람 나온 듯했던 성녀와는 달리 그는 이번 임무에서 쉴 새 없이 움직였다. 기억을 짚어 볼 틈도 없이. 이젠 숨 고를 시간이 생겼다.

그는 뇌리를 더듬었다. 기억은 뒤죽박죽된 순서로 제멋대로 떠오른다. 성녀에 대한 건 하나같이 선명하고 따스한 색을 띠고 있다.

'……예뻐졌지.'

이제 고작 열세 살의 소녀다. 아름답다고 말하기엔 무리가 있는 나이.

그러나 조금 가늘고 부드러워진 선, 키도 조금 컸다. 여인의 태로 자라나고 있었다. 반짝이는 금빛 눈동자는 여전히 활기를 가득 담고 그를 바라보았다.

그는 그 눈이 좋았다. 솔직하고 꾸밈없이, 애정을 전해 준다. 그게 비록, 그가 바라는 형태의 애정은 아닐지라도.

'날 소꿉친구 정도로 생각하는가 본데.'

그건 마음에 들지 않지만, 경계를 허물 정도면 되었다.

말을 잘 듣지 않는 소녀다. 고집도 세고, 주관도 있다. 소녀를 위한 일이라고 말해도 도통 따르질 않는다.

모두가 자신의 명에 충실히 따르는 것에 익숙해져 있는 소년에게 소녀는 종종 화를 불렀다. 답답하고 짜증도 난다.

하지만 그럼에도, 그렇기에.

'특별한 건가.'

'이렇게 다시 보게 돼서 기뻐.'

그 목소리가 귀에 선연하다. 저릿할 만치 상냥하여 심장을 울리는 미소와 함께.

순순히 그의 경고에 따르지 않는 그녀에게 분노를 드러내자 성녀는 시선을 마주치며 말해 왔다.

'넌 내게 특별해. 그러니 네가 의미 없이 소진했다고 생각한 이 시간이 내게도 의미 없을 거라고 생각하지 말아 줘.'

그 누가, 그를 향해 그런 식으로 진솔하게 말한 적이 있었던가. 그 누가 그에게 그토록 다정했던 적이 있나.

성녀에겐 몸에 밴 따스함일지도 모른다. 꾸며낸 가식일지도 모른다.

그럼에도 빙토에서 살아가던 그에게는 그것이 너무도 눈부시고 따뜻했다. 영원한 겨울에 스며든 봄빛이 눈을 녹이는 듯이.

야파 왕의 방에 잠입하기 위해 성녀와 함께 움직였다. 등 뒤에 바짝 달라붙은 체취가 선연하다. 소녀의 숨결이 귓가에 와 닿았을 때, 그가 얼마나 놀랐는지.

그는 성녀란 존재를 간과해 본 적이 없다. 성력으로 그를 공격할 수 있었다. 그렇게 가까이라면, 얼마든지. 그는 방어하지 못할 것이다.

하지만 아델은 성녀와 가까이 있었던 그 어떤 순간에도 자신이 그녀의 공격을 가정하지 않았다는 걸 알아차렸다.

뒤늦은 자각. 아무 경계 없는 접근이 공기처럼 당연했다. 하여 그 깨달음이 지독히도 달콤했다.

그 테라스에서 성녀와 손을 잡고 춤을 추었던 기억이 떠올랐다. 그야말로 소꿉장난 같은 일.

그러나 가슴 깊숙이 스며드는 여릿한 떨림을 잊지 못한다. 그녀를 칼리스의 무도회에 데려다 놓고 함께 춤을 춘다면, 그건 어떤 기분일까.

'언젠가는.'

그는 그 그림을 만들어 낼 생각이었다. 아드라하트 블라스페미아 칼리스, 칼리스의 왕자는 성녀의 제의를 떠올렸다.

'네게, 성국에서의 자리를 마련해 줄 수 있어.'

'아무리 내가 누군지 모른다지만.'

피식 웃음이 새어 나온다. 귀화라니. 말도 안 되는 소리를. 평범한 칼리스인이었다면, 그녀의 뜻에 따랐을지도 모르겠다.

하지만 그는 칼리스의 왕자. 그가 성국으로 귀화한다면 당장 그를 왕으로 만들겠다고 한 아지스부터 적으로 돌아설 것이다.

그를 따르던 칼리스의 모두가 적이 되어 그를 노릴 터.

그러나 보복이 두려워서도 그들을 배신하지 않겠다는 양심 때문도 아니다.

그녀가 성녀로 태어났듯이 그 역시 칼리스의 왕자로 태어났기에. 그것은 정해진 일. 그가 칼리스의 왕자라는 것은 벗어 버릴 수 있는 허울 따위가 아니라 그의 본질이었다.

그는 그렇게 자라났고 만들어졌다. 그가 이룬 모든 게 칼리스에 있었다. 그 때문에 자신이 나고 자란 토양을 벗어난다는 생각은 추호도 해 본 적 없다. 하지만,

"내가 너를 지켜 줄게."

누군가가 자신을 지켜 준다고 말하는 걸 듣는 건 나쁜 기분은 아니었다. 그것도 하필, 그의 적이어야만 하는 성녀에게서.

모순된 관계. 그에게 그런 걸 말한 유일한 사람이 성녀라니. 다른 누가 그런 말을 했다면 같잖게 느꼈으리란 건 명백하다.

그를 어린애 대하듯이 하는 유일한 사람. 성녀가 그럴 수 있는 이유는, 그에 대해서 잘 알지 못하기 때문이다.

'나를 위해서잖아.'

'아니― 나를 위해서.'

성녀를 위해서 만나러 온 게 아니냐는 그 말을 아델은 부정했다. 거짓이 아니다. 그게 누군가를 위하는 것처럼 보일지라도 아델은 언제나 그 자신을 위해서 행동했다.

자기희생적인 마음의 발로가 아니니 감사도 칭송도 적당하지 않다. 그가 감수해야 하는 것이었을 뿐. 그녀가 바라지 않는

다고 말했어도, 그는 성녀를 지켰을 것이다.

그 일방적인 독선이 바로 그였다. 칼리스의 왕자, 아드라하트.

'바라는 게 있으니 감수해야지.'

새파란 눈동자에 번뜩이는 광채가 스쳤다. 이 모든 것은 과정에 불과할 뿐이니. 아델은 적절한 시기에 그것을 받아 낼 셈이었다.

3부

열여섯 살의 성녀님

재회, 축제의 밤

뜻밖의 선물

“성녀님, 여기 보세요.”

난 어느새 비스듬히 기울어진 고개를 쳐들었다. 에이레네가 바로 세운 옆머리를 매만지며 뭔가를 달았다.

생화와 진주가 섞인 호화로운 장식, 그리고 머리 위엔 백금으로 만들어진 관을 올려놓는다. 손대기가 무서운, 보석이 잔뜩 박혀서 반짝반짝한 관이다.

“이거 비싼 거 아냐?”

물론, 우리 성국의 재정 수준을 얕보는 건 아니지만 말이야. 진짜, 비싸 보이는걸.

“이제 열여섯 살이 되셨잖아요. 특별히 제작했어요. 걱정하지 마세요. 다들 동의한 거니까.”

이 성국에서 나에 대한 예산을 쓰는 데 누군가 동의하지 않은 적이 있나? 그런 적은 없었던 것 같은데. 하지만 오늘은 특별한 날이니까.

나는 이제 열여섯 살을 맞았다. 여전히 위엄이라곤 쥐뿔도 없는 것 같지만, 그래도 좀 성숙하긴 했다. 마의 16세라고!

역변은 아직 찾아오지 않았고, 현재 상태를 보건대 아마 찾아오지 않을 것 같단 확신이 슬슬 찾아든다.

에이레네가 씌워 준 관 아래로 긴 머리카락이 찰랑찰랑 어깨를 타고 흘렀다. 샴푸 모델을 해도 될 것 같아! 머리카락만 그런 게 아니라 비주얼이.

나는 거울 속의 나를 들여다보았다. 잘 가꾸고 다듬어진, 결 좋은 검은 머리카락. 뽀송뽀송 하얀 피부. 생기 넘치는 금빛 눈동자.

금속성 색깔을 띠고 있을 것 같은 금안엔 맑은 생기가 넘쳤다. 그 속에서 다채롭게 감도는 빛은 여전하다. 빨려들 것 같은 눈빛.

어디 하나 모난 데 없이 인형처럼 예쁜 얼굴을 바라보며 난 잠시 거울 속의 나에게 심취해 있었다. 그러다가 문득, 입을 열었다.

"있지, 에이레네."

"예, 말씀하세요."

"나 정말, 잘 자란 것 같아!"

에이레네의 얼굴에 볼우물이 파였다. 뜬금없는 말에도 당황하지 않고, 에이레네는 웃음기 띤 얼굴로 친절하게 호응해 주었다.

"그럼요, 정말 아름답게 성장하셨는걸요. 어떤 나라의 왕자님이라도 성녀님을 보면 한눈에 반해 버릴 거예요. 성녀님을 차지하겠다고 다른 나라에서 전쟁이라도 걸어오면 어떻게 하죠?"

아이는 긍정을 먹고 자라나는 법이라지만, 에이레네도 참 상냥하지. 그 정도는 아닌데.

그렇게 생각하면서도 난 태연스럽게 손가락을 치켜들었다.

"에이, 얼굴을 숨기고 다니면 되지. 그건 미인의 숙명인걸."

"나 참."

뒤쪽에서 헛웃음이 들렸다. 붉은 머리의 미녀가 거울에 비쳤다.

"이제 동화책 읽으실 나이는 지났잖아요?"

"아리안느."

내가 뚱하니 그녀의 이름을 부르자, 에이레네가 달래듯이 말했다.

"예쁘게 자라실 거라고 생각했어요. 하지만 정말 기대 이상으로 잘 자라셨는걸요. 오늘 이런 모습을 보니, 저는 정말이지."

감회가 새롭단 듯한 말이었다. 에이레네는 꽃을 가꾸듯이, 어린 시절부터 날 고이 돌봤다. 자식의 성장을 보는 듯한 기분일까.

그래도 날 보고 눈물을 쏟진 않았는데. 내가 시집이라도 가면 에이레네의 눈물을 볼 수 있을까? 엉뚱한 생각이 든다.

아리안느는 어깨를 으쓱해 보이곤 방 밖으로 사라졌다. 그렇게 툴툴거리는 그녀지만, 왜 이 방에 들렀는지 안다. 새로 산 관이 내게 잘 어울리는지 보고 싶었던 거겠지!

"일어나 보시겠어요?"

몸을 바로 세우자 에이레네가 면사포처럼 하얀 베일을 관에 고정시키며 머리 뒤에 씌워 줬다.

하양하양한 성복은 웨딩드레스처럼 불편하진 않았지만 때 탈까 봐 불안하긴 했다. 그렇다고 이 자리에 성찬 시간까지 오도카니 있을 생각은 없다.

오늘 저녁, 내 탄신일을 맞이하여 대사제들이 참여하는 성찬이 열린다. 그리고 지금은 오후 네 시.

잠깐, 시간이 있지. 그리고 이 모습을 가장 먼저 보여 주고 싶은 이가 있었다.

"성찬 전에, 잠깐 그를 만나러 갔다 올까 해."

내가 꺼낸 말에, 에이레네가 잠깐 생각하는 듯한 얼굴을 했다. 그녀가 곧 고개를 끄덕였다.

"그렇게 하세요. 늦지 않게 돌아오셔야 해요?"

"응, 그래!"

난 곧바로 공간이동을 펼쳤다. 이전부터 성국에서 공간이동하는 데는 꽤 익숙해져 있기도 했지만, 구현 속도가 정말 빨라졌다.

신성의 그릇으로서 육체가 완성되어 가면서, 난 강해졌다. 조금 더 많은 성력을 더 원활하고 효율적으로 무리 없이 다룰 수 있게 되었다.

그렇게 되는 데는 부단한 노력이 있었다. 난 강해지고 싶었으니까.

나는 신전 밖의 어떤 장소에서 모습을 드러냈다. 한 주에 한 번쯤, 꼭 방문하곤 하는 장소. '새벽 별'이라고 쓰인 간판이 보였다.

내가 여길 자주 찾는 데는, 이유가 있었다. 똑똑. 노크를 한 건 그저 예의에 불과했단 듯이, 난 누가 볼세라 문을 벌컥 열고 안으로 들어섰다.

오늘은 내 생일이라 성국 전체가 휴일을 맞이했다. 그러니 이 가게가 영업을 하지 않는 건 당연한 일이다.

문은 왜 열려 있냐고? 그야 성국에선 문을 잘 잠그지 않거든. 치안 수준이 아주 높단 말이야.

더군다나 이 가게의 주인은…….

사실 예전 같았으면, 그러니까 삼 년 전이라면 에이레네는 내가 카마엘에게 달려갔다고 생각할 거다.

그러나 삼 년 전 많은 것이 바뀌었고, 내게도 우선 순위가 좀 바뀌었다.

"이카루스!"

내가 목청을 돋워 그의 이름을 부르자 안쪽에서 누군가가 걸어 나왔다.

깨끗한 하늘색 셔츠와 밤색 바지를 입은, 평범한 차림. 여느 성국 사람들과 다르지 않은 복식이다.

"생신 축하드립니다, 성녀님."

그를 와락 끌어안으려던 난 멈칫했다. 그럼 차림새가 흐트러질 테고, 에이레네가 좋아하지 않을 거야. 난 엉거주춤 손을 거두었다. 이카루스가 미소를 머금은 채 말했다.

"머리의 그 관. 대사제들이 특별한 선물을 준비했다더니, 과연……. 제게 먼저 보여 주려고 오신 겁니까?"

난 호들갑스레 고개를 끄덕였다.

"응, 응. 오늘 저녁에 성찬이 있대. 그때까지 이 상태 그대로 유지해야 돼."

"그렇군요. 아름다우십니다."

담백하게 찬사를 건넨 그가 장난스럽게 웃었다.

"참 그렇다면, 저녁에 맛있는 식사를 하실 테니 갓 구운 치즈케이크는 못 드시겠군요?"

그러고 보니 안쪽에서 군침 도는 냄새가 솔솔 풍겨 온다. 고소하고, 달짝지근한 냄새. 아까 밥을 먹었는데도 불구하고 꼬르륵 소리가 나는 것 같다. 난 울상을 지었다.

이카루스가 이 가게를 맡게 된 이후로, 한동안 이 집의 명물 치즈케이크의 맛이 떨어졌다는 소문이 있었는데, 불과 몇 주 지나지 않아 도리어 전 주인의 것보다 맛있단 소문이 퍼지기 시작했다. 마약을 탄 것처럼.

마약 치즈케이크! 이카루스를 찾아오는 데는, 케익 한 조각 맛보겠단 기대가 전혀 없는 것은 아니었다. 나는 솔직한 성녀니까 부인하지 않겠다.

여기 전 주인은 어디로 갔냐고? 그러니까 로테이션이 되었다. 이카루스는 가게 주인이 되고, 전 주인은 대사제가 되었다.

어떻게 그럴 수 있었느냐면 일단 이 가게의 자본은 신전에서 댄 거고, 또 전주인이 전직 대사제였기 때문이지!

그는 일탈을 끝내고 이카루스의 빈자리를 채우게 되었다. 채웠다고 말하긴 뭐한가? 그는 퇴직한 대사제였고 불가피하게 복직한 것뿐이니까.

대사제의 수는 일정하게 유지되어야 했고, 넘칠 수는 있을망정 모자라서는 안 되었다. 그리고 요즘 대사제의 자질을 가진 이가 통 나타나질 않는단 말이지.

그래서 그는 반강제로 다시 대사제가 되었다.

상념과 고민을 동시에 끝낸 난 손가락을 척 치켜들었다.

"반 조각만 줘!"

그 정돈 내 위장이 허용할 거야.

곧 이카루스가 정확히, 더도 덜도 말고 반 조각을 잘라 온 따끈따끈한 케이크를 난 황홀하게 맛봤다.

이거 성분 검사를 의뢰해야 하는 거 아니야? 도대체 뭘 넣었길래 이렇게 맛있담.

가게 주인이 된 이후로 성실하고 열의 있는 이카루스는 '새벽별'의 명성을 드높일 여러 메뉴를 개발해 냈다.

으뜸은 이 치즈케이크지만, 다른 메뉴도 맛있다고. 오븐에 구운, 초코 퐁듀가 촉촉하게 스며 있는 브라우니라던가 설탕 가루를 솔솔 뿌린 따끈한 마늘빵. 내 아이디어지!

제빵에 관심이 있어 대사제 직을 때려치우고 이 카페 겸 레스토랑 '새벽 별'을 세운 전 주인보다도, 이카루스가 더 이 일에 재능이 있는 듯이 느껴졌다.

그 예의 전주인은 그 점에 좀 아쉬워하는 눈치였지만…….

"신메뉴입니다. 시식해 보시지요."

아쉬워서 입맛을 다시는 날 눈치챘는지, 부엌에 들어갔다 나온 이카루스가 내게 겉이 바삭해 보이는 슈크림을 권했다.

"정말 맛있어!"

안에 생딸기 조각이 든 슈크림은 과연 맛있었다. 겉은 따뜻하고 바삭한 식감이 도드라지는 반면, 속은 차가웠다. 상큼하면서도 달콤하게 입안에서 녹아든다.

나는 단순하게도 금방 행복해졌다. 먹으러 방문하는 거라고 비난해도 할 말은 없다.

간식을 먹은 뒤 만족스럽게 배를 쓰다듬은 난, 흐뭇하게 날 바라보고 있는 이카루스에게 물었다.

"그동안 잘 지냈어?"

항상 같은 물음. 마찬가지로 항상 같은 대답이 내게로 돌아온다.

"잘 지냈습니다. 성녀님뿐만 아니라 많은 사람들이 제가 만든 케이크를 좋아하니, 그 또한 이 일을 하는 기쁨이 아닌가 합니다."

그는 불행해 보이지 않았다. 그건 퍽 다행이었지만, 한편으로는 그런 생각도 든다. 나를 구하는 건 대사제로서 마땅히 해야 할 일이었다.

그러니 그 초래된 결과가 원치 않는 것이라고 하여 스스로의 불행을 되새기는 건, 그에겐 용납하지 못할 일이기에 행복하다고 말하는 게 아닌가 하는 생각. 또 내게 걱정을 끼치기도 싫겠지.

그러나 그것을 묻는 건, 이카루스에게 근심만 더하는 일이란 걸 안다. 나는 고문관이 아니다. 그는 여전히 내게 뭔가를 해 주는 데 기쁨을 느끼고, 성녀인 내가 찾아오는 것을 반가워한다.

그의 마음가짐은 대사제일 적과 그리 달라지지 않았다. 그렇다면 난 이카루스가 대사제가 아니더라도 잃은 것이 많지 않다고 느끼게 해 주는 수밖에.

사절단에서 성기사 셋이 죽었다. 그들에 비하자면, 이카루스는 멀쩡한 편이다. 목숨을 잃거나 수족 중 하나를 잃은 것도 아닐진대, 왜 그에게 그리 연연하느냐고 묻는다면…….

이카루스는 자신이 바라던 삶을 더 이상 살 수 없게 되었으니까. 그리고 나는 이카루스란 사람은 잃지 않았지만, 이카루스란 대사제를 잃었으니까. 이카루스는 자기가 대사제가 아니게 되기를 원치 않았을 테니까.

이카루스는 내가 태어난 이래 처음으로, 나와 가까운 사람 중 유일하게 상실을 겪은 사람이니까.

삼 년 전, 히스칼은 내게 자신은 법황이길 바란 적이 없었노라고 말했다. 그는 원치 않은 자리에 앉아, 죽음을 맞이하는 게 아니면 자신은 그 자리를 벗어날 수 없다고 했다.

하지만 이카루스는 목숨을 건대도 다시 대사제가 될 수 없다.

히스칼은 죽으면 법황이 아니게 될 테지만, 이카루스는 죽는다 한들 대사제가 될 수 없다.

히스칼은 내가 성녀로서 사는 데 만족하는 성녀인 걸 싫어했지만, 이카루스의 입장에서는 히스칼이 배부른 소릴 하는 거 아니야? 그 대비가 참으로 묘했다.

난 입가를 닦아 내며 결심했다. 그래, 다시 만날 일이 있다면 한 번 일침을 놓아 줘야겠다. 그럴 일 없기를 바라야겠지만!

나도 비뚤어진 녀석과 이야기하다 보면 기가 빨린단 말이야. 걔는 날 싫어하니 서로 영영 대면할 일 없는 쪽이 낫지 않겠어?

하지만 세월이 지났고, 녀석이나 나나 좀 성장했다. 아직 청소년인 나와는 달리 이제 성인이 되었을 히스칼이 여전히 나에 대해 같은 생각을 품고 있을 거라곤 장담하기 어려웠다.

그렇다고 히스칼이 날 깜찍한 여동생처럼 바라보는 건 상상도 안 될뿐더러 소름이 끼치는걸!

지난 삼 년, 그러니까 야파 왕국이 점령당한 이후 세계는 참으로 평화로웠다.

긴장 속에서 이어지는 평화. 태풍의 눈이라 생각했는데, 금세 중심을 벗어나 돌풍에 휘말릴 줄 알았던 세계는 여전히 고요하기만 했다.

칼리스에서 무슨 일이 벌어지고 있는지는 감감 무소식. 다른 나라에서 칼리스에 밀정을 침투시켜 보았지만, 성과는 거의 없었다. 칼리스에선 좀 수상하다 싶으면 신앙 검증을 하니까.

월신이나 태양신의 신자인 게 들키면 내쫓기거나 벌을 받는다. 월신이나 태양신 외의 사소한 신들은 거의 믿는 이들이 드물었고, 이곳에도 불신자가 없는 건 아니지만 그런 자들은 또 칼리스의 주구일 가능성이 있어서…….

어쨌든 쉽지 않은 문제다.

"그럼 난 이만 가 볼게, 잘 먹었어!"

난 활기차게 자리에서 일어섰다. 내 모습을 보여 준 것만으로도 할 일은 다 했다.

사실 이카루스는 이제 대사제가 아니라곤 하나 종종 자신의 업무였던 부분에서 조언을 건네고 있어서, 할 일이 무척 많았다.

저 테이블 위에 가득 쌓인 책을 보라지! 이카루스는 여전히 학습에 많은 시간을 쏟고 있었다. 거기에서 난 그의 미련을 느끼곤 한다.

이카루스의 자리로 들어온 대사제 지브리안은 원래 이카루스의 역할을 맡고 있던 자라서 직무를 이어 가는 데 큰 무리가 없는 듯했다.

하지만 그걸 떠나서 그간 한 명의 대사제에게 외교 업무가 과중하게 몰렸던 건 사실이다.

성국은 대외적인 이미지를 중시해서 가장 평탄하고 사교성 좋은 대사제를 내세우는 경향이 있거든. 야파 왕국을 방문했을 때도 그랬고 말이야.

여긴 성국이니 따로 특정 분야의 전문가를 두지 않고 대사제가 각자의 분야에 대해서 익히고 담당해야만 했다. 심지어 적성에 맞지 않더라도. 내가 보기엔 좀 비효율적인 것 같다.

물론, 나라의 대소사를 처리하는 데 가장 믿을 수 있는 건 대사제들이지만.

제정일치 사회라는 건 원시적이거든. 성국을 위해서 뭔가를 하고 싶은 이들에게 기회를 주는 것도 좋지 않을까. 비록 그들이 성력을 가지고 있지 못하더라도 말이야.

월신께서 나를 성녀로 만드신 것엔, 성국을 발전시키란 의도가 있을 거다. 난 그렇게 스스로를 지지하기로 했다.

막 공간이동을 통해 신전으로 돌아가려던 난 문득 다른 생각을 떠올렸다.

한 번, 카마엘에게 가 볼까? 이따 성찬엔 그도 참석할 거지만, 요즘 따로 볼 일이 없었는데.

카마엘은 바쁘다. 피곤함을 모르는 그는 종종 성벽 주변을 순찰 다니곤 했다. 오늘이 휴일이라도 집에 있지 않을지도 몰라.

하지만 한 번 든 생각은 좀처럼 뿌리쳐지지 않았다. 그래, 그의 집에 가 보고, 없으면 다시 돌아가는 걸로 하자! 물론 카마엘의 의사는 1그램도 고려하지 않았다.

카마엘이야 뭐, 내가 찾아가든 말든 별생각 안 할걸?

딱히 좋아하지도 싫어하지도 않는다. 그건 사실 내 입장에서는 서운할 수 있는 일이었다. 좀 친해졌다고 생각하는데, 내가 찾아가든 말든 상관없다니! 당연히 좋아해야지!

난 곧 카마엘의 집 앞으로 이동했다. 혹시 흐트러지지 않을까 관을 만져 보려던 손을 거둔 난 문을 두드렸다. 똑똑.

"성녀님이십니까?"

성국 제일의 성기사답게 내 기척만 느끼고도 바로 누구인지 알아챘는지, 카마엘이 바로 문을 열고 나왔다. 편안한 흰색 셔츠와 바지를 입은 채다.

그럼에도 그의 은발은 여전히 반지르르하고, 단정하게 묶여 있다. 뒹굴며 쉰다는 말 자체가 그에게 허용되지 않는 듯한 모습.

요정이란 정말 신비로운 존재란 말이지. 16년간 계속 자라온 나완 달리 그는 내가 태어났던 때와 같은 모습을 하고 있었다.

인간의 삶 정도야, 그가 살아오고 살아갈 세월에 비하자면 스쳐 지나가는 바람 같은 거겠지.

하지만 나는 태풍이 될 테야. 그래서 우지끈 나무를 부러뜨리고 카마엘의 세상을 어지럽히며 기억 속에 생생하게 남고야 말 거다.

"응, 놀러 왔어!"

활짝 웃으며 손을 흔들어 보이자, 카마엘이 문에서 비켜났다. 난 기다렸단 듯이 그의 집으로 걸어 들어갔다.

"나 어때?"

내 쪽을 손가락질하면서, 정확히는 머리에 쓴 관을 가리키면서 대놓고 묻자, 카마엘의 시선이 거기에 닿았다.

"새로운 관이군요. 잘 어울리십니다."

"응, 응. 그치? 오늘 성찬 때 이러고 나가려고 했는데, 카마엘에게 먼저 보여 주고 싶어서."

물론 카마엘은 오늘 성찬 때 보든 지금 보든 상관없겠지만!
이제 나에게 대단히 익숙해진 카마엘이 짤막하게 답변했다.

"영광입니다."

"오늘 뭐 하고 있었어?"

성국 제일의 성기사 카마엘이 여가 시간에 뭘 하는지 궁금해 하는 건 나만이 아닐 테다. 쭉 둘러보니 카마엘이 어딘가를 향해서 손가락질했다.

"집 안을 청소하고 있었습니다."

……성국 제일의 성기사가 집에서 청소를 하고 있었단 말이야?

그러고 보니 여긴, 카마엘과 나 정도밖에 드나들지 않지. 난 카마엘이 가리킨 방향에 있는 쓰레받기와 빗자루를 낯설게 응시했다.

늘 깨끗하다곤 생각하긴 했는데, 성력을 쓰지 않고 스스로 청소하나 보다. 참 바람직한 남자란 말이야. 집에 오면 집안일하고 나가면 임무에 충실하고.

"내가 좀 도와줄까?"

"아니요, 옷차림이 흐트러지면 곤란하니, 앉아 계십시오. 곧 끝납니다."

당연히 빈말이었다. 그리고 카마엘은 예상했던 대로의 답을 돌려주었다.

난 카마엘이 마저 집 안을 빗자루로 쓸고 먼지를 담아 버리는 걸 신기한 눈으로 관찰했다. 뭔가 대단히 낯선 걸 보는 느낌이 드는데.

카마엘의 시선이 살짝 저편으로 옮겨졌다. 걸레? 걸레질을 하려는 걸까.

그러나 그는 걸레질은 미뤄 두기로 결심한 듯했다. 내가 돌아가고 난 뒤에 하기로! 청소도구를 정리한 카마엘이 내게로 다가왔다.

"다 끝났습니다."

그를 앞두고 난 성찬을 준비하는 과정에 있었던 일이며 이카루스의 가게에 갔다 온 것을 아주 재미난 이야기를 하듯이 신나게 재잘대었다.

이제는 당연해진 일이겠지만, 내가 카마엘의 집을 방문하는 덴 특별한 용건이 있지 않다.

"있잖아, 나 이제 열여섯 살이야."

내가 뜬금없이 화제를 돌리자 카마엘이 날 빤히 바라봤다.

"예, 축하드립니다."

생일 축하해 달란 소리로 알아들은 것 같다. 하지만 내가 의도한 건 그 말이 아니었다.

"있지, 카마엘은 기억해? 예전에 내게 했던 소리."

카마엘의 눈빛이 미묘해졌다. 말 없는 그이지만 예전에 내게 했던 말은 꽤 많다. 그중에서 내가 말한 것을 꼬집는 건 어려운 일일 수밖에. 그럼 힌트를 좀 줘야겠지!

"이 모습의 나, 신부 같지 않아?"

난 일어서서 몸을 빙그르르 돌렸다. 하얀 베일을 쓰고, 머리

위에 관을 쓴 모습은 성녀다웠지만, 또한 신부처럼 보이기도 했다.

베일은 쓰지 않지만, 성국에서도 신부는 화관을 쓰거든!

"예전에, 제가."

정답을 찾아냈는지, 카마엘의 입이 열렸다.

"성녀님이 원하신다면……."

"그래, 내가 원한다면 카마엘이 내 남편이 되는 것도 가능하다고 했었지."

뭐랄까. 사실 이 말을 꺼낸 의도는 그냥 재밌는 이야깃거리가 필요해서였는데, 왠지 분위기가 무거워진 느낌이 든다.

비록 카마엘이 그 말을 한 진 육 년이나 지났지만, 난 그동안 한 번도 카마엘의 그 말에 대해서 진지하게 생각해 본 적이 없었다.

나는 열여섯. 그리고 성국에선 열여섯 살부터 결혼하는 게 가능하다. 열여섯 살에 결혼하는 사람도 제법 많았다.

같은 신앙을 가진 이들이 좁은 나라에서 부대끼고 살다 보면, 어릴 적 소꿉친구가 커서 부부가 되는 것도 예사였으니까.

"그걸 원하십니까?"

카마엘이 나직이 물었다. 그의 눈동자를 마주하며 난 왠지 부끄러워졌다. 저, 정말 응해 줄 생각을 하고 있는 건가. 엄청나게 진지한 눈빛인데.

"카마엘은 원해?"

질문은 질문으로, 받아쳐 버린다! 이상하게 심장이 쪼그라드는 듯했다.

"제가 원하는 것은, 성녀님의 바람을 들어드리는 겁니다."

고단수인데? 카마엘은 질문으로 받아치지는 않았으나, 결국 내게서 답이 나올 수밖에 없는 소리를 했다.

내가 원하는 거라고? 나는 카마엘과 결혼하길 원하는 건가? 에스델아, 그래?

"어어, 글쎄……."

난 말을 삼켰다. 전생에서 워낙 척박한 삶을 살았던 터라, 연애고 뭐고 친구 사귀는 것도 힘들었다.

성녀가 된 지금도, 연애를 하기엔 좀 환경이 좋지 않았다. 아니, 그럴 상대가 없었다. 주변엔 사제들이나 성기사들뿐이고 성녀인 난 그들에게 공경의 대상이었다.

남몰래 날 흠모하는 이가 있을 수도 있……겠지? 하지만 어마어마한 바리케이트를 뚫고 그걸 드러낼 수 있는 이는 이 성국엔 없을 거다.

신분을 감추고 성국을 돌아다니며 남자친구감을 찾지 않는 한 연애 같은 건 글렀다고! 이미 망했어!

그러니까 내게 현실적으로 남은 상대란 요기 있는 카마엘인 것 같은데. 남았다고 하기엔 좀 대단하고 거창한 남자이긴 하지.

게다가 사람도 아니고 요정이잖아! 그런데 나도 사람은 아닌 것 같아. 꽃에서 태어난 사람이 세상에 어디 있겠어?

그런 의미에서 카마엘과 나는 제법 잘 어울리는 짝이었다. 그는 성기사, 나는 성녀. 그는 은발이고 나는 흑발이다. 어둠 속에 뜬 달과 같은 모양새지.

그리고 나는 수다쟁이에 쾌활하고 카마엘은 차분하고 조용하니까 성격적으로도 퍽 잘 맞았다. 무엇보다 나는 다른 사람들과는 달리 카마엘을 어려워하지 않는걸!

하지만 그 모든 조건이 들어맞는다고 해도, 서로 좋아하는 마음이 없으면 좀 그랬다.

물론, 나야 카마엘을 좋아하지. 카마엘도 나를 어느 정도는 좋아할지 모르고. 근데 그 마음은 왠지 김빠진 콜라 같은 느낌이다.

톡톡 튀는 탄산이 없어. 그렇다고 델 듯한 애정이 있는 것도 아니고.

결혼 상대로는 편안하고 나를 존중하는 남자가 딱이라고들 한다. 카마엘은 그 말에 가장 잘 부합하는 상대였다.

그치만 연애라면 몰라도 열여섯에 당장 결혼을 하고 싶은 건 아닌데. 뭔가 이상적인 상대라는 게 눈앞에 뚝 떨어진다고 해서, 그와 꼭 맺어지는 건 아닌 것 같아.

카마엘은 아무 생각이 없을 게 분명한데, 난 왜 이런 고민을 하고 있지?

카마엘이 가장 바라는 건 내가 그를 원하지 않아서 지금 이대로 평화로운 성국 제일의 성기사로서의 삶을 유지하는 걸걸.

옳지! 이걸 질문으로 꺼내 봐야겠어. 반격이다.

"그러면 카마엘은 내가 카마엘과 결혼하길 원했으면 좋겠어?"

굉장히 쓸데없는 승부욕인 것 같지만, 나는 이 모호한 대화에서 승리하겠단 의지에 불탔다.

이쯤 되면 대충 얼버무리거나 화제를 넘길 만도 한데, 충실하고 정직한 카마엘은 생각에 잠긴 듯했다.

다만 이번에야말로 적절한 대답을 찾아내기 어려웠는지, 그의 입은 한동안 열리지 않았다.

"……모르겠습니다."

결국, 카마엘에게서 흘러나온 말은 그것이었다. 이겼다! 활짝 웃으려던 난 엉거주춤 올라오려던 손을 내렸다.

좀 미묘해지는걸. '예, 아니요'가 아니라 모르겠다니? 내가 성녀라서 대놓고 날 거절하긴 좀 그렇단 걸까. 아니면……?

"좀 더 자세히 말해 봐."

난 초롱초롱해진 눈을 그에게 바짝 들이댔다. 부담스러운지 카마엘이 고개를 슬쩍 뺐다. 어어, 어딜 도망가려고. 결국 카마엘은, 조금 더 분명한 투로 말했다.

"성녀님이 그토록 결혼을 원하신다면, 그 상대가 제가 되는 쪽이 낫지 않을까 합니다."

그 한마디로, 나는 열여섯에 결혼을 하고 싶어 안달 난 성녀가 되어 버렸다. 세상에! 잠시 얼이 빠져 있던 난 양손을 겹쳐 엑스 자를 만들어 보였다.

"아니야! 아니라고!"

"무엇이 말씀이십니까."

"누가 결혼하고 싶단 거야! 난 그저……."

연애를 해 보고 싶은데, 마땅한 상대가 주변에 없어서 카마엘을 떠올렸다곤 대놓고 말 못 하겠다. 애초에 이 화제를 왜 꺼내게 된 거지?

그냥 옛날에 그랬거니 하면서 놀릴 셈이었는데, 카마엘도 참. 내 의도대로 되지 않는 건, 퍽 그답다. 대답이 궁색해진 난 입을 다물었다.

날 앞에 두고 회피할 수 없는 그와는 달리 난 카마엘이 택하지 못하는 방법을 사용할 수 있었다.

"어머! 벌써 시간이 이렇게 되었네? 난 이만 가 봐야겠어. 성찬 때 봐!"

"저녁에 뵙겠습니다."

카마엘은 당연히 날 붙들지 않았고, 난 재빨리 그의 집을 벗어났다.

공간이동으로 방으로 돌아오면서 한 생각은, 내가 떠나고 나서 카마엘이 뭘 할까 하는 것이었다.

난 쉽게 답을 찾았다. 걸레질하는 성국 제일의 성기사님이라니. 뭔가 좀 아닌 것 같잖아.

그의 작고 소소한 집과 수십 년간 하루도 쉬지 못할 정도로 심각하게 적은 휴가, 그리고 적은 월급을 생각해 볼 때 성국에선 카마엘을 노예처럼 부려먹고 있다고 해도 과언이 아니었다.

전생의 세계였다면 '그것이 알고 싶다'에 출연했을지도 몰라! 뭔가 부당하고 심각한 사태를 목격한 듯한 기분이 든다. 성국이

악덕 고용주가 된 것 같은걸?

그는 자그마치 성국의 영웅인데! 매일같이 집안일에 시달려야 한다니. 타국에서 손가락질한대도 무리 없는 일이었다.

카마엘의 삶을 개선할 수 있는 좋은 방법이 없을까? 난 성찬을 앞두고 궁리에 빠졌다.

하지만 카마엘은 자기 집안에 누구를 들여놓는 것을 선호하지 않는다. 현 상태에 대해서도 전혀 불만이 없을 거다.

어쩌지, 어떻게 하면 좋을까. 골몰하던 난 머지않아 내가 대단히 쓸데없는 데에 시간을 쓰고 있단 걸 알아차렸다.

카마엘을 억지로 신전에 데려다 놓을 순 없는 일이잖아? 그가 그러고 사는 게 좋다는데 내가 함부로 터치할 순 없지.

자고로 본인이 바라지 않는 부귀영화는 불행을 초래한다지 않던가. 함흥차사도 저 싫으면 그만…….

어어? 뭔가 맞지 않은 표현 같은 느낌이 드는데. 뭐가 문제일까. 난 전생의 기억을 더듬었다.

그때 나를 부르는 소리가 들렸다.

"성녀님, 성찬이 준비되었어요."

벌써 시간이 그렇게 되었나? 소파에 앉아 있던 내게 에이레네가 얼른 다가왔다. 미묘하게 흐트러져 있는 차림새를 고쳐 주고 날 앞장세웠다.

"어서 가시지요."

"그래."

난 내 생각에, 위엄 있는 투로 대꾸해 보였다. 열여섯 살이면 이제 대답을 '응'으로 하는 시기는 지난 것 같지?

차근차근 위엄을 쌓아 올려서 스무 살쯤 되었을 땐, 차분하고 성스러우며 온화하신 성녀님이 될 테다.

난 얄팍하게 결심했다. 왜 얄팍하냐면, 그리 단호한 결심은 아니었던 탓이다.

성찬 장소는 화려하게 꾸며져 있었다. 크리스탈로 된 샹들리에가 천장에서 화려한 빛을 발하는 가운데 엄청나게 긴 대리석 식탁이 놓여 있다.

은사가 수놓인 보랏빛 천이 식탁을 덮고, 기둥엔 섬세한 조각이 새겨져 있었으며, 하얀 꽃과 은식기와 성구들이 이곳저곳에 놓였다.

서늘한 은빛으로 꾸며져 향을 피워 올린 방 안은 성스럽고 은은한 분위기를 풍겼다. 이 서늘한 향, 기분 좋은데.

식탁의 양옆으로 대사제들, 집행신관장 아레스 그리고 카마엘이 자리하고 있었다.

에이레네가 재빨리 자리로 가서 합류했다. 대사제는 총 다섯이다. 아리안느, 에이레네, 아스타, 지브리안, 라자로.

이카루스가 빈자리에 대신 들어온 것이 지브리안. 그 외의 인원은 예전과 변함이 없었다.

대사제의 수는 최소한 다섯 명은 되어야 했다. 그들에겐 각자의 역할이 있고, 그 역할이 필요로 하는 수는 다섯이었다.

거기서 더 사람이 늘어도 좋지만은 않은 게, 사공이 많으면 배가 산으로 간다고 의견이 상충하여 일을 처리하기가 복잡해질지 모른다. 그 때문에 지브리안도 은퇴를 천명하고 '새벽 별'을 차렸던 것이다.

이카루스가 성력을 잃기 전, 성국의 대사제는 사실상 여섯 명이었다.

월신의 신성이 강해질수록 대사제가 많아진다고 하는데, 대사제가 최대 열두 명이었던 적도 있었다고 들었다.

월신의 신도가 늘수록 신성이 강해지는 것은 자연스러운 일. 세계적으로 월신의 신도는 줄지 않았다. 도리어 칼리스의 횡포에 늘어나고 있다면 모를까.

하지만 성국에선, 내가 태어난 이래 단 한 명의 대사제도 나지 않고 있었다.

나는 그 이유를 어렴풋이 알았다. 내 존재가, 월신의 신성에서 그만큼 비중을 차지하고 있는 거겠지.

성장하면 할수록, 신님과 접촉하는 일도 드물어졌다. 매일 밤 기도를 올리는 건 여전하지만, 직접 맞대면해서 대화하는 건 이제 한 달에 한 번도 힘들다.

예전에, 아델이 말했었지. 신들의 힘이 저물어 가는 시대라고. 그게 무슨 의미일까. 새삼 궁금해진다.

확실한 것은 한 가지. 세상에 대가 없는 일이 없듯 나를 성녀로 만드는 데, 월신께선 그만한 대가를 감수했다는 것. 그리고 내가 그걸 잊지 말아야 한다는 거다.

나는 나를 향해 고개 숙여 예를 표하는 그들을 향해 손을 가볍게 흔들어 보였다.

"다들 잘 지냈지? 선물은 잘 받았어. 고마워, 마음에 들어."

난 관을 가리키면서 활짝 웃었다. 어쨌거나 이 자리는 그럴싸해 보이긴 하지만, 일종의 가족 모임 같은 자리였다.

그리 거창하게 생각할 건 없다. 바깥에서야 축제니 뭐니 벌어지는 모양이지만, 내가 가마를 타고 나서서 얼굴 비치고 꽃을 뿌리고 그럴 건 또 아니라고. 내가 워낙 잘 싸돌아다녀서 성국에선 친숙한 존재이기도 하고.

지금이라도 신비주의를 고수해 볼까? 난 뒤늦은 고민을 꺼내며 가장 안쪽의 내 자리를 향해 걸어갔다.

그런데 자리에 앉고 보니, 다들 분위기가 좀 심각하다. 또 무슨 일이 있었던 걸까.

"탄신일을 축하드립니다, 성녀님."

하나하나 치사가 건네지고 난 이후에야, 집행신관장 아레스가 입을 열었다.

"실은, 말씀드릴 것이 있습니다."

"뭔데?"

"신성교국에서 선물을 보내왔습니다. 다만 그것이……."

"신성교국에서?"

히스칼이 날 생각해서 선물을 보낼 리 없잖아. 걔는 절대 그럴 애가 아니라고. 그간 엄청나게 마음을 달리 먹었다면 모를까.

뭐, 벼락을 맞았을 수도 있겠네? 아무튼 걔가 선물을 보냈다면 정상이 아닌 게 분명하다.

아니, 잠깐. 신성교국에서 누가 선물을 들고 왔단 거야? 난 눈썹을 치켜들었다.

"신성교국의 카스라 대사제가 직접 왔습니다. 두어 시간 전에 도착하여 귀빈실에 머물고 있습니다. 성녀님께 직접, 전해드리고 싶다는군요."

카스라 대사제라면 삼 년 전, 야파 왕국에서 안면이 있었다. 근데 태양신의 대사제씩이나 되면서, 직접 여기까지 왔다고? 성국이 건국된 이래로 처음 있는 일이었다.

난 어리둥절해 하면서도 고개를 끄덕였다.

"어서 이곳으로 오라고 해."

그도 성국에 오래 머물고 싶진 않을 테니까.

곧 아레스의 명을 받아 사제 한 명이 그를 인도해 왔다.

"오랜만에 뵙습니다. 아름답게 성장하오신 성녀님을 뵈오니 감회가 새롭군요."

빙긋, 웃으며 들어서는 이는 틀림없이 카스라 대사제였다. 야파 왕국에서 이카루스와 제법 친해졌던 대사제.

그러나 신성교국은 귀환하던 도중 습격을 받지 않았기에, 전원이 무사한 반면 우리 일행은 습격을 받아 이카루스가 성력을 잃었다. 그 대비가 묘하게 느껴져서 마음이 가라앉았다.

억울하기도 하다. 왜 신성교국은 놔두고 우리만 공격한 거야? 차별하나. 나쁜 놈들!

속으로 어떤 생각을 품고 있건 난 웃는 얼굴로 인사를 건넸다.

"카스라 대사제, 반가워. 몸은 괜찮은가?"

그러면서 난 의아쩍게 그를 쳐다보았다. 월신의 성력으로 가득한 이 성국, 최중심부에서 태양신의 권속이 거동하기 편치 않을 텐데.

그래서 놀랐던 것이다. 거의 교류가 없던 신성교국에서 대사제씩이나 되는 이에게 선물을 들려 보내는 안 하던 짓을 한다는 게.

애초에 신성교국에서 성국으로 사절을 보낸다고 하면 올 수 있는 건 대사제 정도였다. 대사제가 아닌 이들은 성국에 온 즉시, 실신해 버렸을 테니까.

월신의 성력과 태양신의 성력은 공존할 순 있지만, 기본적으로 그리 잘 섞이지 않는다. 두 개는 전혀 다른 힘이다.

그렇다고 성력도 없는 이에게 공식적인 선물을 전달하는 중대 임무를 맡길 순 없는 거니, 대사제인 그가 직접 왔겠지.

"히스칼이 당신을 보냈나?"

난 설마 하면서도 물었다. 카스라 대사제가 온화한 얼굴로 화답했다.

"제가 방문한 것은, 신성교국의 대의에 따른 것입니다. 하여 법황님의 뜻이기도 하지요."

대충 얼버무리는 것이, 역시 히스칼의 뜻은 아니었어. 그런 걸 보면, 히스칼의 입지는 여전한가.

법황이란 자리에 묶인 채, 자신의 대사제들에게서 낮잡아 뵈는 그를 떠올리니 왠지 모르게 씁쓸해진다.

자길 좋아하지 않는 사람들에게 둘러싸여서, 재미없는 일을 하면서 살아야 한다니. 원하던 자리라도 힘들 텐데, 하물며 원치 않은 자리라면 어떨까.

하지만 퍼뜩 정신이 들었다. 히스칼, 그 녀석을 내가 왜 생각해 줘야 하는 거지?

걘 아무래도 좋다고. 평생 엮일 일 없기를 바랄 뿐이다. 그런데 불길한 예감이 드는걸. 엮일 일이 있을 것 같다는.

"부디, 선물을 받아 주시지요."

카스라 대사제가 내게로 상자를 내밀었다. 흑목에 금박으로 무늬를 새긴, 아주 고급스러운 상자였다.

에이레네가 나서서 먼저 받아들었다. 그리고 내 앞에서 상자를 열었다. 곧 나는 느릿하게 입을 열어 말했다.

"……고맙게 받겠어."

나는 상자 안에, 붉은 천에 감싸인 금잔을 조심스레 들어 올렸다. 다이아몬드와 루비, 사파이어. 각종 보석이 세공된 화려하면서도 아름다운 잔이었다. 하나의 예술품 같았다.

엄청 비싸 보이는데? 의식에 쓰이는 성배다. 하지만 내가 물컵으로 사용 못 할 건 또 없잖아? 부귀의 끝을 보는 느낌이지만.

"영광입니다."

"하나만 묻지. 이 선물은 웬 거야?"

직설적인 내 물음에, 카스라 대사제가 잔잔한 미소를 피워 올렸다.

"지난 연을 생각하여 신성교국에서 보내는 성의입니다."

그렇게 말하니 왠지 히스칼의 생일 따윈 안중에도 없었던 내가 성의 없어지는 것 같다. 아니, 그건 그렇다 치자.

"신성교국에선 내가 태어났을 때조차 선물을 보내오지 않았잖아? 그리고 연을 맺은 지난 삼 년 동안 잠잠했지. 그런데 왜 오늘은?"

"특별한 날이지 않습니까. 열여섯의 나이는 신성교국에서 성년을 의미하지요. 하지만 그렇습니다. 제가 찾아온 것은 단지 선물을 드리고자 하는 목적은 아니었지요."

역시나 다른 뜻이 있었던 것 같다. 하지만 용건을 말하려고 오면서 덤으로 주기엔 좀 거창한 선물이기도 했다. 신성교국도 부자나라지? 역시 통이 크구나.

카스라 대사제가 웃는 낯으로 말했다.

"저는, 신성교국의 대의에 따라 방문했다고 말씀드렸습니다. 그리고 신성교국의 뜻은……."

차분한 음성이 길게 이어졌다. 그의 말이 끝나자마자, 난 성찬을 앞두고 난데없는 과제가 던져진 듯한 기분을 받았다. 이게 무슨 소리람.

난 대사제들을 돌아보았다. 나만 그리 느낀 건 아닌지, 그들 역시 미간을 찌푸린 채 고민에 잠긴 눈치였다.

"그건 당장 결정할 수 없겠는데. 우리도 회의를 해 봐야 할 것 같아."

내가 말하자, 카스라 대사제가 냉큼 말했다.

"태양신의 권속인 제가 이 성국에 오래 머물기는 어려울 것 같으니 부디, 빠른 시일 내로 답을 주시기를. 저는 이곳이 아닌 성국 외곽에 거처하는 게 어떨까 합니다."

카스라 대사제가 그리 좋지 않은 낯빛으로 말하기에, 나는 사제에게 명하여 그에게 성국 외곽에 거처를 내주라고 말했다. 이 성소에서 머물기는 아무래도 좀 그렇지.

곧 식사가 이어졌다. 일단 식사를 즐겨야지. 밥 먹을 땐 개도 건드리는 게 아니라고!

아까 먹었던 간식은 이미 내 위장 속에서 깨끗이 소화가 된 터, 나는 성의껏 준비된 성찬의 음식들을 먹어 치웠다.

거의 식사를 마쳐 갈 때쯤, 나는 턱을 괴고 물었다.

"다들 어떻게 생각해?"

즐겁게 성찬을 즐겼어야 하는 건데, 선물은 그렇다 치고 타이밍이 좋진 않은 것 같다. 하여간 신성교국이란. 나는 괜스레 혀를 쯧쯧 찼다.

카스라 대사제를 계속 기다리게 했다간 그가 졸도해 버릴지도 모르니 어쩔 수 없었던 것도 이해가 간다.

도착한 그를 맞아들이기까지 회의를 거치긴 했을 것이나, 카스라 대사제가 나를 만나기 전엔 방문한 목적을 말하지 않겠다고 한 듯했다. 다들 전혀 몰랐던 기색인걸.

"저는 내키지 않아요."

먼저 입을 연 것은 에이레네였다. 그녀의 판단 기준은 철저히 내 안전이었다. 병아리를 지키는 어미 닭 같다.

"신성교국과의 회담이라니요? 그게 필요하다고 쳐도, 성녀님께서 성국을 나서시는 건 안 될 말이에요."

그래, 카스라 대사제는 신성교국과 성국의 회담을 말해 왔고, 그 자리에 내가 친히 참석할 것을 요청했다. 단지 주최장소가 성국 밖이라는 게 문제였다.

삼 년 전, 나는 성국을 나섰고 그 때문에 위험에 처했다. 그 결과로 우리는 세 명의 성기사와 한 명의 대사제를 잃었다.

소득이 전무하다고 할 순 없으나, 잃은 것에 비해 크다고도 할 수 없다. 무엇보다도 까딱 잘못했으면 나는 칼리스로 끌려가 포로가 되었을 거다.

성녀가 칼리스에 사로잡힐 뻔한 상황이라니! 다른 이들도 모골이 송연했겠지만, 나를 돌봐 온 에이레네가 어떤 심정을 느꼈을진 상상할 수 없었다.

"……위험한 일입니다. 하지만 한 번쯤 신성교국과 회담을 가질 필요성은 이전부터 느꼈습니다."

대사제 중에서도 특히 수좌와 같은 위치를 차지하고 있는 아스타 대사제가 침착하게 말했다.

양쪽 모두 서로가 다른 신의 권속이란 이유로 손 내밀지 않은 건 사실이나, 언젠가 그 손을 맞잡을 날이 오리라고 느낀 것도 사실이었다.

칼리스라는 강성한 적을 상대로 가장 믿을 수 있는 동지.

야파 왕국에서 우리는 이미 신성교국에게 협력을 구했었다. 비록 그 결과가 히스칼의 배신으로 나타났을지라도, 그것이 신성교국의 뜻은 아니었으리라.

정작 히스칼도 최후엔 나서긴 했었고 말이야.

"꼭 성녀님께서 나서실 이유가 있을까요? 양측에서 대사제를 보내서 회담을 가지는 편이 사리에 맞다고 봅니다."

"하지만 저쪽에선 법황이 친히 나오겠다고 했는데, 내가 안 나갈 순 없는 거 아니야?"

게다가 카스라 대사제는, 자기들 쪽에선 법황이 행차하기로 결정된 것처럼 말했다.

신성교국의 시스템이야, 명목상으로는 법황이 직접 허락하고 나서야 하니까.

내가 나서지 않는다면 격에도 안 맞을뿐더러 홀로 몸을 사린다고 하여, 위신이 상할 여지도 있었다. 그게 내 안전보다 중요하느냐면, 그렇진 않겠지만.

야파 왕국의 귀환길에 습격당한 건, 나지 히스칼이 아니잖아?

"회담 장소가 칼리스의 손길에서 비교적 안전한 위치이긴 합니다만, 들은 바에 따르면 법황은 야파 왕국에서도 기이한 움직임을 보였다고 하더군요."

"그런 미심쩍은 이와 성국 밖에서 회담을 가지는 건 무리가 있습니다."

뭔가 여론이 한데로 모이는 것 같은데. 필요성을 느꼈다곤 해도, 신성교국과 회담을 가진다는 것 자체가 낯선 일로 느껴질 법했다.

낯선 일, 즉 새로운 일. 안 하고도 잘 살아왔던 일. 그런 거지.

하지만 신성교국에서 날 불러내서 성국과 신성교국의 중간 지점에서 만나자고 한 건, 지극히 자연스러운 일이다. 거긴 칼리스와도 떨어져 있는 편이고, 나와 히스칼이 서로의 나라를 방문할 순 없는 법이니까.

신성교국이 궁금하긴 한데, 아마 내 평생 가 볼 일 없을 거란 생각이 들자 조금 슬펐다. 영원히 하나의 미스터리를 안고 가야 하는 거잖아!

"제 생각은 달라요."

불쑥 아리안느가 나섰다.

"그때의 법황께선 어리셨어요. 그 나잇대 남자아이들은 돌출 행동을 할 법하지 않아요? 출생부터 특별한 성녀님과 달리, 법황은 가장 큰 권능을 가진 신의 권속일 뿐이잖아요. 설마 칼리스가 두렵다고 해서 성녀님을 평생 이 성국에 가둬 두려는 건 아니겠지요?"

단호한 물음이었다. 사람은 자신의 가치관대로 생각하기 마련이다.

아리안느에게 평생 안전을 생각하여 성국에 콕 박혀 있는 건 굉장히 끔찍한 일일 게 분명했다. 그녀는 지난 삼 년간 다섯 번이나 해외 출장을 다녀왔으니까.

"장소지정도 합리적이고, 법황이 아닌 신성교국의 이름으로 제의된 회담이에요. 저는 나쁠 거 없다고 봐요. 제 생각은 그래요."

아리안느는 어깨를 으쓱해 보였다.

"아리안느, 당신이 위험을 너무 간과하는 게 아닌가요? 아리안느 개인이 위험을 감수하는 건 있을 수 있는 일이지만, 그게 성녀님의 일이라면 이야기가 달라져요."

에이레네가 날카롭게 치고 들었다. 아리안느와 에이레네는 비록 성격은 물과 불처럼 달랐지만, 사이가 굉장히 좋은 편이었다. 하지만 이런 일에 있어선 양보가 없다.

"당신이 그렇게 걱정을 하니까, 성녀님이—"

내 쪽을 흘끗 본 아리안느가 입을 꾹 다물었다. 그래, 그녀는 잘 알았다. 야파 왕국에 다녀온 이후로 내게 솟아난, 바깥세상에 대한 흥미를.

나를 보호하기 위해서 다른 이들이 감수해야 할 위험 때문에, 내가 입 밖으로 내지 못하고 있는 그 사실을.

왜냐하면 외부로 파견을 나갔다 온 그녀에게 붙어서 바깥 이야기를 해 달라고 졸랐던 날 기억하고 있을 테니까.

궁금한 걸 어쩐담! 속내를 감추기란 성녀인 내게도 심히 어려운 일이었다.

내가 뭐 딱히 여행을 엄청나게 좋아하는 건 아니다. 하지만 나는 이곳 세계에서 태어난 이상 더 넓은 세계를 보고 싶었다. 내게 허락되기 어려운 것일지라도.

늘 같은 곳에서, 늘 같은 삶을 살아간다는 건 너무도 답답하다. 성국은 내게 넓은 온실이었다.

이곳에서 나는 행복하지만, 충분하다고 말할 수 없는 게 있었다. 그래, 충분하지가 않다.

"아무튼, 다들 겁쟁이처럼 생각하지만 말라고요. 야파 왕국에서의 일은 유감이지만, 결국 성녀님은 무사히 돌아오셨어요. 그때처럼 타국으로 떠나는 것도 아니고, 성국에서 얼마 걸리지 않는 곳이라고요. 위험을 감수해야 하는 건 신성교국 측에서도 마찬가지고요."

"신성교국이 일을 꾸몄다면요?"

"그들이 칼리스와 손이라도 잡았다고, 말하고 싶은 건가요? 카스라 대사제의 몸에서 생생한 태양신의 성력을 느끼지 못했나요?"

"그건……."

에이레네가 말을 삼켰다. 아리안느가 기다렸단 듯이 빠르게 말을 이어갔다.

"월신의 교리와 태양신의 교리는 같은 구석이 많아요. 그리고 낮이 있어야 밤이 있고, 밤이 있어야 낮이 있듯 두 신성은 불가분의 존재지요. 그렇기에 그 권속들인 우리는 서로의 존재를 인정하고 존중해 왔어요."

"지난 천 년을 잇닿지 않는 수평선으로 이어져 온 관계. 맞습니다. 하여 태양신의 권속들은 적이 될 수 없는 자들이지요. 저 역시, 이 제의를 거절할 근거는 적다고 봅니다."

침묵하고 있던 대사제 지브리안이 입을 열었다.

"성녀님의 안전을 추구하는 것은 좋으나, 이제 성력을 거의 완전한 수준으로 다룰 수 있게 되신 성체이십니다. 스스로를 지킬 수 있으시지요. 월신께서 성녀님을 내리신 이유는, 그분의 뜻을 만방에 떨치는 데 있을 겁니다."

지브라인이 내 쪽을 향해 슬쩍 미소를 던졌다. 대사제의 직무보단 레스토랑 주인이 되기를 꿈꿨던 그 역시, 내 갑갑함을 어느 정도 이해하고 있는 듯했다.

집행신관장 아레스가 느릿하게 입을 열었다.

"시기적으로 그때는, 칼리스 왕의 탄신일이 겹칩니다. 칼리스도 그들의 축일에 일을 벌이진 않을 겁니다. 신성교국 측에서도 그들의 안전을 위해 시기를 잡을 때 감안한 듯싶습니다."

결국 의견은 다시 반대쪽으로 기울었다. 에이레네가 고집이 있긴 해도, 다른 대사제들의 말을 무시하진 않는다. 아스타 대사제가 카마엘을 지목했다.

"카마엘 님은 어떻게 생각하십니까."

난 조마조마해서 카마엘을 바라봤다. 다른 대사제들 이상으로 카마엘의 발언권은 셌다. 왜냐하면 그가 성국 제일의 성기사이기 때문이지!

그가 판단하기에 내가 안전하지 않을 것 같으면 이 모든 건 무산이 될 가능성이 컸다. 하지만 카마엘은 주저 없이 대답했다.

"무리는 없을 듯하군요. 다만 그렇게 된다면 양자가 똑같이 수행인원을 소수로 조정하는 것이 좋을 듯합니다."

"야파 왕국을 방문했을 때와 마찬가지로 말입니까?"

"아니요, 그보다 더 적은 수로. 다섯 명 안쪽으로 움직이면, 칼리스에서도 양측의 움직임을 알아챌 가능성이 낮아질 테지요."

"그건 그럴 테지만, 그렇다면 수행인원은 거의 없다시피 하겠군요."

아스타 대사제가 곤혹스러운 표정을 떠올렸다. 사실 회담이라 하면, 그것도 이제껏 단 한 번도 있지 않았던 회담이라면 뭔가 거창하고 그럴싸하게 열려야 한단 편견이 들기 마련이었다.

엄청난 수행인원, 군대, 가마 등등 대행렬을 이끌고 모여드는 그림 속 한 장면 같은 회담 말이다. 월신과 태양신, 성녀와 법황이라면 마침 신화의 그림이 되기 딱 좋은 소재였다.

지브리안이 차분하게 말을 보태었다.

"지금 잠잠한 칼리스를 굳이 자극할 건 없겠지요. 그들을 두려워할 필요는 없으나, 칼리스를 자극하여 움직임을 유발하는 것은 타국의 평화를 위해서도 지양할 필요가 있습니다."

"그리고 회담에 참여하는 인원을 적게 설정할수록 이쪽에서 유리합니다."

카마엘은 거기까지 딱 말하고 입을 다물었다. 그의 말이 의미하는 바를, 난 바로 알아챘다.

카마엘은 스스로의 강함에 대해서 객관적인 자신감을 가지고 있었다. 실제로 지난 칼리스의 포위망에 갇혔을 때 그는 홀로 칼리스의 정예를 수월히 상대하기도 했다.

사실 그 혼자였다면 빠져나오는 데 큰 무리도 없었을 거다. 도망칠 수 없는 상황이기에 문제였지.

그러니까 카마엘은, 나를 지키는 데 어설픈 전력은 없는 편이 더 좋다고 말하는 거다.

대사제들이야 제 앞가림 정도는 할 수 있으니 확실히 그의 말은 일리가 있었다. 다섯 명이라. 그 정도면 기동성이 확보되니 무슨 일이 벌어져도 내빼기엔 딱이다.

한 가지 더. 카마엘 만한 성기사가 신성교국엔 없다. 대사제들의 전투 능력은 그쪽이라고 해서 이쪽보다 뛰어나진 않을 거다.

그러니까 다섯 대 다섯으로 붙는 전력이라면, 단연코 이쪽이 우위였다. 히스칼이 수작을 부린다고 해도, 먹혀들 만한 상황이 오지 않을 것 같았다.

거기까지 계산한 걸까? 카마엘도 참 대단한걸.

감탄하면서 난 마음속으로 카마엘에게 칭찬을 마구마구 보냈다. 정말, 실망시키질 않는단 말이야. 이제 슬슬 말할 차례가 온 듯하여, 나는 입을 열었다.

"나 역시, 내가 신성교국이 제의한 회담에 참석하지 못할 이유가 없단 데 동의해. 삼 년 전에도 같은 논의가 벌어졌었지. 내 대답은 그때와 같아. 성녀로서 칼리스 때문에 자유를 제약당하는 건 옳지 않다고 생각해. 칼리스가 두려워 국경을 나서지 않는다는 건 용납하기 어려운 일이야."

에이레네는 마음으로는 섬길지라도 딸처럼 나를 키웠다. 다른 대사제들도 나를 아끼고 염려하는 마음을 모르는 건 아니었다.

하지만 나는 그 마음 때문에 삶에서 이루어질 모든 위험을 회피하고 이 자리에 안주하며 살아갈 수 없었다.

"그렇다면, 의견이 모인 것 같군요."

아스타 대사제가 낮은 음성으로 이목을 집중시켰다. 성국의 대소사를 거의 관장하는 재상과 같은 역할을 하고 있는 그였다.

워낙 바쁘기도 했고, 생활반경이 잘 겹치지 않아서 나와 대면할 일이 많지 않았다.

하지만 난 아스타 대사제를 별로 어렵게 생각하지 않았다. 진중하고 카리스마 있는 큰 오빠처럼 생각하고 있다.

생김새는 유한 편이었는데, 절제된 인상이라 강한 느낌이 드는 게 묘했다.

"우리에겐 이 회담을 받아들일 이유가 있습니다. 하지만 대사제 에이레네의 우려도 이해가 갑니다. 만에 하나라도, 신성교국의 법황이 다른 뜻을 품었을지 모른다는 건 배제하기 어려운 위험이니까요. 안전을 기하여 양자 모두 다섯 명 이하의 적은 인원으로 회담 인원을 제한한다는 조건으로 회담을 수락한다는 데 동의하시겠습니까?"

"그들이 응하지 않으면?"

난 턱을 괴고 물었다. 좀 궁금한데. 거절할 수도 있잖아?

"응하지 않을 이유가 있을까요?"

의외로 있을지도 모르지만, 웬만하면 없겠지? 아리안느가 물었고, 나는 미소로 화답했다.

"글쎄, 그건 카스라 대사제의 말을 들어 볼까?"

그 후로 얼마 지나지 않아, 신성교국에서 회담에 대해서 전권을 가지고 방문한 카스라 대사제가 우리의 조건을 받아들이겠다고 전해 왔다.

그것으로 나의 두 번째 여행은 결정되었다.

비밀스러운 접촉

두 번째다. 첫 번째만큼은 아니지만, 가슴이 두근두근하다. 나는 떠나가기 전 며칠 동안 잠을 설쳤다.

이렇게 표현하긴 미안하지만, 에이레네는 그 며칠 사이 늙어 버린 듯한 얼굴이었다. 걱정이 너무 많단 말이야.

하긴 내가 낙천적이니, 그녀라도 걱정을 해야 균형이 맞춰지는 듯한 느낌이다.

카마엘이 집안일에 시달리는 문제는 결국 해결되지 않았지만, 내가 더 고민할 것도 없이 더욱 중대한 문제가 생겨 버렸다. 회담이라는 문제가 말이지.

나는 그 핑계로 성국에서 제일가는 성기사의 가사노동 문제에 대해선 잠시 눈길을 접기로 했다. 어쩔 수 없잖아!

회담이 열릴 장소는, 신성교국과 성국 사이의 중간 지점이자

로베라 왕국과 신성교국의 국경 지역이었다.

성국과 로베라 왕국은 인접해 있다. 그리고 로베라 왕국에서 배를 타고 좁은 바다를 건너면 신성교국이다.

신성교국에서는 성력을 움직이는, 아주 빠른 특별 운항선을 운용할 수 있다고 한다. 그걸 타면 로베라 왕국에 서너 시간 정도면 도착한다지?

다만 우리가 만날 곳은 신성교국 측이 로베라로 입국할 항구는 아니고 항구마을과 조금 떨어져 있는, 그리 크지 않은 산속 마을이었다.

거기까진 하루 거리. 그 하루 거리란 건 하루를 꼬박 쉼 없이 말을 달린다는 개념으로 실상 야파 왕국에 비해 그렇게 가깝지만은 않다.

하지만 야파 왕국과는 달리 로베라 왕국까지 가는 길은 여럿이었다. 또 길이 평지로 이루어져 있어서 다리가 무너져 내린다거나 하는 사건을 겪을 일도 없다.

즉 성국에선 얼마든지 로베라 왕국으로 군대를 투입할 수 있었다. 그런 면에서 다들 더욱 안전하게 느낀 것도 사실이다.

게다가 자그마치 신성교국과 만나는 거라고! 법황에 성녀면 군대를 이끌고 와도 사로잡는다고 보장하긴 어려울 거다.

칼리스에서 그렇게까지 병력을 동원하려면, 티가 안 날 수 없단 말이지.

물론 칼리스가 야파 왕국을 장악했을 당시엔 아무도 몰랐지만, 그때도 칼리스에서 보낸 병력은 많지 않았다.

만약 그 자리에 칼리스의 군대가 있었다면 이변 없이 다들 사로잡히거나 죽었을걸. 그러한 대규모 움직임이 들키지 않는다는 건 극히 어려운 일이다.

"왜 네 명인 걸까요."

에이레네는 회담 인원으로 선정된 사람이 고작 네 명인 것에 좀 불만을 느끼는 듯했다.

"하지만 다섯 명 이하라고 잡은 건 우리였잖아?"

"그랬지요. 하지만 한 명 더 줄었잖아요. 네 명은 너무 적은 것 같아요. 여사제 한 명쯤은 동반해야 성녀님을 제대로 모실 텐데."

말은 그렇게 하면서 에이레네는 자신이 따라나서고픈 눈치였다.

하긴, 네 명이면 나와 카마엘, 지브리안, 아리안느. 이렇게 네 명인데 에이레네까지 끼긴 그렇지.

전투능력이 우수한 아리안느를 제치고 성국 내에서 일이 많은 에이레네가 나서는 것도 곤란한 노릇이니까.

"괜찮을 거야."

사실 나야 그렇게 손이 많이 가는 타입도 아니고. 아닐 걸, 아마도?

어렸을 때라지만 열세 살에 여행했을 땐 거의 아리안느가 날 돌봤었다. 특별히 불편한 건 없었는데.

"대사제가 세 명이나 성국을 비우는 건 부담스럽잖아? 각자의 일이 있는데 죄 자리를 비울 수 없는 거고. 일반 사제가 따라나서자니 성녀에 카마엘에 대사제 두 명. 얼마나 부담스럽겠어."

사실 부담스럽건 말건, 윗분들 움직이는 데 시중인 한 명쯤은 붙는 건 자연스러운 일이긴 하지.

하지만 내가 원치 않았다. 대사제들이야 자기 자신을 지킬 수 있지만, 일반 사제는 그렇지 못하다. 중간 사제란 건 없다고. 성력은 대사제냐 그렇지 않으냐에 따라서 격차가 크단 말이야.

그래, 난 결국 지난번 일이 마음 쓰였던 거다. 카마엘이 다른 모두를 지키기 위해서 위험을 감수해야만 했던 상황.

성국에선 성력과 비례하여 지위가 높아지는 신분 구조상 위에 있을수록 스스로를 지킬 성력이 강해지기에 아랫사람들이 도리어 보호를 받게 되거든.

"괜찮아, 잘 다녀올게."

난 가볍게 웃어 보였다. 삼 년 전 그 난리통을 치렀어도 난 조금도 다치지 않았다.

천둥번개 칠 때 돌아다니면 언제든 벼락을 맞을 수 있듯이, 사람은 늘 희소한 확률로 죽을 위기를 겪고 산다.

새삼 두려워하지 않기로 굳게 마음먹었다. 난 성녀인걸. 말 안 듣는다고 월신께서 날 내다 버리지 않는 한 죽지는 않을 거야.

여하간 우리가 떠나갈 날짜는, 카스라 대사제가 떠나고 27일 뒤로 정해졌다. 회담이 한 달 뒤거든! 약간 여유를 가지고 출발하기로 했다.

떠나는 김에, 바깥세상의 정세도 살피고 둘러볼 겸해서 말이다.

기껏해야 일주일도 안 되는 짧은 여정이다. 그새 무슨 일이 생길 것 같진 않지만, 그건 저번에도 그랬던 것 같은데!

……모르겠다.

나만 느긋하게 마음먹은 건 아니었다. 카마엘도 그리 걱정하고 있진 않은 것 같더라고.

다만 지브리안의 기색이 좀 이상했다. 이카루스의 뒤를 이어 외교 쪽 업무를 맡게 된 지브리안도 함께하게 된 터였다. 구성원은 비슷한데 한 사람의 자리가 대체된다는 그게 나를 좀 싱숭생숭하게 하긴 했다.

그런데 지브리안은, 회담을 지지하는 듯이 말했던 것치곤 떠나갈 날이 다가오면서 점점 안색이 안 좋아졌다.

혹시 가기 싫은 거냐고, 혹은 불길한 예지라도 받은 거 아니냐고 물어봤지만 절레절레 고개를 저으며 말해 주려고 하지 않았다. 왜지?

“왜 그러시는진 알 것 같네요.”

아리안느는 뭔가 아는 눈치였지만, 한심하단 표정으로 자연히 알게 될 거라고만 말했다.

뭘까. 나는 궁금증을 미루어 둔 채, 출발할 채비에 여념이 없었다. 열세 살의 나보단 열여섯 살의 내가 더 챙길 게 많단 말이지!

옷도 커졌고, 속옷도 윗부분 피스가 더 생겼고 에이레네가 챙기는 대로 입었던 그때완 달리 내게도 의지와 취향이란 게 생겨났거든.

그것도 모자라 내 왕성한 식욕을 간과했는지 로베라의 음식이 입에 안 맞을지도 모른다면서 에이레네가 말린 음식부터 익힌 음식까지 바리바리 싸 줬다. 성력으로 보존시키면 간 동안 충분히 먹을 수 있을 거라고 하면서.

성의를 거절하긴 뭐했기에, 우리 일행은 말 대신 작은 마차를 준비하여 타고 가기로 했다. 마차는 아리안느가 몬다고 했다.

성격이 다혈질이라 곰일 줄 알았는데, 생각보다 재주가 많단 말이야? 난 의외라는 눈으로 그녀를 봤다.

짐을 모두 싸고 나니 여행의 기대가 부풀어 올라, 잠을 이루기 어려웠다.

밤을 꼴딱 새워도 마차 안에서 자면 되겠지. 느긋하게 생각하면서 그날 밤 신성교국과 로베라 왕국에 대해서 종일 책을 읽었던 난, 다음 날 고통에 시달려야만 했다.

"안녕히 다녀오세요, 성녀님."

"그래, 걱정하지 마. 무사히 다녀올게."

몇 번이나 손을 부여잡으며 안타까운 얼굴로 걱정하는 에이레네에게 붙들리고 다른 대사제들의 배웅을 받았다.

다들 꼭 내가 장기 유학이라도 가는 것처럼 반응한단 말이야. 그럴 필요는 없는데. 떠나는 것도 참 어렵다.

일반인으로 가장한 서로의 복장과 짐을 점검한 뒤, 마차가 출발했다. 그리 눈에 띄지 않는 짙은 밤갈색의 평범하고 아늑한 마차였다. 주행감도 좋았고, 안의 울림이 별로 없어서 수면을 취하긴 딱이었다. 마음에 드는걸?

아, 밤을 꼴딱 새워서 책을 읽었더니 너무 피곤하단 말이야.

하지만 눈꺼풀을 닫고 슥 잠들려던 난, 곧 뭔가 꺼림칙한 소리에 의해 눈을 떴다.

"욱."

소리를 내며, 지브리안이 창백한 안색으로 입을 틀어막고 있었던 것이다. 뭐지? 출발한 지 십오 분 정도 되었다 싶을 무렵이었다.

"제, 제 신경은 쓰지 마시고 주무십시오."

지브리안이 가까스로 미소를 보였다. 그러나 마차가 돌부리를 지났는지 미세하게 덜컹, 흔들린 순간 그는 다시 한번 입을 틀어막았다. 우욱!

그의 얼굴을 보니 잠이 확 달아났다. 난 미심쩍게 그를 쳐다보면서 물었다.

"설마, 지브리안. 지금 멀미하는 거야?"

내가 왜 이리 의심쩍게 물었느냐면 말이야. 대사제가 멀미라니!

성력을 가진 이들은 신체 내부가 균형을 이루며 따라서 육체적으로 안정적이고 건강하다. 멀미 같은 건 어지간해선 느끼지 않는다고.

그러니까 이건 정말로, 드물다 못해 신기하기까지 한 일이다.

"……이번 회담에 따라나선다기에 나은 줄 알았는데 그렇지 않았군요."

옆에서 카마엘이 중얼거렸다. 그가 알 정도면 꽤 유명한 사실인가.

"저, 송구하지만 성녀님, 저는……."

뒷자리로 옮겨 타겠다고 지브리안이 힘겹게 말해 왔다. 성녀님이 계신 자리에서 냄새를 풍길까 봐 고민했지만, 역시 피할 수 없는 것 같다면서.

난 심히 당황했다. 전혀 생각지 못했어. 왜 근심을 보이나 했더니 멀미가 도질까 봐 걱정한 거라고!

"저어, 성력으로 치유가 가능하지 않을까."

라며, 치료를 시도했건만 전혀 효력이 없다. 지브리안은 거의 죽어 가는 표정이 되었다. 괜찮은 거야?

결국 마차는 잠시 멈추었다. 그는 마부석처럼 마차 뒤편에 마련된 작은 자리로 옮겨 탔다. 방수가 되는 천 주머니 같은 걸 들고서.

마차가 다시 출발하고 얼마 지나지 않아, 뒤편으로부터 거북한 소리가 울렸다. 거북하다 못해 격렬한, 꼭 내장을 토해 내는 것 같은 소리가.

나름 방음이 될 만한 쿠션으로 쌓인 벽이었는데도, 생생하게 들려왔다. 으으.

나는 이대로 가도 좋은가. 사람 하나 죽이는 거 아닐까. 마차를 돌려야 하나. 수많은 갈등에 잠겨야 했다. 그러니까, 잘 수가 없었다고!

*

"죄송합니다."

파리한 안색으로 나무 그루터기에 걸터앉은 지브리안이 말해 왔다. 마차는 길가에 멈춰 있었다.

그의 멀미는 계속되었고, 점점 더 심해져서 토할 게 없는 나머지 위벽까지 토해 내는 것 같은 느낌마저 들었다. 이러다 죽는 게 아닐까 싶어서 마차를 멈춰 세울 수밖에 없었다.

기진맥진해서 밖으로 나와 앉은 그를 살피며 아리안느가 한숨을 내쉬었다.

"당신도 참 여전하군요. 계속 마차를 달렸다간 죽었을지도 모르겠어요. 대사제가 멀미로 죽었다고 기록되는 건 성국의 위신을 깎아 먹는 일이니 어쩔 수 없네요."

"견뎌 보려고 했지만, 몸이 따라 주지 않는 것 같습니다."

해쓱한 얼굴로 웃는 그를 향해 아리안느가 혀를 찼다.

"아스타가 대신 가겠다고 말렸을 때, 들었어야지요. 애당초 멀미를 이유로 대사제 자리를 내려놓은 사람은 당신밖에 없었는데. 내가 보기엔 지금 상태, 이전보다 더 심해진 것 같아요."

"그건 무슨 소리야?"

난 얼른 끼어들었다. 그러니까 멀미 때문에, 대사제 자리를 관뒀단 말이야? 처음 듣는 얘긴데.

"네, 대사제라면 외부에 나갈 일이 종종 있는데, 보다시피 저 상태로는 말이나 마차를 탈 수가 없어서요. 직무를 수행하는 데 어려움이 있다는 핑계로, 대사제직을 관두게 되었던 거죠."

"탈 수는 있습니다."

아리안느가 항변하는 그의 말을 무시한 채 입을 열었다.

"대체로 쉬고 쉬다 겨우 도착해서 종일 뻗어 있고 그랬지요. 아주 인근에 출타하는 건데도요. 지브리안은 평생 성국을 벗어난 적이 거의 없어요. 몸이 따라 주지 않으니까요."

"응, 확실히 그래 보여. 그런데 회담 장소까진 아직 멀었는걸. 지브리안은, 돌아가 보는 게 낫지 않겠어?"

난 엄숙하게 물었다. 한 명이 더 줄면 우리 쪽 인원이 너무 적어진다고 해도, 아픈 사람을 질질 끌고 회담을 하러 나갈 수는 없는 법이다. 출발한 지 두 시간도 안 됐는데 이 꼴이라니.

갈 길이 먼 건 아니지만, 아무리 넉넉히 기간을 잡고 출발했다고 쳐도……. 아니 잠깐, 그래서 부러 이렇게 일찍 출발한 거야? 로베라 왕국 정세를 살피기 위해서가 아니라?

지브리안이 결연한 얼굴로 말했다.

"저는 대사제입니다. 그리고 제가 맡은 직무에 충실해야 할 의무가 있습니다."

"그리고 지브리안은 훌륭한 외교관인 걸요. 비록 몸은 저 모양이지만요. 누구보다 회담을 성공적으로 이끌 수 있을 만한 사람이라, 회담의 일원으로 선정된 거예요."

아리안느가 고개를 끄덕거리며 말을 보탰다. 하긴 이대로 돌아간다면, 지브리안은 자괴감에 잠길 거다. 그로서도 이카루스가 그렇게 되어서 어쩔 수 없이 이 자리로 돌아온 거고 레스토랑 주인으로 사는 편이 나았을 텐데.

응, 여기서 결정권을 가진 건 나지? 내가 뭔가 결단을 내려야겠어.

"그럼 방법은 하나겠네."

난 카마엘을 향해서 눈짓했다. 카마엘의 손이 전광석화처럼 움직였다. 퍽! 풀썩.

"기절하는 편이 차라리 낫겠어."

난 엄숙하게 말했다. 실 끊어진 꼭두각시처럼 쓰러지는 그를 아리안느가 재빨리 부축했다.

"이건 좀 너무한 것 같은데요."

아리안느가 눈썹을 치켜들었다. 대사제를 기절시켜서 끌고 가다니, 너무 물건 취급하는 것 같잖아? 하지만 난 고개를 저었다.

"어쩔 수 없지."

냉정하지만 올바른 판단이다. 기절한 사람은 멀미하지 않을 테니까. 지브리안의 상태는, 더 이상 토할 게 없다고 가만히 앉아 있으면 나아질 만한 상태가 아니었다. 반고리관에 무슨 문제라도 있는 걸까?

정말, 예상외의 난관이었다.

지브리안을 마차에 실은 우리는 곧 다시 출발했다. 마차에서 약간이지만, 역한 냄새가 풍겨 나, 나는 결국 충혈된 눈으로 잠을 이루지 못했다. 이건 무슨 봉변이람.

대사제는 회복력이 좋다. 그러니 기절시켰어도 머지않아 깨어날지 모른다. 그 때문에 잠든 지브리안이 깰세라 부지런히 달린 마차는 무사히, 로베라 왕국 국경을 넘었다.

우리 모두가 고위 성직자들의 옷을 벗고 평범한 성국인인 척 가장하고 있었으므로, 가슴이 두근두근했다. 설마, 들켜 버리면 어떡하지?

하지만 성국의 치안이 좋은 탓에, 그리고 로베라 왕국에서 성국으로 넘어오려는 사람은 있어도 성국을 떠나 로베라 왕국으로 가려는 사람은 없었던 탓에 검문 절차는 아주 간소하게 이루어졌다.

후드를 뒤집어쓴 아리안느가 신분패를 보여 주며 가족 여행이라고 말하니, 그대로 통과가 되어 버렸다.

아리안느의 어린 여동생 흉내를 잘 내보려고 긴장하고 있었던 난 잠깐 멈췄던 마차가 다시 출발하자 당황했다. 내 연기력을 선보일 기회를 이렇게 놓쳐 버리다니!

머릿속에서 열심히 설정을 짰는데 그게 무색해지는 상황에 김이 좀 빠졌다.

고작 며칠 나가 있는 거라지만, 그래도 변장은 철저히 해야 할 것 같았단 말이야. 괜스레 소문이 나서 사람이 몰리면 곤란하다.

비밀회담이 밝혀질 위험성도 있거니와 대사제와 성녀라니, 축복을 내려 달라며 얼마나 사람이 쏠릴지.

여하간 내 머릿속에서 설정은 이랬다. 아리안느와 지브리안은 부부인 거고, 나는 아리안느의 여동생!

딸을 하기엔 아리안느가 너무 젊어 보이는걸! 그리고 카마엘은……. 카마엘은 뭐라고 하지?

나는 아주 옛날에, 소꿉놀이를 했던 때와 비슷한 고민에 잠겼다. 카마엘은 가족적인 구성에서 어떤 배역을 맡기에, 애매한 구석이 있었다. 분위기부터가 '나 사람 아니오'거든. 고용한 호위? 난 흘낏 카마엘을 돌아보았다.

바깥에선 여러 가지 의미로 위험하게 보일 만한 외모였기에, 카마엘은 짙은 색의 후드를 깊이 눌러쓰고 있었다.

얼굴에도 천을 둘러, 성국 내에서 수많은 추종자를 양산한 그 미모를 완벽하게 가렸다.

아니, 완벽하지는 않은가? 나를 호위하는 임무를 맡은 그인 만큼 시야에 제약이 있어서는 안 되기에, 훤하니 눈 부분이 드러나 있다.

그러나 드러난 눈매마저 아름답기에, 시선을 사로잡기에 족했다. 그냥 서 있는 비율도 길쭉하니 완벽에 가깝단 말이지!

변장을 했다기보단 평소와 다른 복장으로 칭칭 둘러매고 있는 것에 불과한데도, 색다르게 눈이 갔다. 카마엘은 사실 거적때기를 입고 있어도 화보 찍는 모델처럼 눈에 띌 거다.

얼굴을 가려도 느껴지는 잘생김이라니! 그에겐 꽤 익숙해진 나이지만, 이럴 때면 새삼 카마엘의 특별함에 대해서 자각하게 된다. 정말 그와의 미래를 진지하게 그려 볼까.

카마엘의 의사와 상관없이 내 안에서 모종의 갈등이 지속되는 사이, 마차는 순탄히 여관에 들어섰다.

우리가 도착한 곳은 국경지대의 작은 마을이었다. 밤은커녕, 아직 노을이 지지도 않은 때라서 벌써 쉬려나 싶었지만, 기절한 지브리안에게 눈길이 갔다.

아리안느도 피곤한가? 나도 피곤하지. 마차에서 냄새도 좀 빼고 싶긴 해.

"시일에 여유가 있으니 천천히 둘러보면서 가도록 하지요. 지브리안의 몸도 편치 않잖아요. 쉬엄쉬엄 가도 좋을 것 같아요."

말투는 툭툭 쏴도 아리안느에겐 은근히 착한 구석이 있었다. 이번 회담에 응하자고 말했을 때도, 내게 세상 구경을 시켜 주려는 목적이 있었으리라.

말괄량이라는 단어를 붙이는 것조차 너무도 소녀적으로 느껴지게 만드는 그녀는 대단히 당당하고 자연스럽게 일행을 리드하고 있었다. 마차를 세운 그녀가 마중 나온 여관 주인에게 물었다.

"방 네 개를 구할 수 있는지요?"

괜히 대사제는 아닌지, 아리안느에게선 상대를 내리누르는 위엄이 자연스레 풍기고 있었다.

하긴 흰 피부와 곧은 체구, 그 눈부신 미모에 몸에 서린 기운은 평범한 성국인처럼 입었다고 해도 범상치 않게 느껴지는 것이었다.

중년 남성인 여관 주인이 자연스레 말을 높였다.

"독방 두 개는 있습니다만, 나머지 방은 2인실입니다."

"방은 붙어 있나요?"

"예, 한 층에 몰려 있는 방들로 드릴 수 있습니다."

"그렇게 주세요."

어차피 재정은 넉넉하다. 이만한 신분이 되는 이들이 굳이 한 방에 모여서 오손도손 불편하게 방을 쓸 필요는 없겠지.

선불로 값을 치른 아리안느가 방을 살펴보곤 우리가 대기하고 있는 마차로 돌아와 지브리안을 둘러업었다.

"제가 그를 방에 눕혀 놓고 좀 돌볼게요."

너무 오래 안 깨어나서 카마엘이 지나치게 세게 가격한 거 아닐까 걱정이 되던 참이었다. 아리안느가 먼저 말을 꺼내자, 난 고개를 끄덕였다.

"그래, 기력이 많이 떨어졌을 테니 성력으로 치유해 주는 게 좋겠어."

"혹시 출출하신가요? 필요하시다면 여관 주인에게 주문해두겠어요."

그보단 잠이 더 고픈데. 하지만 잠보다도 더 고픈 게 있었다.

"아니, 난 괜찮아. 그런데 나, 마을을 좀 돌아봐도 될까."

국경지대의 마을이라지만, 로베라는 성국과 유독 인접해 있다. 성국과 가까운 국경은 성국의 영향으로 자연스레 치안이 좋았다.

창밖 너머로 본 사람들은, 평화로운 삶을 누리듯 좋은 표정이었다. 때때로 성국인처럼 보이는 이들도 눈에 띄었다.

돌아다니면서, 이것저것 사 먹고 둘러보고 싶은걸. 그게 여행의 묘미지. 오자마자 여관에 콕 박혀서 밥 먹고 잠들기엔, 난 젊단 말이야. 아리안느가 선뜻 답했다.

"카마엘 님과 함께하신다면요."

카마엘과 함께하는 이상 이 작은 마을에서 특별히 위험할 일은 없다. 성력을 쓴 게 느껴지면 곧장 뛰어올 수 있을 만한 작은 마을이니까. 난 카마엘을 향해 손을 흔들었다.

"그럼 카마엘, 가자."

설마 벌써 쉬고 싶을 만큼, 체력이 부실한 건 아닐 테지? 난 카마엘이 방에 들어가 봤자 할 일이 없다는 걸 잘 알고 있었다.

특별히 호불호가 없단 게 카마엘의 가장 큰 장점이었다. 그러니까 내 뜻대로 휘두를 수 있단 점에서는.

"3층의 첫 번째 방이에요. 열쇠는 제가 보관하고 있을 테니, 돌아오시면 문을 두드려 주세요."

"응, 알았어."

난 냉큼 대답하곤 손목에 낀 팔찌에 성력을 불어넣었다. 이건 일종의 변장용 성물이다. 성국에 단 하나뿐인 귀물이라 나만 사용할 수 있었다.

난 아마 다른 사람들 눈에, 갈색 머리에 갈색 눈을 가진 평범한 인상의 소녀 정도로 보일 거다. 별로 쓰이는 일이 없어서 잊힌 물건을 에이레네가 창고를 뒤져서 찾아다 줬다.

왜 그런 유용한 물건이 별로 쓰이는 일 없었냐고? 성국의 사제들이 뭐 때문에 음습하게 모습을 감추고 다녀야겠어?

변장하고 스파이 활동을 하는 식으로 써먹을 수는 있겠지만,

일단 이 성물의 효력을 유지하는 데는 성력이 많이 든다. 아무나 쓸 수 있는 물건이 아니라고. 나야 성력이 펑펑 넘쳐나지만 말이야.

게다가 칼리스에겐 성력 감지 능력이 있다. 신앙 검증만이 이유가 아니라 그 때문에 우리 쪽에서 칼리스 내부로 첩자를 들여보낼 수가 없었다.

동맹국들로부터 얻어듣는 정보가 전부이니 답답하긴 하지.

"어디로 가실 겁니까."

카마엘이 마차에서 내린 내게 미끄러지듯이 다가붙으며 물었다. 그러고 보니 나보단 카마엘에게 더 변장이 필요한 것 같은데.

눈매가 아름다운 수상한 복장의 청년이라……. 같이 다니면 엄청나게 눈에 띌 텐데?

그는 성국 제일의 성기사다. 나보다도 더 얼굴이 알려져 있는 존재라고. 저 상태로도 충분히 성국 사람들에게 정체를 들킬 수 있다.

오붓하게 함께 돌아다닐 수 없는 건 아쉽지만, 아무래도.

"일단 마을을 좀 돌아보려고. 카마엘은 몰래 따라오는 게 좋겠어. 눈에 띌지 모르니까."

숨어서 따라오라지. 나야 성력을 자유자재로 다룰 수 있는 짱짱 센 성녀니까 스스로를 지킬 수 있단 말이야.

"예."

카마엘은 대수롭지 않게 긍정하곤 내가 종종 걸어가 여관을 나서도록 내버려 두었다. 조금 후에 뒤따를 셈인 듯하다.

난 여관 문을 벗어나자마자 기지개를 켰다. 아, 방도 둘러보지 않았네? 마음이 너무 급했나.

난 여관의 위치를 숙지해 놓았다. 따로 마차를 보관하는 장소를 둘 만큼 큰 여관이었다. 아마 그 점까지 사전 조사해 보고 왔겠지. 로베라 왕국엔 아리안느도 몇 번 드나든 적 있었다.

"슬슬 배가 고픈데."

어느덧 위장에서 신호가 온 난 배를 쓰다듬었다. 음식을 주문할 필요는 없다고 했는데, 룸서비스를 거절하기 무색하게 나오자마자 배가 고파졌다.

그대로 돌아가는 건 역시 안 될 일이다. 칼을 뽑았으면 무라도 썰어야지! 여관 것보다 맛있는 음식을 파는 곳도 있을 거야. 여기, 시장 같은 건 없나?

난 주변을 두리번거렸다. 그리고 감이 오는 대로 걸음을 옮겼다. 월신께선 날 굶기지 않으실 거라는, 성녀다운 믿음을 품은 채로.

예측대로 십 분쯤 걸어가자, 그 방향에 가게가 늘어서 있었다. 번듯한 가게라기보단 시장의 자그마한 가게들이 다닥다닥 붙어 있는 모양새다. 사실 오면서 마차 창 너머로 봤거든. 근데 나오니까 좀 헷갈린단 말이지.

난 어떤 빵집 앞에 멈춰 섰다. 노릇노릇한 냄새를 풍기는 갓 나온 빵이 내 눈길을 사로잡았던 탓이다.

얇은 기름종이에 곱게 싸인 그 빵은 정말 먹음직스러웠다. 노오란 치즈와 햄과 양파가 잘게 썰려서 모양 좋게 들어차 있다.

아무리 평생 매일같이 맛있는 걸 먹고 살아온 나지만, 입맛이 엄청 까다롭지는 않았다. 시장이 반찬이라고 침이 꿀꺽 삼켜진다.

진열대에서 떨어져 선 날 지나쳐 몇몇 사람이 줄지어 빵을 사 갔다. 네다섯 개씩 쑥쑥 줄어든다. 이대로라면 바닥나 버리겠어! 위기감이 든 난 재빨리 줄에 가세했다.

어, 그런데 내가 돈을 가지고 왔나? 곧 내 차례가 오자 난 당황한 채 주머니를 뒤적거렸다.

물건을 사려면 돈이 필요하지. 그 간단한 법칙도 내겐 간단하지 않게 되어 버렸다. 성국에서 성녀가 돈 주고 물건 살 일이 얼마나 되겠어?

모든 게 다 갖춰져 있으니 따로 필요한 것도 없거니와 솔직히 말하자면 뭔가를 가지고 싶으면 신전 앞으로 달아 두면 그만이다.

나는 근검절약하는 성녀라……가 아니라 이 인터넷도 없는 단순한 세상에서 가지고 싶은 게 많을 수도 없다. 소소하게 가지고 싶은 걸 성녀인 난 모두 손에 넣을 수 있었고.

하지만 난 지금 눈앞의 이 빵이 사고 싶다고!

난 정말 필사적으로 품을 뒤졌다. 그리고 기적적으로 찾아냈다.

와, 지갑! 꼼꼼한 에이레네답게 안쪽 주머니에 고이 모셔놓았다. 내가 비상금을 쓸 일이 있을 거라곤 생각하지 않았겠지만,

아니다 생각했을까?

여하간 그녀의 세심함이 빛을 발했다. 여행지에선 역시 군것질이지! 난 빠르게 지갑을 열었다.

"빵 두 개만 주세요!"

제일 소소해 보이는 동전을 내밀었는데, 뭔가 자잘한 동전이 잔뜩 나왔다. 지갑이 너무 빵빵한걸. 무거워졌다고 투덜대면서 난 선 자리에서 걸신들린 듯이 빵을 먹어치웠다.

입가에 묻은 빵부스러기를 훔치던 난 퍼뜩 이 모습을 카마엘이 보고 있을 거란 데 생각이 미쳤다. 왠지 얼굴이 화끈해진다.

아, 아니야. 카마엘도 이해할 거야. 성녀인 날 향한 시선에 자동으로 필터가 끼워질 테니, 그리 흉하게 보이지 않았을 거라고. 난 위안했다.

자, 그럼 돌아다녀 볼까? 난 빵을 먹은 양손을 탁탁 털었다. 그리고 본격적으로 시장 구경에 나섰다.

장이 열린 날이 아니라 둘러볼 수 있는 건 몇 개의 상점들뿐이었지만, 국경 지역이라서 그런가 물건들이 세세하고 다양하게 구비되어 있었다.

말 타면서 쓸 수 있는 탄력 좋은 등긁개라거나, 불 잘 붙는 부싯돌, 나침반이 달린 루베라 왕국 지도. 신나서 구경하던 난 한 약재상에서 멈춰 섰다.

"이 약초가 멀미에 좋다고요?"

"그럼요, 멀미를 유독 심하게 앓는 사람에게도 효과가 있어요."

복용법은 하루에 한 알에서 두 알. 일주일 정도는 꼬박 먹어도 문제가 없단다. 이런 구석 마을의 약재상 말을 믿어도 되는 걸까? 난 의심스럽게 주인아줌마를 쳐다봤다.

"우리 약 효과가 좋아서, 단골이 많아요. 높으신 분들도 우리 집 약을 찾는다고요."

믿어만 보라는 듯 탕탕 가슴을 치면서 말하는 게 과장은 아닌 듯했다. 그래, 뭐 사실이긴 한 것 같아. 그렇다면.

"일주일치만 주세요."

지브리안의 극심한 멀미 증세에 얼마나 효과가 있을진 모르겠지만, 왠지 그냥 놔두기엔 마음이 좀 그렇다. 사 두면 누구라도 먹겠지.

듣기로는 약도 잘 통하지 않는 체질이라고 한 것 같은데? 그래서 답이 없는 게 문제였다. 멀미 때문에 성국 밖을 나서기 힘들다니, 그도 좀 안됐다.

부스럭거리는 종이 봉지를 들고 난 약재상을 나섰다. 지갑을 주머니에 욱여넣고 종이봉투를 손에 달랑거리며 들고 가다가 손가락이 뻐근해지자 생각을 고쳐먹었다. 이거 꽤 무겁다. 안아 들고 가야지.

막 약재상을 나와 여관 쪽으로 걸어가려는데, 누군가가 모퉁이에서 훅 튀어나왔다.

꺄악! 다행히 나의 놀라운 순발력 덕에 아슬아슬하게 부딪히지는 않았지만, 그 바람에 종이봉투를 놓쳐 버렸다. 털썩! 어어, 내 멀미약! 지브리안 줘야 하는데!

누군가에게 밟힐세라 급히 몸을 굽혀 바닥에 떨어진 종이봉투에 손을 대는 사이, 내게 부딪힌 작달막한 소년은 쏜살같이 날 스치고 지나갔다.

예의 없는 녀석! 투덜대면서도 난 종이봉투를 툭툭 털고 다시 고쳐 안았다.

문득 그림자가 비쳐서 보니, 어느새 내 옆엔 카마엘이 서 있었다. 지나다니는 사람들 눈을 의식했는지, 살짝 모퉁이 쪽으로 비껴 선 채로.

"성녀님."

낮은 목소리로 그가 속삭였다. 그리고 소년이 스쳐 지나간 쪽을 바라봤다. 뭔가 살짝, 갈등하는 눈치였다.

뭐지? 불길한 예감이 든다. 왠지 모르게 허전한 느낌이. 난 빠르게 옷을 더듬었다.

내 지갑, 지갑이……. 어디로 갔지? 소매치기잖아! 범죄의 현장에서 피해자가 되어 버린 난 극심한 공황에 빠졌다.

세상에, 세상에 나 지금 소매치기당한 거야? 그 여행 책자에서 관광지에 가면 조심하라고 하던, 말로만 듣던 소매치기? 여긴 사람도 별로 없는데.

로베라 왕국 국경지대가 치안이 좋다더니! 다 뻥이다, 뻥! 내가 유독 재수 없었던 건가.

이대로 넘어갈 순 없었다. 자그마치 성녀의 주머니가 털렸는데! 안 그래도 걱정 많은 에이레네에게 소매치기를 당했단 얘길 했다간…….

으으, 끔찍하다.

에이레네라면 '로베라 왕국의 국경지대조차도 그토록 치안이 안 좋다니, 역시 성녀님을 내보내는 건 안 되겠어!'라고 생각해 버릴지도.

아직 먼 얘기지만, 이후 성국을 나서는 건 더 어려워질 테지. 그렇다고 그녀가 지갑 어디 갔느냐고 묻는다면…….

분명히 물어볼 텐데 그냥 잃어버렸단 식으로 거짓말을 하는 건 영 내키지 않는다. 나는 정직한 성녀가 될 테야.

"카마엘!"

애써 목소리를 죽이고 그의 이름을 불렀다. 카마엘이 뭘 망설였는지 안다. 그 애를 붙잡으려다가 모습을 드러내선 안 된다는 생각 때문에 망설였고 쫓아가지 않은 것도 나와 떨어져선 안 된다는 생각 때문일 거다.

어차피 그 애가 훔쳐간 건 미미한 돈이었으니까.

"가자."

하지만 난 주먹을 꾹 쥐고 딱 부러지게 말했다. 나는 한 푼도 아끼는 성녀니까. 너, 잘못 걸렸어. 감히 내 지갑을 털다니, 본때를 보여 줘야겠어!

"어디로 갔지?"

카마엘이 방향을 지시해 주지 않아도, 내 감은 정확하다. 성력이 강해진 이후로 더더욱. 나는 아이가 도망간 쪽으로 달음박질쳤다.

왼쪽, 오른쪽? 어디 골목이지. 그래, 왼쪽이다! 막 골목길로 발을 디디려는 찰나, 또 누군가가 쑥 튀어나왔다.
"어어?"
난 또 순발력 있게 멈춰 섰다. 적어도 들이받진 않는단 말이지. 아까와는 달리, 내 앞에 서 있는 건 아이가 아니라 성인 남자였다.
"먼저 가세요."
난 몇 걸음 물러서며 이젠 입에서 낯선 존댓말로 말했다. 아이참, 바쁜데 왜 길을 가로막는담.
그러나 남자는 가던 길을 가지 않고 빙그레 웃었다. 뭔가 친절하지만, 가식적인 웃음. 미묘하게 이상한 기분이 든다. 칼리스인처럼 마력이 느껴지는 건 아니지만, 어딘가 수상한 낌새인데.
하지만 그래 봤자 별로 긴장감이 일진 않았다. 난 카마엘이 조금 떨어져서 지켜보고 있는 기척을 느꼈다. 그가 있는 한 두려워할 필요는 없다.
"이걸 찾으십니까, 아가씨."
그가 나에게 뭔가를 내밀었다. 난 눈을 휘둥그레 떴다.
"어, 내 지갑?"
"내용물엔 손대지 않았습니다. 받으시지요."
난 지갑으로 뻗으려던 손길을 거두었다. 그리고 감사하다고 말하는 대신 수상쩍게 그를 바라봤다.
타이밍이 너무 절묘한걸? 경비대원도 아닌데, 지갑을 찾아준 것도 그렇거니와 이거 어떻게 찾았담.

"그 아이, 이 인근에서 유명하거든요. 마침 지나던 길에 아가씨의 지갑을 훔치고 뛰어가기에 쫓아갔더니 지갑을 던지고 도망가더군요. 거기 손댈 틈은 없었을 겁니다."

뭔가 걸리는 듯한 내 촉과는 별개로, 친절한 미소를 머금은 채 여행자에게 지갑을 돌려주는 그에게선 이상한 점을 찾기 어려웠다. 난 망설이다가 말했다.

"……고마워요."

받아든 지갑은 소매치기당하기 전과 무게가 별 차이 나지 않았다. 난 내용을 확인하는 대신, 살짝 고개를 까딱해 인사해 보이곤 바로 몸을 돌렸다.

무례한 소녀라고 생각해도 어쩔 수 없다고! 자고로 미심쩍은 사람은 피해야 하는 법이다.

그리고 남자는 날 잡지 않았다. 난 재빨리 가던 길을 재촉하여 걸음을 옮겼다. 그러다 아차 하는 마음에 여관에 거의 이르러서야 지갑을 열어 보았다.

설마, 무게가 비슷한 돌 같은 것들로 채워 넣은 건 아닐 테지?

"어라?"

난 지갑 안쪽을 손끝으로 더듬었다. 내 뛰어난 기억력에 따르면, 돈은 그대로인 것 같은데 비좁은 지갑 안쪽에 뭔가가 하나 더 들어 있었다.

그리 많지 않은 돈이 든, 말 그대로 비상금 지갑이다. 그래서 이질적인 그 뭔가의 존재를 눈치채긴 쉬웠다.

손가락으로 파헤쳐서 꺼내려던 난 마음을 바꿔 먹고 지갑을 품속으로 밀어 넣었다.

……내 방으로 가서 몰래 확인해야겠어. 카마엘에게 보여 줄 만한 물건은 아닌 듯하다. 가슴이 콩닥콩닥 뛴다.

다시 모습을 드러낸 카마엘이 내게로 다가왔다. 난 그를 향해 아무렇지 않은 듯이 웃어 보이고, 여관 문을 열어 방으로 향했다. 지브리안에게 일단 약을 전해 줘야겠다고 결심하면서.

간식도 좀 살 걸 그랬나? 하지만 아리안느는 입맛이 까다로우니까. 길거리에서 음식을 샀다고 혼낼지도 몰라.

내 예상은 정확하게 들어맞아서, 입가에 있는 기름기로 내가 길거리에서 뭔가를 사 먹었단 걸 눈치챈 아리안느가 한참 잔소리를 퍼부었다.

"성녀님! 뭐가 들었을지도 모르는데, 길거리에서 그런 걸 사드시면 어떡해요? 카마엘 님은 그걸 또 가만히 내버려 두셨어요?"

……괜히 나 때문에 카마엘까지 혼났다. 입가를 제대로 닦을 걸. 하지만 맛있었단 말이야!

항변을 했다간 잔소리가 길어질 걸 알았기에 난 꾹 입을 다물고 있었다.

방 열쇠를 달라고 하자 아리안느는 내 방문을 열고 들어와서 안을 꼼꼼히 살핀 다음, 잠자리까지 완벽하게 마련해 두고 나갔다.

별로 누군가의 시중을 들어 본 적도 없었을 텐데, 곧잘 한다. 아마 그녀에게도 대사제가 되기 전 세월이 있었던 거겠지.

여하간 난 이제 혼자였다. 옷을 갈아입고 방 침대 위에 오도카니 앉은 난 지갑을 꺼내어 만지작거렸다.

안에 든 게 흉기 같진 않지만, 판도라의 상자를 여는 듯한 기분이 들었다. 확인하고 싶기도 하고, 확인하고 싶지 않기도 하다.

복잡한 상념 속에서, 결국 난 지갑 속으로 손가락을 밀어 넣었다. 그리고 예의 그 물건을 꺼냈다.

“이건…….”

훼손되는 걸 막으려 했던 건지, 겉면이 잔뜩 들이부은 촛농으로 마감된 작은 종이쪽지였다.

난 손가락에 힘을 주어 표면에 굳어진 촛농을 깨고 가로세로로 접힌 쪽지를 펴들었다. 그리고 아리송해졌다.

‘곧.’

행운의 쪽지도 아니고, 꼴랑 한 글자만 적혀있는 건 뭐람. 누가 보냈는지, 어떤 의도로 보냈는지 짐작할 구석이 없다. 아니, 누군가 내게 이런 걸 보낸다면 그건…….

난 애써 생각을 뿌리쳤다. 아니야, 그 애가 내가 여기 있는지 어떻게 알겠어?

그러나 일순 피가 빠져나가는 듯한 느낌과 함께, 과거의 기억들이 빠르게 머릿속을 스치고 지나갔다. 곳곳이 뿌려진 파편을 얼기설기 긁어모으면 결국 그것은 하나의 그림이 된다.

“아니야.”

내가 과민한 걸 거야. 난 다짐하듯 중얼거렸다. 내 그림엔 크나큰 그림은 없었다. 그저 막연한 예감과 짐작뿐.

하지만 이번만은 아무 일도 없길 바랐는데, 초장부터 이런 비밀 쪽지라니. 정말 아무 일도 없을 수 있을까? 이건 위험을 예고하는 건지도 몰랐다.

소매치기라니. 공교롭다는 생각이 든다. 카마엘이 바로 모습을 드러낼 수 없는 위치에서, 누구도 그 소매치기 아이를 잡아챌 수 없는 위치에서. 게다가 타이밍 좋게 소매치기에게서 지갑을 찾아 주는 친절한 사람이라니.

그냥 그 사람이 또라이라 내 지갑에 의미심장한 쪽지를 넣어놨을 가능성이 얼마나 될까? 그게 계획이라면, 오늘 하루아침에 성립된 계획은 아닐 터.

난 퍼뜩 한 명의 사람을 더 떠올렸다. ……잊고 있었네. 그래, 그 역시도.

"히스칼."

내가 어디로 올지 가장 잘 알 만한 이라면 그였다. 신성교국과 성국과의 회담을 알고, 내게 이런 식으로 비밀리에 접촉할 만한 이. 어차피 회담 장소까지 행로는 한정되어 있으니까.

나랑 친하진 않지만, 히스칼은 무슨 짓이든 벌일 수 있는 괴상한 녀석처럼 생각되었다.

이제 갓 열여섯이 된 나와는 달리 완연한 성인이 되었을 히스칼, 그가 수작을 부리고 있는 걸까? 그가 그럴 만한 이유는 잘 생각나지 않았다.

난 계속 만지작거리고 있던 쪽지를 물끄러미 내려다보았다.

그리고 그대로 촛불에 집어넣었다. 활활 타서, 흔적도 남지 않길 바라면서.

재를 쓸어 모아 치워 낸 난 잠자리에 들었다. 안 그래도 졸음이 쏟아지던 참이었다. 난 곧 꿀처럼 다디단 수면에 빠져들었다.

다음 날, 우리는 바로 그 마을을 떠났다.

*

마을을 떠나기 전까지, 난 좀 안절부절못했었다. 뭔가, 또 예상치 못한 어떤 일이 생길까 불안해서 말이지.

하지만 아무 일도 없었다. 어제의 그 수상쩍고 친절한 남자가 다시 나타나지도 않았고, 별다른 사건이 발생한 것도 아니다. 출발 전에 모두와 함께 느긋하게 아침을 들었다.

"성녀님이 주신 멀미약이 좀 듣는가 봅니다."

출발한 지 두어 시간이 지났을 무렵, 지브리안이 창백한 안색으로 말했다. 그 얼굴을 보니 신빙성이 안 가는데……. 본인이 그렇다니 뭐. 더 살 걸 그랬나?

난 살짝 아쉬움을 느꼈다.

어젯밤 여관에서 축 늘어져 있던 그는, 내가 건네준 멀미약을 받아들고 연신 감사를 표했었다. 아침부터 비장한 표정으로 약을 먹고 마차에 올랐던 그였다.

하지만 내가 보기엔, 멀미약이 듣긴 하지만 고통이 덜해진 것 같진 않다. 지사제를 먹으면 화장실은 안 가더라도 배는 여전히 아픈 것처럼, 구토만 안 하고 있다뿐이지 몹시 괴로워 보이는 걸.

"……그렇다니 다행이야."

고문당하듯 버티고 있는 그에게 뭐라 할 말이 없어 난 그걸로 말을 삼켰다.

지브리안의 심각한 멀미 체질은 말고삐를 늦추어 쉬엄쉬엄 간다고 해서 될 게 아니기에 우리는 그냥 신속하게 다음 목적지까지 이동하기로 했다.

말을 쉬지 않고 달려 다음 장소에 이르고, 아예 여관에서 푹 쉬기로 한 것이다. 배려해 준답시고 천천히 가 봐야 지브리안이 길게 고통받는 것뿐이니까. 짧게 팍 고통받는 게 낫겠지.

하도 마차가 쉬지 않고 속도를 내어 달린 탓에 나도 좀 속이 울렁거렸다. 하지만 내가 슬슬 쉬고 싶다고 느낄 때쯤, 마차가 다음 마을에 도착했다.

"오늘은 시간이 좀 더 남으니, 마을을 돌아보시겠어요?"

지브리안의 일만 빼고 어제오늘이 순탄했던 탓인지, 아리안느가 의외로 느슨하게 말했다.

소매치기당한 걸 말하지 않길 잘했지. 가슴이 따끔하긴 했지만, 현명한 판단이었다.

물론, 카마엘도 말하지 않았다. 카마엘은 애초에 묻지도 않았는데 시시콜콜 보고하는 성격도 아니었다.

"응, 알았어."

난 아무 일도 없었던 척, 그저 새로운 여행지를 돌아볼 수 있음에 순수하게 기뻐하는 척 여관으로 발을 들였다.

아리안느가 방을 잡을 동안, 입구에서 잠시 기다릴 셈이었다. 그런데 여관으로 들어서는 우리에게 한 여자아이가 달려왔다.

"어서 오세요!"

한 열두 살쯤 되어 보이는 소녀는 손에 작은 꽃다발을 든 채 우리 일행을 요리조리 살펴보더니, 내게 불쑥 손을 내밀었다.

"환영해요!"

상대가 어린 소녀인 데다가 적의라곤 느껴지지 않아서, 곁에 선 카마엘도 제지하지 않은 것 같다.

난 얼떨결에 꽃다발을 받아들었다. 이건 웬 꽃이람? 소녀가 명랑한 얼굴로 외쳤다.

"우리 브라운 여관이 세워진 지 이십 년이 되었어요. 찾아 주신 손님께 드리는 선물이에요! 약초꽃이라 머리맡에 두고 주무시면 잠이 솔솔 올 거예요."

이십 주년 기념 선물이란 거구나. 꽃다발이라니. 이왕이면 먹을 수 있는 걸로 줄 것이지. 내심 투덜대면서 난 꽃다발을 만지작거리며 들여다보았다.

색색의 꽃들이 오붓하게 들어찬 모양도 예쁜 데다가 향도 참 좋았다.

화환을 받는 게 예사였으니 색다른 선물이라고 느껴지진 않았지만, 타지에서 꽃 선물이라니. 난 향기를 맡으려고 꽃다발에 깊숙이 코를 들이댔다.

그러나 얼굴을 가까이하자 뭔가 이상한 것이 눈에 들어왔다. 안쪽 꽃줄기에 붙은, 하얀 종잇조각? 이건 또…….

난 놀라지 않은 척, 태연하게 카마엘에게 시선을 주었다. 다행히 그는 눈치채지 못한 것 같다.

난 꽃다발을 손에 꼭 쥐며 당황한 마음을 추슬렀다. 지갑에 몰래 쪽지를 넣을 때도 그랬지만, 이건 무슨 신종 수법이람? 첩보 작전도 아니고.

안쪽으로 들어가 방을 얻으려던 아리안느가 이맛살을 찌푸린 채 걸어 나왔다. 뭔가 잘되지 않았나?

"남은 방들이 한 층에 있지 않대요. 분명히 예약을 했었는데, 깜빡해서 확인하지 않고 방을 내준 모양이라고 미안하다네요."

"방이 없는 것도 아니고 한 층에 없는 건데 괜찮지 않아?"

"예, 뭐 둘둘 씩 나눠어서 3, 4층의 방으로 갈려야 할 것 같네요."

난 카마엘과 마차에서 내린 이후로 안색이 조금 나아진 지브리안을 번갈아 보며 물었다.

"그럼 방은 어떻게 쓰지?"

방이 갈리는 건 상관없지만, 아리안느와 카마엘 둘 중에 누가 같은 층의 방을 쓸 건지를 정해야만 했다.

내 시중을 들 건 아리안느이니 그녀가 같은 층을 쓰는 게 편의상 낫겠지만, 카마엘은 내 호위다.

물론 이 여관에서 3층이나 4층이나 거리상 큰 차이는 없겠고 위험할 일도 없을 테지. 소소하게 고민되는 문제였다. 그러나 고민은 빠르게 해소되었다.

좀 전에 꽃다발을 안겨 주고 안으로 들어간 소녀가 총총거리며 뛰어나왔다. 호기심에 찬 눈으로 소녀는 우리 쪽을 향해서 말했다.

"3, 4층 방 각각 두 개를 쓰시는 거 맞지요? 4층 방들이 좀 더 싸늘해요. 3층 방을 여자분들이 쓰시는 게 좋겠어요."

그렇게 말하니, 고개가 끄덕거려졌다. 환자 신세인 지브리안이 따뜻하고 아래층에 가기 좋은 3층 방을 쓰는 게 좋을 것 같지만, 그가 앓고 있는 건 멀미이니 어떤 방을 쓴다고 나아지고 말고 할 문제가 아니었다.

열쇠 네 개를 챙겨 들고 온 소녀의 안내에 따라 우리는 방으로 향했다.

내 방은 이전과 마찬가지로 아리안느가 꼼꼼히 살피며 짐을 풀어 정돈하고 잠자리를 손봤고, 4층으로 가게 된 카마엘도 세밀히 점검했다.

그도 내 방에 한 번 비밀통로가 있어 본 이후로 더욱 꼼꼼해진 것 같았다.

꽃다발을 빨리 살펴보고 싶었지만, 기회가 좀체 나질 않았다. 아침을 든든히 먹었음에도 서너 시에 이른 지금, 배가 좀 고파왔다. 식사할 시간이었다.

자기 방을 대강 둘러보고 온 아리안느가 식당으로 갈 것을 권했다. 막 꽃다발을 풀어 보려던 난 아리안느가 문을 두드리자 화들짝 놀라, 대충 침대에 던져 놓았다. 이따가 살펴봐야지. 난 바로 그녀를 따라나섰다.

어제부터 본의 아니게 단식이나 다름없이 굶고 있는 지브리안에게는 따로 따뜻한 수프를 올려 보내고, 나와 아리안느, 그리고 카마엘이 식당에서 한자리에 앉았다.

카마엘이야 뭐 도통 뭘 먹지 않지만, 나한테 따르는 세트 같은 거지.

고소한 감자 수프와 탱글탱글한 하얀 치즈가 들어간 샌드위치로 허기진 배를 채운 직후, 아리안느가 말했다.

"혹시 마을을 돌아보시려면, 카마엘 님과 함께하세요."

"아리안느는 함께 안 가?"

"전 지브리안을 돌보려고요."

또 성력을 퍼부어야 하나. 아리안느가 한숨을 내쉬었다. 귀찮은 표정이다.

"그러면 난 나갔다 올게."

어쨌든 아리안느와 함께 외출을 한다는 건, 깐깐한 선생님을 옆에 달고 나다니는 것과 다를 바 없는 일이었다. 내겐 감시자는 카마엘만으로도 족하다고! 어쨌든 카마엘은, 여러 가지 일에 있어서 협조성 좋은 공범이니까.

막 일어나려는데, 아까 그 소녀가 또다시 다가와서 말을 걸었다.

"손님, 혹시 꽃다발 안쪽은 살펴보셨어요?"

꽃다발 안쪽? 어어……. 난 당황해 버렸다. 그거 비밀 쪽지 같은 거 아니었어? 그걸 이렇게 대놓고 언급하다니. 그러나 생글거리는 소녀의 얼굴에선 다른 의도가 느껴지지 않았다.

"확인 안 해 보셨나 보네요. 꽃다발 안에 종이가 하나 들어 있거든요. 마을 중앙에 있는 가게에 내면 추첨에 참여할 수 있는, 추첨권이에요."

추첨권? 개업 20주년 기념이라더니 뭔가 본격적이다. 추첨이라면 공짜 아니냐? 성녀 인생, 부유하게 살아온 나이지만, 공짜에 귀가 솔깃해지는 건 그저 본능이었다.

"그 가게 이름이 뭔데?"

"가게 이름은 안 붙어 있는데, 추첨이라고 간판에 크게 쓰여 있으니까 바로 찾아가실 수 있을 거예요. 상품은 거의 소소한 건데 운 좋으시면 좋은 물건에 당첨되실 수도 있어요."

"응, 알았어. 고마워."

고개를 꾸벅 숙이고 떠나가는 소녀를 난 호감 어린 눈으로 쳐다봤다. 붙임성 좋고 친절한 아이다. 아리안느에게 팁을 주라고 해야겠어.

나와 그 애의 대화를 별생각 없이 듣고 있던 아리안느가 자리에서 일어섰다.

"너무 늦지 않게 돌아오세요."

지난번과 비슷한 말을 남기고 그녀는 등을 돌려 위층으로 향했다. 뭐, 아리안느는 나와는 달리 성국 밖으로 자주 나오니까 별로 새로울 건 없겠지. 마을 구경보단 지브리안 쪽에 신경이 쓰일 터였다.

하지만 난 맘 편하게 지브리안은 아리안느에게 맡겨 두고 관광에 몰두하기로 마음먹었다. 매정해도 하는 수 없다.

"이게 추첨권이라고?"

계단을 올라와 방으로 들어선 난 꽃다발을 헤집었다. 아까 본 종잇조각을 끄집어내서 펴 보니 '추첨'이라고 글씨가 써져 있었다.

그런데 이 글씨……. '곧'이라고 쓰여 있던 그 쪽지와 글씨체가 비슷한 것 같은데, 착각인가? 그때의 쪽지는 불살라 버렸지.

난 잠깐 기억을 떠올려 보았다. 하지만 잘 모르겠다. 그런 것 같기도 하고, 아닌 것 같기도 하고. 그냥 비밀리에 쪽지를 보내는 게 로베라 왕국 전통인 거 아냐?

이맛살을 찌푸린 난 추첨권을 들고 방을 빠져나왔다. 문밖에서 카마엘이 기다리고 있었다.

"가자, 카마엘."

우뚝 선 그는 여전히 눈에 띌 만한 외형을 하고 있었다. 이번에도 거리를 두고 따라야 할 것 같다.

굳이 말하지 않았음에도 카마엘은 알아서 내가 먼저 여관을 떠나가도록 내버려 두었다.

내가 막 망아지처럼 뛰어가는 게 아니라면, 그는 존재가 드러나지 않게 그림자처럼 조용히 날 뒤따를 것이다.

"이쪽인가."

마을 중앙이라고 했지? 마차를 타고 오면서 대충 지리를 익혀두었다. 이젠 나도 능숙한 여행자 느낌이 난단 말이야.

난 마을 중앙을 향해 총총 걸음을 옮겼다. 전에 들렀던 국경 마을보다 큰 마을이라, 이리저리 상점을 구경하며 기웃거리다 보니 시간이 금방 갔다.

결국 난 두 시간쯤 흐른 뒤에야 마을 중앙의 널찍한 광장에 위치한 추첨 장소에 이를 수 있었다. 그냥 직선으로 걸었다면 15분쯤이면 도착했을 것 같은데.

"정말 '추첨'이라고 쓰여 있네."

번듯한 상점이 아니라 그냥 노점상 비슷한 작은 마차 같은 곳이었다.

소소하게 사탕 같은 군것질거리를 늘어놓고 팔고 있었고, 그 옆에 추첨이라고 크게 써진 입간판이 보였다. 난 그리로 다가가 가게 주인에게 말을 걸었다.

"저, 이거. 추첨권 가지고 왔어요."

내 쪽을 본 주인아저씨가 추첨권을 받아들었다. 그리고 날 원형의 나무 추첨기 앞에 세웠다. 꼭 도르래처럼 돌리는 손잡이가 있는데?

"이걸 힘껏 돌리다가 멈추면, 안에 있는 공 하나가 빠져나온다우. 드물지만 꽝도 있으니까 운에 맡겨 보시길."

그러면서 씨익 웃는데, 꽝이 좀 많이 나온다는 듯한 느낌이다.

하지만 난 불안해하지 않았다. 내가 성녀인데 설마 꽝이 나올까 봐? 그게 무슨 상관인진 모르겠지만, 난 좀 자신감이 있었다.

"그럼 돌릴게요."

나무 손잡이를 잡고 힘주어 빙빙 돌리자, 오르골이 죄여들 듯

안쪽에서 뭔가가 죄여지는 반동이 느껴졌다. 거의 꽉 돌렸다 싶었을 때, 난 손을 떼어 냈다.

드르르륵. 미닫이문 열리는 소리를 내며 손잡이가 반대쪽으로 맹렬하게 돌아갔다. 난 추첨기 밑에 뻥 뚫린 구멍을 주시했다. 어디 보자. 곧 공 하나가 뚝 떨어져 내렸다. 빨간색……?

"당첨이오!"

아이쿠, 깜짝이야! 우렁차게 외친 가게 주인이 공을 꺼내 들었다. 공에는 '7'이라는 숫자가 쓰여 있었다. 럭키세븐?

"어디 보자, 이거 상품이."

마차 안쪽으로 들어간 주인이 상품을 찾는 듯 바스락거리는 소리가 났다. 잠시 후 가게 주인이 뭔가를 쥔 채 마차 밖으로 나왔다.

"받으시우."

난 그가 건네준 손바닥만 한 상자를 빤히 바라봤다. 여기에 들어갈 만한 게 뭐가 있을까? 설마 깜짝 상자 같은 건 아니겠지? 열었을 때 이상한 게 튀어나오기라도 하면.

약간 의심에 찬 눈으로 상자를 들여다보던 난, 느릿하게 손을 뻗었다.

덜컥. 작은 소리와 함께 상자가 열렸다. 괜히 겁쟁이처럼 긴장해 있던 난 상자 안에 들어 있는 둥그런 물건을 보고 눈을 크게 떴다. 이건?

난 곧바로 물건을 집어 올렸다. 그리고 뚜껑을 열었다.

"거울?"

중얼거리던 난 입을 틀어막을 뻔했다. 뚜껑 달린 자그마한 손 거울, 그리고 그 표면에 잉크로 써진 듯한 검은 글씨.

—자정에 이곳에서.

누가 볼세라 난 다급히 손끝으로 거울 표면을 문질렀다. 세상에, 무슨 저주문도 아니고 거울에다가 글씨를 써 놔?

주인아저씨가 머쓱하게 말했다.

"때가 좀 탔수? 거, 먼지 구덩이 속에 처박아 놨더니만. 이리 좀 보여 주겠소? 내가 한 번 보고 닦아 주리다."

"아, 아니 괜찮아요."

난 표면을 완전히 닦아 낸 다음에야, 그에게 거울을 보여 줬다.

"예쁜 거울이네요."

다행히 뭐로 썼는지 글씨는 깨끗하게 지워졌다. 하지만 내 가슴은 콩닥콩닥 뛰고 있었다.

이런 메시지라니. 스릴러나 추리 소설의 주인공이 된 느낌이다. 주인아저씨가 고개를 끄덕거렸다.

"어이구, 좋은 물건에 당첨되셨구만. 아가씨는 운도 좋수. 여기 있는 상품들은 죄다 여행자들이 여관에 팔고 간 물건들이거든. 빈털터리 여행자들이 마지막으로 팔고 간 물건들이 오죽하겠느냐마는, 개중 괜찮은 것도 있던 모양이우. 나도 포장된 그대로 전달받아서 뭐가 있는지 잘 몰랐거든. 이럴 줄 알았으면 추첨에 한 번 참여해 볼 걸 그랬수."

아저씨가 뭐라고 떠들건 난 고개를 끄덕거리며 손 안에 있는 거울을 바라보았다.

겉면에 사파이어 같은 새파란 보석이 자잘하게 박힌, 고풍스러운 물건이었다. 아마 아저씨는 이 보석이 진짜일 거라고 생각하지 않는 것 같지만…….

성녀로 살아가며 눈높아진 내가 보기에도 범상치 않은 물건이다. 어떤 여행자가 이런 걸 여관에 팔고 가겠어?

게다가 이 글씨는 대체. 이윽고 난 고개를 들고, 손거울을 주머니에 밀어 넣었다. 그리고 아무렇지 않은 것처럼 웃었다. 그저 뜻밖의 행운에 기뻐하는 듯이.

카마엘이 날 이상하게 봤을지도 모르겠단 생각이 들었던 탓이다. 수상하게 행동하지 않도록 주의해야 했다.

"감사합니다."

행운아라며 사탕을 얹어 준 아저씨에게 인사한 난 바로 여관으로 향했다. 돌아가 내 방에서 이 손거울을 자세히 살펴보고 싶었다.

글씨는 지워 버렸지만, 기억은 선명했다. 난 거울 표면에 적혀 있었던 글귀를 곱씹어 보았다. 자정에 이곳에서. 그 뜻은, 자정에 이곳 광장에서란 건가. 왠지 모르게 초조해진다.

사실 이게 말이 돼? 내가 뭘 뽑을 줄 알고. 무슨 트릭을 쓴 거지? 반드시 이 물건이 내게로 오게끔.

꼭 나를 향한 메시지가 아닐 수도 있다는 데 생각이 미쳤다. 그냥 여관에 손거울을 팔아넘긴 여행자가 장난삼아 써 놓은 거 아니야? 그럴 가능성이 더 높지 않을까.

하지만 이제껏 있었던 일들. 교묘하고 은밀하지만, 동시에 무시할 수 없는 방식으로 내게 메시지를 전달하고 있었다. '곧'이라고 적혀 있던 이전 마을에서의 쪽지. 이어 이곳에서 전달된 메시지.

이 정도면 암호문의 비밀 전달 작전이라고 해도 과언이 아니다. 누군들 눈치챌 수 있겠어? 내가 티 내지 않는다면야. 안…… 냈겠지? 그건 좀 불안했다.

난 가슴께에 주먹을 꼭 모아 쥐면서, 빠르게 걸었다. 여관에 들어서자, 예의 그 소녀가 내게로 쪼르르 달려왔다.

"추첨은 잘하셨어요?"

"응, 이걸 받았어."

일단 이 애부터가 수상한데. 난 이 귀여운 소녀의 속을 캐내 볼 참으로 아무렇지 않은 척 손거울을 들어 보였다. 그 애가 눈을 휘둥그레 떴다.

"어, 그건?"

"이거, 여관에 손님이 팔고 간 물건이라지? 그런데 너무 값비싼 물건 같은데. 그 손님은 어떤 사람이었어?"

이 정도 질문은 자연스럽게 나올 만한 거겠지? 나는 카마엘을 다분히 의식하며 물었다.

"그냥 뭐, 젊은 남자였어요. 귀하신 분 같은데 얼굴을 보여 주시지 않았어요. 저기 뒤에 서 계신 저분처럼, 얼굴을 가리고 계셨죠."

소녀가 내 등 뒤를 향해서 손가락질했다. 나는 뒤를 돌아보았다. 카마엘이 거리를 두고 여관 입구에 서 있었다.

여관에 들어섰으니, 더 이상 모습을 숨긴 채 따라올 필요가 없어졌던 탓이다.

"그것밖에 몰라요. 아마 여행 중인 귀족 도련님 아니셨을까요?"

생긋 웃은 소녀가 어깨를 으쓱해 보였다. 물건을 팔았으면, 말을 섞었을 것 아니냐? 뭔가 더 있지 않을까. 더 캐묻고 싶은 게 있었지만, 카마엘 앞에서 꺼낼 수 없는 의문이었다. 기껏 꼭꼭 숨기고 있었는데.

"그래, 신기하네."

나는 대수롭지 않은 듯이 대꾸하며 손거울을 주머니에 넣으려고 했다. 하지만 카마엘을 지나치게 의식하고 있었기 때문일까. 주머니에서 손이 미끄러졌다.

둥그런 거울이 바닥으로 떨어져 퉁, 퉁 소리를 내며 굴렀다.

나는 소녀의 등 뒤로 떨어진 거울을 향해 손을 뻗었다. 소녀 역시도 뒤돌아 몸을 굽혔다.

둘 다 거울을 잡으려 한 탓에, 그 애와 내 몸이 가까이서 밀착되며 엇갈렸다. 먼저 거울을 주워 든 소녀가 아주 자그마한 소리로 속삭였다.

"굉장히 예쁜, -눈이었어요."

그 순간, 전율이 등줄기를 타고 흘렀다. 소녀가 내게 찡긋 윙크해 보였다.

"그럼 손님, 편안한 밤 되시길 바라요!"

발랄하게 외친 소녀는 곧 등을 보이고 뛰어갔다. 저 애는 뭔가를 아는 걸까? 아니면 그냥 뭘 모르고 하는 소리일까? 무엇도 확신할 수 없었다. 그보다 중요한 건…….

난 거울을 품속에 넣고, 내 방이 있는 3층으로 향했다. 옆방으로 돌아와 있던 아리안느에게 다녀왔다고 말하자, 그녀가 마을에서 무슨 일이 있었는지 물었다.

망설임은 찰나, 난 손거울을 꺼내며 설명했다. 숨길 건 또 뭐람.

"좋은 물건을 얻으셨네요."

거울을 열어서 살핀 아리안느가 입을 열었다. 그리고 탁, 닫으며 내게로 돌려줬다.

값진 물건이라 이런 여관에다가 넘긴 게 이상하다고 말할 줄 알았던 그녀가 별말 없이 거울을 돌려주자 의아한 기분이 들었다. 왜 이렇게 순순하지?

"피곤한가 봐?"

대사제가 마차를 모는 정도로 피곤해질 것 같진 않은데.

"글쎄요, 지브리안에게 신경이 많이 간 탓일까요."

어제, 오늘 그의 몸을 회복시키기 위해 성력을 썼다. 나를 수행하는 것도 일이거니와 동료마저 짐이 되니 심적으로 고단해질 만도 하지. 난 고개를 끄덕거렸다.

"그래, 그럼 쉬어. 나도 어디 안 나가고 방에 있을게."

"몰래 다니시지 말고요."

"응."

텀 없이 바로 내게 믿음을 주라는 듯이 대꾸했지만, 아리안느는 미심쩍은 눈길로 날 바라보았다. 그녀는 더 이상 잔소리를 꺼내지 않고 내가 방으로 돌아가도록 내버려 두었다.

그리고 난 들어선 방에서 오도카니 앉아서 생각에 잠겼다.

"자정이라고?"

누군가 메시지를 전했다고 한들, 꼭 응하라는 법은 없다. 특히나 그게 수상쩍은 상대에게서 온 거라면.

이 작은 마을에 적의 군대가 주둔하고 있는 것도 아닐 테니 월신의 권능을 가진 내게 큰일은 없겠지만, 그렇다고 해서 내게 그런 비밀 메시지에 응해야 할 이유가 있을까? 난 비싸고 엉덩이가 무거운 성녀라고!

근데 이유가 있긴 있었다. 내가 궁금하단 말이지! 게다가,

"성의가 있잖아?"

기밀을 유지해야 하기에 비용이 많이 드는 방법이다. 많은 노력과 계산을 통해서 우리 성국 쪽 사람들에게 들키지 않게 은밀하게 전달했다.

왠지 그 성의에 응해 줘야 할 것 같은 의무감이 든단 말이지. 회담을 앞두고 내가 이래도 되나 싶지만, 안될 건 또 뭐람. 안전하기만 하다면.

그리고 나는 그 안전을 상대가 보장해 주지 않는다더라도, 스스로 확보할 수 있었다. 이 만월의 밤, 월신의 성녀인 나라면.

쥐 죽은 듯이 고요한 밤은 아니었다. 자정에 가까워진 시간이라도 아래쪽 식당에서 술을 파는 탓에 여관은 늦게까지 성업 중

이었다.

여행자가 잔뜩 드나드는 규모 큰 여관. 3층에도 묵는 사람이 있고, 때문에 수시로 드나드는 기척이 있었다.

남몰래 빠져나가는 건 내게 어렵지 않은 일이었다. 나는 저쪽 계단에서 소란스러운 말소리가 울려 퍼질 때쯤, 방문을 슬쩍 열었다.

기름칠이 되어 있는지 아주 부드럽게, 소리 없이 열렸다. 긴장감이 일며 가슴이 두근거렸다.

정말로 살짝 문을 열고 몸을 비집어 빼낸 난 살금살금 발을 움직였다. 성녀님이 밖에 나가려면 고양이처럼 몰래 나다녀야 하는 세상이라니, 험난하기도 하지!

그렇다고 아리안느나 카마엘을 데리고 나갈 순 없잖아? 카마엘이라면…….

난 잠시 층계 앞에서 발을 멈추고 4층을 올려다보았다. 그는 내가 아델과 여러 번 만남을 가졌다는 걸 안다. 그리고 그 사실에 대해서 과히 날 탓하지도 않았다. 다만 내키지 않는단 심정만 드러냈을 뿐이다.

그도 열 살에 있었던 일에 대해서는 내 공범이니까.

하지만…….

어느 순간 아델과 내 관계는 그의 시야를 넘어선 그 어딘가에서 재정립되었고, 그 관계는 누군가에게, 심지어 카마엘이라도 아무렇지 않게 드러내기엔 개인적인 구석이 있었다.

결속이라고 말하긴 어렵지만, 그 특별한 느낌을 뭐라고 설명해야 할진 모르겠다. 그래, 어쨌든—

미안, 카마엘. 중얼거리며 난 층계를 총총 걸어 내려갔다. 눈에 띄지 않게 여관 문을 지나 밖으로 나가서 빠르게 걸었다.

이제 거의 시간이 다 되었다. 서둘러야지. 여관 밖 거리에는 나다니는 사람이 별로 없었다. 다들 들어가 술을 마시거나, 슬슬 쉬러 갈 시각.

상점가가 가득한 광장 인근에는, 더더욱 사람이 없었다. 낮에는 꽤 인적이 있었는데, 이상하리만치 싸한 느낌이 든다.

그 거울에 적힌 글씨가 나를 향한 메시지가 아니라면……. 차라리 허탕이라면 그걸로 난 족했을 거다.

정말이길 바라는 마음, 그렇지 않길 바라는 마음이 내 안에서 뒤엉켰다. 광장에 선 시계탑을 올려다보며 난 시간이 몇 분 남지 않았단 걸 깨달았다.

심장박동이 거세어 온다. 이 몇 분이 지나면 난 아무 일도 벌어지지 않음에 안도할 수 있을까?

광장에 완전히 발을 들인 난 걸음을 옮겨 아까 그 자리에 다다랐다. 추첨이라고 적혀 있는 낡은 간판.

혹시 다른 쪽의 음모는 아닐까? 당첨자를 추첨장으로 불러내어 상품을 회수하고 인신매매를 하려고 한다거나. 도시괴담 같은 상황 말이야. 그쪽이라면 대처하기가 더 편할지도 몰라.

어둠을 두려워하는 편은 아니나 괜스레 불안해지는 마음은 어쩔 수 없다.

곧 열두 시를 알리는 시계종이 울려 퍼졌다. 땡, 땡, 땡…….

정확히 열두 번이 울리고 나자, 난 눈을 꾹 감았다가 떴다.

어김없이, 누군가가 내 등 뒤에 서 있었다. 난 네가 시간약속을 절대 어기지 않을 타입이라는 걸 알고 있지. 하지만 그게 꼭 달갑지만은 않았다. 마음의 준비를 할 시간이 부족했단 말이야.

난 서서히 뒤로 돌았다. 아까 들었던 소녀의 속삭임이 귓가에 울리는 듯했다.

'굉장히 예쁜, 푸른 눈이었어요.'

푸른 눈의 소년은 많고도 많다. 하지만 내가 떠올린 건 이 한 명뿐이었다.

눈앞에, 깊이 내려쓴 후드에서 얼굴을 가린 채 보석 같은 새파란 눈동자로 날 직시하고 있는 한 소년, 아델.

"용케 혼자 나왔네."

먼저 말을 꺼낸 건 그쪽이었다. 키가 훌쩍 커서, 낯선 기분이다. 소년이라고 하기엔 앳된 느낌이 거의 없었다.

예전과 비슷한 듯하면서도 변성기가 지났는지 낮아진 음성에 난 흠칫거렸다.

지금의 난 모습이 달라, 알아보기 어려울 텐데 꿰뚫어 보듯이 그는 나를 알아봤다. 그게 칼리스의 마법인 걸까?

숨을 깊게 들이마셔야 잔향을 느낄 수 있을 만치 아주 작은 자취.

나는 그의 몸에 배어 있는 마법의 기운을 읽었다. 아주 강력하고, 강대하나 그의 안에서 숨죽이고 있는 그 힘을.

그건 성녀인 나라도, 반대되는 속성의 힘이기에 숨기고 있다면 감지하기 어려운 것.

내가 뭘 느끼고 있는지, 모르겠다. 순수한 기쁨이나 반가움이라고 하기엔 아찔한 충격이 먼저 떨어졌다. 이어 속에서 퍼져나가는 아릿함이 있었다. 혼란이었다. 하지만 다른 한편엔 뿌리치려 애썼던 그리움이 있었다.

난 그를 향해 활짝 웃었다. 그리고 손거울을 들어 보였다.

"이게 뭐야. 왜 이런 식으로 날 불러낸 거야?"

놀랐잖아. 퉁명스럽게 항의하자 복면에 가려진 입꼬리가 움직였다. 그가 피식 소리를 냈다.

"생일 선물."

"네가 언제부터 내 생일을 챙겼다고 그래?"

히스칼도 그러더니 얘까지 안 하던 짓을 한다. 그보다 네가 내 생일을 알고 있었단 게 더 의외인데.

"게다가 무슨, 방법이 그래. 깜짝 놀랐잖아. 이런 데로 불러낸 것도 그렇고."

아델이 무심한 듯 대꾸했다.

"낭만적이지 않아? 여자들은 그런 걸 좋아한다고 하던데."

"낭만이라니. 어디가 낭만이야? 그리고 아델, 네가 그런 말 하니까 소름 돋아."

난 질색하는 얼굴로 어깨를 문질렀다. 진짜 돋았다. 3년이란 세월이 지났다곤 하지만, 왜 안 하던 짓을 하고 그래? 이런 기름들이부은 짓은 또 어디서 배워서…….

아델은 내 비난을 그리 신경 쓰는 것 같지 않았다. 마이 페이

스야!

"그보다, 이리로."

그의 손짓에 따라, 나는 걸음을 옮겼다. 3분 정도 걸어가자, 삐거덕거리는 담장 너머 으슥하고 작은 골목이 나왔다. 광장이니 자정이라도 사람이 지나긴 지날 터였다.

그가 담장에 붙어 있는 나무문 같은 걸 움직여 열어 주자, 난 그 안으로 들어섰다.

나무문이 닫히고, 난 출구를 등지고 서게 되었다. 골목이 좁은 탓에, 아까보다도 그와 내 사이의 거리가 부쩍 가까워졌다.

낯설고 기묘한 기분이 나를 잠식한다. 지금 내 눈앞에 있는 건, 아델이 맞나. 내가 여기 이 자리로 그를 따라온 게 맞는 걸까.

골목의 하늘 위로 달이 떠 있었다. 저 달빛이, 나를 내려다보는 듯한 기분이 들었다. 실로 월신의 눈길을 피할 수 없을 듯한 만월의 하늘이었다. 나는 월신의 보호하에 있었고, 안전하단 느낌을 받았다.

애초에 아델은 나를 위험하게 한 적이 없었다. 언제나, 늘. 내가 다칠까 봐 신경 썼지.

나는 천천히 성물의 효과를 거두었다. 완전한 암흑의 색을 띤 머리카락에 감싸인 난, 저 하늘의 달처럼 보일 거다. 얼굴은 희고 눈은 금빛이었으니까.

내가 그리 무섭게 생기지 않았단 건 자신할 수 있었지만, 으슥한 골목에서 보기엔 공포 영화에 나오는 한 장면일지도 몰라.

난 내 얼굴을 훑는 아델의 시선을 느끼며 당당하게 손으로 허리를 짚었다.

"너도 얼굴 보여!"

우리, 일단 얼굴부터 까고 대화하자. 사실 난 네가 어떻게 자랐는지 궁금하단 말이야. 키도 훌쩍 컸고, 사실 아델이 맞는가 싶을 만큼 분위기도 달라졌다.

어딘지 모르게 가다듬어지고 정제되어 차가운 느낌은 여전하지만, 좀 더 능숙해졌달까. 대놓고 발톱을 드러내는 들고양이가 아니라, 이빨을 감춘 맹수가 된 듯이.

잠깐, 너도 이제 겨우 열여섯이잖아! 뭘 먹었길래 혼자 그렇게 성숙해진 거야? 난 미약한 질투심을 느꼈다.

"안 그래도 벗으려고 했어."

코웃음 친 그가 손을 올려 입가를 가린 천을 내렸다. 이어 후드를 걷어 내리자 순금빛의 반짝거리는 머리카락이 모습을 드러냈다.

색이 짙어진 새파란 눈동자는 새벽처럼 깊었다. 그리고 신화의 조각처럼 섬세하게 균형 잡힌 그 얼굴. 빨려드는 듯한 현혹이 있었다.

어린 시절의 아델이 인형 같았다면, 지금은 뭐랄까……. 뭔가 충격적인데, 이 충격을 달리 표현할 말이 없다. 난 그를 향해 손가락질했다.

"너, 너!"

일단 당황을 숨기기 위해 소리부터 지르고 봤는데, 딱히 할 말이 없다. 위기야! 빠르게 머리를 굴려 댄 난 괜히 트집을 잡았다.

"실망이야!"

"뭐가?"

고개를 비스듬히 기울인 그가 날 유심히 쳐다본다. 전보다 더 동작이 미세해지고 무게감이 잡혔다. 그 가벼운 동작만으로도 여유로운 분위기를 물씬 풍기는 그에게선 기품마저 흘렀다.

난 그게 참, 낯설었다. 그 낯섦이 나를 당황하게 한다는 데 왠지 약이 올랐다. 뭔가, 세월이 나를 패배자로 만든 기분이랄까.

"귀여움이 감소했잖아!"

그래, 그건 사실이지. 귀엽다고 표현하기에 부적절한 모습이 되었다고!

"내 아델은 어디로 간 거야?"

볼이 탱글탱글하고 인형같이 귀여운 내 아델은 역사 속으로 사라져 버렸구나.

그보다 나를 내버려 두고 혼자만 어른처럼 자라나 버리다니! 뭔가 억울하고 뒤처진 것 같고 기분이 그랬다. 적어도 나는, 아직 청소년기의 모습이거든.

사슴같이 팔다리가 길고 가냘픈, 아직 앳된 기가 남아 있는 열여섯 살의 싱그러운 소녀. 어딜 보나 풋풋하다. 그에 반해서 아델은…….

"너무해 더 이상 귀엽지 않은 아델이라니. 덩치도 산만 해졌어! 넌 피터팬처럼 언제까지나 그대로일 것 같았는데. 바보!"

"뭐라는 거야."

아델이 어처구니없다는 듯이 눈썹을 치켜들었다. 그리고 답이 없다는 투로 말했다.

"넌 여전히 애 같구나. 경계심 없는 것도 여전하고. 부르는 대로 나오고, 또 이런 곳으로 순순히 따라오는 것도 말이야."

"난, 너일 줄 알았던 것뿐이라고!"

"그래, 그랬겠지. 뭐, 아무래도 좋아. 네가 나오지 않았다면 난 다른 방법을 생각해야 했을 테니까."

아델은 그 이상 날 비난하지 않았다. 싸울 태세를 갖췄던 난 좀 맥이 빠졌다.

얘, 이상해. 전에 만났을 때보다 친절해진 것 같은걸?

덜 툭툭 쏘는 것 같고 표현도 온화해졌다. 이 정도를 온화해졌다고 말하는 게 좀 그렇지만, 아델의 입장에선 장족의 발전이다.

하지만 뭐랄까, 표현양상만 달라졌을 뿐 비딱한 성격이 변한 것 같진 않았다. 도리어 변한 건 나였다. 아델을 보며 뛸 듯이 반가워했던 3년 전과는, 많은 게 달라졌으니까.

뭐랄까, 그래 새침을 떤다고 말하긴 그렇지만 마냥 아이처럼 부둥켜안고 좋아할 순 없는 거잖아? 열여섯 살은 슬슬 그래야 하는 시기지.

성녀라면 자연스럽게 상대를 내리누르는 기품을 가지고 있진 않더라도 친근하면 안 되는 거 아닐까? 나는 새삼 표정을 고치며 도도하게 턱을 들어 올렸다.

"그래서 용건이 뭐야?"

뭘 말할까 슬며시, 걱정이 들었다. 아델이 나타났을 때마다 칼리스와는 일이 있었다. 그리고 내가 굉장히 골치 아프고 곤란해졌지!

지금도 몰래 나온 상황이라, 마음이 조금 초조해졌다. 이런 일탈 행위는 정말 오랜만이라고! 나도 나름 철이 들었었단 말이야. 아델이 팔짱을 꼈다.

"용건이 있긴 있지."

어어, 뭐지? 그건 마치 용건이 없어도 불러낼 거였지만, 용건이 있긴 하다는 그런 부수적인 의도로 들리는데? 우리는 그런 사이가 아니라고. 이젠, 더 이상 아니어야 한단 말이야.

나는 입술을 꾹 깨물었다. 나는 애정이 있는 상대를 쳐내는 일은 못 한다. 그야 해 본 적 없는 일이니까. 애정이 있음에도 쳐 내져 본 적은 있어도.

그러니까 여기서 오랜만에 만난 아델에게 싸늘한 반응을 보이는 건 무리였다. 헐리우드급 연기력이 필요해.

"그런데 그걸 지금은 말해 줄 수 없겠고—"

아델은 말하면서 내게 다가섰다. 몇 걸음 간격이 좁혀졌을 뿐인데, 그의 그림자가 거의 나를 가렸다. 흡사 삼켜 버릴 듯이.

낮아진 목소리가 결정적이었다. 그건 아델을, 이전의 아델로부터 낯선 존재로 느끼게 했다.

나는 일순 지독히도 낯선 감각을 느꼈다. 나를 직시하는 새파란 눈동자는, 나를 낱낱이 쪼개어 표정, 눈빛, 몸짓 그 모든 걸 읽어내는 듯했다.

어찌 보면 분석하는 듯이 차가웠고 어찌 보면 증오하는 상대를 바라보듯이 집요했다.

그러나 악의라거나 반감, 혹은 부정적인 감정은 느껴지지 않았다. 사실 어떤 감정이 느껴지는 것도 아니었다.

아델은 이제 귀엽다기보단 아름답다고 표현할 만한 얼굴을 하고 있었지만, 더욱 메말라졌다. 풍부하다고 할 수 없었던 그나마의 표정도 많이 사라졌다. 감정을 감춰 내고, 드러내지 않는 데 더 능숙해진 거다.

그래서 요는, 왜 나를 그런 눈으로 바라보는 거냔 말이야. 내 얼굴에 뭐가 묻었나? 삼 년 만에 보는 얼굴이라 신기한가? 하긴 나도 얘가 신기하긴 해.

퍼뜩 다른 곳에 신경이 미쳤다.

설마 이 녀석, 내 미모에 눈이 멀어서……. 이 가정이 가장 타당성이 있는 것 같아, 난 작게 고개를 끄덕였다.

코앞에 다다라서야 느리게 말을 끌던 아델이 한마디를 툭 뱉어 냈다.

"그래, 적어도 회담이 끝나기 전까지는 말해 줄 수 있는 건 없지."

"……네가 그걸 어떻게 알아?"

피가 싹 빠져나가는 듯했다. 난 섬뜩함에 잠긴 채 그를 똑바로 노려보았다.

"신성교국이랑 우리가 회담을 갖는지 어떻게 아느냐고?"

정말 소름이 돋았다. 칼리스의 정보력이란, 정말이지— 아니, 왜 우리는 그렇게 못 하는 거야.

우리는 저쪽 움직임에 대해서 하나도 모르는데 저쪽은 우리의 움직임을 속속들이 파악하고 있다니.

물론 칼리스에서는 일반인도 부릴 수 있는 반면 우리 쪽에서는 성국인만 믿고 부릴 수 있단 차이점이 있다.

그건 큰 차이였다. 월신의 신도는 칼리스에서 활동할 수 없으니까.

우린 칼리스처럼 목숨을 위협하여 사람을 움직이지도 않아서, 일반인을 썼다간 비밀을 보장받기 어렵다. 돈을 써서 부리는 것도 한계가 있으니.

“신성교국과의 회담이라고 말한 적은 없는데.”

아델의 입가에 비딱한 웃음이 떠올렸다. 얄미운 얼굴이다. 아차 싶었지만, 난 넘어가지 않았다.

“회담이었단 걸 알면서, 그게 어디와 하는 회담인지 몰랐다고 할 참이야?”

물론, 몰랐을 수도 있지. 몰랐는데 일단 미끼부터 던져 놓고 날 캐 보려고 한 걸 수도 있지.

설마 회담인 줄도 몰랐는데, 넘어가서 실토해 버린 거 아니야? 이 멍청한 에스델! 하고 나 자신을 비난하려던 순간이었다.

“그건 아닌데. 하지만 어째서 모를 거라고 생각해?”

아델이 도리어 물었다.

“간단하잖아.”

"어떻게 간단한 건데? 설명 좀 해 봐."

난 허리에 손을 짚었다. 나보다 키가 훨씬 큰 아델을 앞에 두곤 포스가 달리는 감이 없잖아 있지만, 조금이라도 힘 있어 보이기 위한 동작이었다.

"성국에 첩자를 심은 거야?"

누구지? 성국인은 아닐 거다. 그때, 카스라 대사제가 방문했을 때 어떤 이들이 성국에 있었지? 그 당시 방문한 외부인들이라면야 명부를 뒤져 보면 목록을 뽑아 낼 수 있다. 그건 어려운 일이 아니다.

하지만 그들이 어떻게 '회담'이라는 걸 알아냈을까. 외부인들은 기본적으로 신전 내부엔 접근할 수 없는데.

카스라 대사제가 외곽에 머물렀다지만, 성기사들이 함께하고 있었다. 감시와 이목을 피해서 협의 내용을 빼낼 방법은, 없다시피 하다.

카스라 대사제가 유출했다거나, 신성교국의 핵심부에 첩자가 있지 않다면야 성국에서 정보가 유출되었을 가능성은 매우 낮다.

언뜻 의심을 드러내었던 것 같다. 아델이 차분하게 대꾸했다.

"첩자를 심은 적 없다곤 말 못 하겠지만, 이 경우는 그저, 추리지."

"추리라고?"

"칼리스는 신성교국에서 파견한 대사제 한 명이 성국을 방문했단 걸 알고 있었지. 이전까지 우리가 어떻게 하건 신성교국과 성국이 교류하는 일은 없었어. 서로 완벽하게 담을 쌓고 지냈었단 말이지. 그런데 이번엔—"

날카로운 추측이 이어졌다.

"자그마치 대사제나 되는 이가 방문한 사건이라는 말이지. 그가 방문할 만한 건이라면, 작은 사안은 아닐 테지. 법황 차원에서 결정된 어떤 사안. 헌데 회의를 했다기에 그는 성국에서 오래 있지 않았어. 월신의 성역에 오래 있는 게 태양신의 권속으로서 힘겨운 일이었을 테니까. 그가 빠져나간 이후, 성국에서는 이상하게 잠잠했지."

"그게 어떻게 꼭 회담과 연결되는 건데?"

"신성교국의 법황이 없는 자리에서 의논은 할 수 있을망정 뭔가가 결정될 순 없을 테지. 그리고 네가 여기, 이 자리에 있으니까."

칼리스에서 내가 성국을 빠져나온 걸 알아챌 가능성도 염두에 두긴 했다. 하지만 정말 현실화될진 몰랐다. 얼마나 조심스레 잘 빠져나왔는데! 집요한 녀석들.

어쨌든 내가 아델에게 회담에 대한 확인 도장을 찍어 주었더라도, 그는 거의 확신에 가깝게 짐작하고 있었다. 그 사실이 나를 안도하게 했다.

어휴, 미끼에 물려 버린 줄 알았네. 나는 무고해! 정보를 유출하지 않았어! 약간 마음이 놓였다.

난 정신을 바짝 차리기로 했다. 이러면 안 되지. 물론, 대체로 내가 만나는 이들 앞에서 난 정신을 바짝 차리고 긴장감을 품을 이유가 없었다.

거기에 익숙해져 있는 난, 다시 말해 사람을 믿는 데 익숙해져 있었다. 하지만 확실히, 외부에서 그래선 안 되었다.

난 마음을 가다듬고 침착하게 물었다.

"그걸 너 말고, 얼마나 많은 칼리스인이 그 사실을 알아?"

설마 또 왕속 특무단을 파견했다거나 그런 일을 벌인 건 아닐 테지? 아닐 거야. 아니어야만 해.

"알 사람은 다 안달까. 하지만……."

날 돌려보내려던 전과는 달리, 강경함이 묻어나지 않는 어조였다. 그게 상황이 다르기 때문인지 그가 변했기 때문일진 알지 못했다. 난 몸을 굳혔다.

"난 네게 성국으로 돌아가라는 말을 할 생각이 없어."

"그건 설마!"

난 놀란 얼굴로 외치며 가슴 앞에서 엑스자로 손을 교차했다.

"여기서 날 납치하려고? 세상에 날 이런 으슥한 골목으로 불러낼 때부터 알아봤어야 했는데."

내 거센 비난에 아델이 미간을 찡그렸다. 파랗게 번져날 만치 시린 빛을 품은 눈동자가 한층 예리해졌다.

"……넌 진짜, 여전할 정도로 화를 돋우는구나."

응? 아직도 먹히네. 이젠 꽤 태연해진 줄 알았더니, 분위기가 무거워지고 저항력이 올라간 것뿐 여전히 짜증은 나나 보다. 나는 아델의 그 여전한 부분에 이유를 알 수 없이 기뻐졌다.

하지만 아델의 말엔, 분명히 짚어 두고 싶은 점이 있었다.

"무슨 소리야, 화를 돋우다니. 그게 지금 현재 사실일진 몰라도 예전에도 그랬던 것처럼 말하지 마. 나는 너를 즐겁고 행복하게 해 줬었다고!"

그럼 그럼 내가 얼마나 너한테 잘해 줬는데, 나를 옛날의 짜증유발녀 정도로 기억하다니! 진실에 기초한 것도 아니고, 너무하잖아.

아델이 고개를 옆으로 기울이며 비아냥거렸다.

"그쯤이면 과거 미화 정도가 아니라 조작인 것 같은데?"

"있는 그대로의 사실일 뿐, 카마엘에게 물어봐!"

네가 말하는 거야말로 조작이지! 난 아델의 뒤편을 향해 손가락질했다. 물론, 카마엘이 있을 리 없다. 나는 이곳으로 몰래 빠져나왔으니까. 그런데,

"그가 여기 있어?"

아델의 얼굴이 무섭도록 굳었다. 그는 빠르게 뒤를 돌아보며 품에 손을 넣었다. 그 동작이 눈에 보이지 않을 만치 빠르고, 다른 사람이 된 것처럼 생경했다.

긴장감에 날을 세운 맹수처럼 단숨에 돌변한 분위기. 그의 몸에서 일순 드러난 번뜩이는 예기에 가슴을 찔린 듯했다.

"……아니."

나는 뒤늦게야 중얼거렸다. 내 말을 인지한 아델에게 장막이 내리듯, 그 모든 날 선 감각이 사라졌다. 순식간에 부드러운 털가죽을 덧입은 것처럼.

그러나 그것이 나 역시 그렇게 만들지는 못했다.

나는 내가 본 게 무언지 알고 있었다. 서늘해진 심장이 쿵쾅거리며 뛰었다. 마치 비현실적인 꿈이 단숨에 깨져져, 현실로 돌아온 듯이.

그리고 그 현실은 결코 달콤하지 않았다. 아델도 내게서 긴장감을 읽어 냈는지 신경질적으로 물었다.

"이딴 장난은 왜 하는 거야?"

나도 엉겁결에 나온 거라고. 설마 네가 그렇게 반응할 줄도 몰랐단 말이야. 그야 카마엘은, 내게 퍽 친숙한 존재이니까. 자연스레 아델에게도 그럴 거라 생각해 버렸던 걸까.

하지만 카마엘과 아델의 마지막 만남은 그다지 좋지 않았다. 사실 그걸 만남이라고 표현할 수 있는 건지도 모르겠지만 말이야.

카마엘은 자신에게 칼리스의 이목이 쏠리게 하기 위해서 아델을 노렸고, 나는 그가 얼마만큼 아델에게 가까이 갔을지 모르겠다.

아델에게 죽음의 위협을 느끼게 할 만큼, 가까이에서 그를 노렸을까.

"카마엘이 너를."

나는 말을 해도 될까 망설였다. 선불리 말 꺼내기 어려운 거북함이 있었다.

가뜩이나 분위기가 어색해졌는데 내가 삼 년 전 일을 들추는 게 잘하는 일인 걸까.

하지만 생각해 보면 나는 그리 아델의 기분을 생각하여 말하는 쪽은 아니었다. 내가 하고 싶은 대로 말했지! 그래서 난 입을 열었다.

"그때 무슨 일이 있었어?"

카마엘과 아델은 내가 열 살 때, 한집에 살았던 적이 있었지. 물론 정들란 의도는 없었고, 둘 다 그 동거를 좋아하지 않았지만 말이다.

그렇게만 말하자니 퍽 가깝게 느껴지지만, 삼 년 전 그 둘은 완벽한 적으로서 한 자리에 섰다.

나라는 그 둘 사이에 놓인 가는 다리를 무시하게 만드는, 적으로서의 충돌. 나는 그걸 오래도록 잊고 있었다.

하지만 그럴 수밖에 없었는걸. 아델 생각은, 되도록 하지 않으려고 했단 말이야.

"그때 카마엘이 널 상처 입혔어?"

사과할 일이 아니란 건 안다. 카마엘은 잘못하지 않았다. 그는 나를 지키기 위해서 응당 해야 할 일을 했다. 아마도 최선이었을 행동을.

그러니 내가 사과한다면 내 성기사를 모독하는 일이다. 내 물음은 사실확인밖에 되지 않았다.

하지만 그게 의미 없진 않을 것 같았다. 적어도 나는 무슨 일이 일어났는지 알게 되는 거니까.

"그는 나를 죽이려고 했지. 제법 맹렬하게. 뜻대로 되지 않았을 뿐."

차가워진 말투로 아델이 잘랐다.

"아무튼, 별로 상기하고 싶진 않은 기억인데."

"그땐 고마웠어."

대신해서 사과할 순 없지만, 감사 표시 정도는 할 수 있지. 나는 조용히 손을 뻗어 그를 끌어안았다.

그러고 보니 얘는 삼 년 전 나를 도와줬는데, 왜 나는 이토록 가만히 있었던 거람. 격의가 있고 거리가 있고를 떠나서, 뭔가 사람의 도리가 아닌 느낌?

축복을 내린다면 칼리스인인 그에게 저주가 될 테니까. 내가 할 수 있는 건 포옹밖에 없구나. 나도 나름 미소녀이니 기분 나쁘진 않을 거야.

근데 얘가 너무 컸다. 나는 그를 푹 끌어안기 위해 거의 발레하듯 서야만 했다.

내가 그를 끌어안은 채 등을 토닥이자, 놀란 듯하던 아델이 곧 귓가에 대고 한숨을 쉬었다. 그 한숨은 뭐람?

아델이 손을 뻗어 내 어깨를 붙잡아 끌어 내렸다. 그리고 시선을 맞추고 마치 오빠처럼, 훈계하듯이 말했다.

"그런 식으로 남자를 끌어안아도 될 나이는 지났을 텐데?"

"내가 끌어안는 사람은 정해져 있으니, 걱정하지 마."

나는 그 정도는 안다는 듯이 당당하게 말했다. 아델의 눈썹이 사납게 위로 올라갔다.

"아직도 누군가를 끌어안고 다니는 거야? 네가 지금 몇 살이라고 생각하지?"

"열여섯에 팍삭 삭은 것보단 낫지 뭘 그래. 친근감의 표현일 뿐이라고. 신전에선 다들, 가족처럼 지낸단 말이야."

대사제들은 다 내 큰 오빠들이지. 하지만 열네 살 이후론 딱히 누군가를 끌어안진 않았던 것 같은데. 내 미래의 신랑 후보라고 생각했던 카마엘조차도 말이야. 아델이 코웃음 쳤다.

"가족끼리 약혼도 하고?"

"누가 약혼을…… 카마엘 말이야?"

카마엘이 그도 모르게 내 약혼자가 되긴 했었지. 그거 아직도 기억하고 있었나. 얘도 기억력이 참 좋단 말이지.

그게 좋은 의미라기보단 좀 질리는 기분이었다. 뭔가 내가 말한 점에 모순이 있다면 꼬집어 내지 않을까 해서 그에게 거짓말을 하려면 머리를 힘껏 굴려야 했다. 아델 앞에서 나는 대체로 솔직한 편이었지만.

"약혼자면 가족이나 다름없는 사이지."

언제까지 카마엘을 약혼자라고 해야 할지 모르겠지만, 딱히 약혼을 한 적도 없으니 깨는 것도 우스운 일이다.

"언제까지 그 재미없는 약혼자 소리를 들먹일 거지?"

"그야 내가 다른 누군가와 결혼하고 싶어질 때까지?"

그때가 되면 그냥 입 싹 닦고 그런 일 따윈 없었던 척할 테다. 어차피 내가 성녀인 이상 카마엘은 내 호위고 멀어질 수 없는 사이라고.

근데 나도 종신직이었나? 성녀로 태어나서 성녀로 죽어야 하는 건가. 새삼 궁금증이 일었다. 나는 나를 주시하는 아델의 시선을 느끼며 정신을 차렸다.

"뭐, 여하간 왜 내 약혼자 소릴 트집 잡는 거야? 네가 먼저 말한 거잖아."

난 뭔가 깨달아, 아항 소리를 냈다.

"아아 너 혹시 내가 먼저 결혼해 버릴까 봐 그러는 거야? 나한테 약혼자가 있으니까."

아델에겐 약혼녀가 없다. 그리고 삼 년이 지난 지금도, 그런 게 생겼을진 모르겠다. 근데 아마 없을 것 같았다. 그건 근거 없이 깊은 예감이었다.

여하간 애는 나보다 뭐든 늦게 되는 걸 바라지 않을 거다. 쑥쑥 커서 날 어린애 취급하는 것도 그렇고, 늘 한 발짝 앞서 있으려고 한단 말이지.

"그건 불가능해."

아델이 기분 나쁠 정도로 딱 잘라 말한다. 어어? 왜 불가능하단 거야. 난 그 단호한 태도의 근거가 뭔지 궁금해졌다.

"왜 불가능한데."

고개를 들이밀며 묻자 아델이 슬쩍 물러서며 고개를 옆으로 돌렸다.

뭐야 왜 말하지 않지? 이 반응은 이유가 없는 게 아니라 꼭 내게 말하기 곤란하단 거 같잖아. 나한테 나도 모르는 엄청난 결격 사유가 있다는 거야? 그래?

"……본론으로 돌아가지."

내가 눈을 빛내고 쳐다보고 있음에도 아랑곳하지 않고 아델이 차분하게 말을 이었다.

"회담이 끝나고 나서 내 부름에 응하도록 해. 이번과 비슷한 방식이나, 상대가 나라는 걸 예상할 수 있는 방식으로 불러낼 테니까."

"왜? 무슨 말을 하려고? 왜 꼭 회담이 끝나고 말해야 해?"

난 질문을 퍼부었다. 얘가 이제 좀 컸다고 모호하게 굴려고 하네. 사람은 분명해야 신용이 가는 법이라고. 하지만 아델은 명백히 질문을 회피하고 있었다.

"회담을 마치기까지 아무 일도 일어나지 않을 거야. 이전에 하던 것대로 하면 돼. 특별한 위험은 없을 테지."

"위험이 없단 건 무슨 소리야? 칼리스는 내가 성국 밖으로 나왔단 걸 알잖아."

삼 년 전, 칼리스는 나를 성국 밖으로 끄집어내어 납치하려고 했다. 커다란 음모와 철저한 계획을 통해서. 그런 그들이 과연 삼 년 만에 얻은 이 절호의 기회를 놓치려고 할까?

카스라 대사제가 성국을 방문할 걸 알고 있었단 건, 다시 말해 여전히 성국을 감시하고 있단 것.

물론 성국이나 신성교국이나 칼리스로서는 경계를 늦출 수 없는 상대이긴 하다. 초월적인 힘을 가진, 신의 가호를 받는 두 개의 국가.

마법을 가진 그들로서 마법의 힘을 이용하지 못하는 다른 나라들은 상대할 만하나, 성력을 가진 두 나라는 이야기가 다르니까.

중요한 건, 칼리스라면 내가 성국 밖으로 나오는 걸 학수고대하고 있었을 테고 그게 현실화된 지금 내가 위험하지 않단 건 말도 안 되는 소리라는 거다. 그 옛날과 지금이 뭐가 달라졌기에?

"알지, 하지만 움직이지 않을 거야."

"왜?"

"내부사정."

짤막하게 말한 아델이 말을 삼켰다. 더 이상 묻지 않길 바라는 눈치였지만, 나는 그런 바람에 곧이곧대로 응하는 사람이 아니다.

그럼 내가 궁금해지잖아! 라기보단 이건 좀 캐 봐야 할 필요가 있겠어.

"네가 여기로 온 건, 이쪽으로 파견되어야만 하는 임무가 있어서 아니야? 그리고 네가 움직인다면 작은 임무는 아닐 텐데?"

아델은 좀 유능한 편인 것 같지만, 얘라고 해서 칼리스의 눈길을 피해서 내게로 접근하는 게 쉬울 것 같진 않다.

하지만 이전의 만남과는 느낌이 좀 달랐다. 이전의 그보단 여유 있었고, 뭔가 통제되는 느낌이었다.

그가 나에게 품은 의미가 변질되거나 쓸모없어졌다고 해도, 내게 해를 끼치려고 찾았다기엔 지금 반응이나 상황이 묘했다.

그리고 아델이 나를 잊은 것처럼 보이지는 않았다. 포커페이스는 있을지라도 그런 연기력은 없는 애다.

아델이 냉담하게 대꾸했다.

"내가 그걸 말해야 할 의무는 없어."

"내게 믿음을 줘야 내가 고자질하지 않을 수 있는 거 아닐까?"

"내 임무에 대해서 시시콜콜 말하는 쪽이 더 고자질 당할 위험성이 높겠지."

"그럼 카마엘에게 너랑 만났다고 이야기해도 돼?"

"아니."

아델의 새파란 눈에 짜증이 스쳤다. 위험수위다.

"내가 말한 게 여태껏 네게 해가 된 적이 있던가? 회담이 끝나고 접촉할 거란 이야기를 하러 왔는데, 그게 날 협박해서 캐낼 만한 일인가?"

험악해진 말투였다. 그야 엄밀히 따지자면 내가 회담이 끝나고 너와 만날 이유는 없잖아? 지금 나와 준 것도 의외의 일이지.

하지만 그렇게 말하면 아델이 상처받을 것 같았다. 아니, 화를 낼 것 같았다. 이 으슥한 골목에서 막 때려 버릴지도 몰라!

별로 폭력을 행사하는데 남녀노소를 가리는 가차 있는 성격으로 보이지는 않으니까.

뭐야. 그러면 일행에서 몰래 빠져나올 방도를 생각하라고 미리 얼굴을 비친 건가.

나는 좀 부드러운 투로 말투를 바꿔서 물어보았다. 강함은 부드러움으로 상대해야 하는 법이지!

"그럼 오늘 나타난 건, 그 이야기를 하려고 했던 거야?"

"다짜고짜 불러내는 것보다 예고를 해 두는 편이 네 쪽에서도 나을 텐데."

그렇지. 미리 나를 만나 봐야 회담이 끝나고 나를 좀 더 쉽사리 불러낼 수 있겠지. 게다가 지금이 딱 여행 초기라 호기심이 부풀 때다.

혹시 내가 '아, 피곤해 어서 성국으로 돌아가 버려야겠다!' 하고 안 나와 버릴 수도 있으니 말이야.

"예고를 해 두는 건 그렇다 치지만, 뭐 편지를 남겨 두어도 좋았을 텐데."

'나 아델인데 회담 끝나고 보자' 같은 편지 말이지. 이런 음습한 방식은 선호하지 않는다고! 낭만은 무슨. 어디에 낭만 같은 게 있느냔 말이야.

"편지는 너를 좀 더 생각하게 만들겠지."

아델이 산뜻하게 웃었다.

"그러면 네가 나오지 않을 가능성이 높아질 테고."

"왜, 왜 내가 안 나올 거라고 생각해?"

"당연하잖아. 나는 칼리스인이니. 어차피 내가 널 만나려 하지 않는다면 넌 나를 만나려 하지 않을 테니까. 이제껏 그랬던 것처럼."

아델이 매끄럽게 흘려 낸 그 말이, 나를 찔러 드는 듯했다. 화살을 쐈다면 적중이다. 그래, 나는 아델을 잊을 셈이었다.

하지만 그건 불가피한 문제이기도 했다. 성녀인 내가, 대칼리스 연합의 주축인 내가 칼리스의 수뇌부 중 일원과 친분을 유지하고 있단 사실이 발각된다면……. 그건 무엇으로도 표현할 길 없는 배신이다.

왠지 모르게 얼굴이 달아올랐다. 그보다 현실에 연연하는 건 나였다.

그게 당연한 일일진대, 그게 당연하지 않게 내게 접촉하는 아델을 두고 있으니 현실의 장벽 앞에 쉽사리 우정을 포기하고만, 의지 약한 애라고 비난받는 기분이었다.

비록 아델이 그걸 이미 이해하고 있는 것 같더라도.

부인해야 할 것 같은 분위기인데, 정곡을 찔렀달까. 할 말이 없었…… 아니, 있었다. 찾아냈다. 그래, 그거야! 난 너무하다는 듯이 외쳤다.

"그건 능력과 자유도의 문제야! 나는 과보호 당하고 있는 몸이라고. 마음대로 칼리스 밖을 돌아다닐 수 있는 너와는 달리, 내겐 자유라는 건 거의 없는 단어란 말이야."

하다못해 칼리스로 편지를 보내는 일도 할 수가 없다. 물론, 원래 적국으로 편지를 보내는 일이 쉽진 않겠지만.

성녀인 내가 남몰래 편지를 보내려면 도대체 어떻게 해야 하지? 그건 생각해 본 적 없는 난제였다.

게다가 평범한 칼리스인도 아닌 아델에게 닿도록 편지를 보내는 건 뭔가 미션 임파서블의 느낌이다.

빈말이라도 해야겠다고 생각한 난 무심코 말을 쏟아 내다가,

"워, 원한다면 펜팔 방법이라도 알아볼까?"

깜짝 놀랐다. 하필 이런 방법을 말하다니! 입술을 꼬집고 싶었다. 설마 아델이 승낙할까 싶어서, 난 짐짓 긴장했다.

"필요 없어. 그따위 종이 쪼가리."

아델이 코웃음 쳤다.

"편지는 성의 있는 종이 쪼가리라고! 너무하잖아. 편지지를 골라서 한 글자 한 글자 정성 들여 쓴 편지를 보내는 게 얼마나 시간이 드는 일인데!"

나 무슨 말을 하는 거지? 마치 아델에게 편지를 보내고 싶다고 조르는 것 같잖아! 아니야, 난 그러고 싶지 않다고!

난 재빨리 화제를 바꿨다. 그러고 보니, 난 말이야.

"그런데 수신인을 '아델'이라고 할 순 없잖아."

난 그제야 깨달은 사실을 말했다.

"나는 네 이름을 몰라."

충격과 함께, 내 안에 파장이 퍼져 나갔다. 나는 아델의 이름을 모르고 있었구나. 그건 생각보다 더 낯설고, 이상하게 느껴졌다.

아델은 내 이름을 안다. 에스델 세라피아. 성녀의 이름은 딱히 숨겨진 바 없으니 숨길 이유도 없다. 내가 성녀인 이상, 내 이름까지 이르는 건 너무도 쉬웠다.

아델은 달랐다. 그의 이름과 성은 그가 칼리스의 어떤 누구인지 특정하게 한다. 그 때문에 아델은 내게 이름을 말해 주는 것을 한사코 거부했었다. 그래서 캐내는 데 실패했고.

하지만 그런 문제가 아니었다. 나는 최초의 만남 이후로 그에게 이름을 묻지 않았다. 내가 알아야 할 것은 그걸로 족한 듯이.

나는 아델을 단지, 아델이라고 불렀다. 진짜 이름조차 모르는 아델과 과연 가깝다고 할 수 있을까. 이름도 모르는 친구 사이라는 게 존재할 수 있을까?

물론, 존재할 수 있지. 지금 여기의 아델과 내가 그렇듯이. 하지만 그건 뭐랄까, 어딘지 어긋나고 거짓된 느낌.

"네가 말해 주지 않았어."

나는 미간을 모으며 그를 바라보았다. 알아보려는 노력, 하지 않았다. 하지만 그가 말하지 않은 것도 사실이다.

모르면 이제부터 알면 되지! 그건 아델을 잊기로 한 결심과는 상반되는 것일 테지만, 그냥 넘어갈 수가 없었다.

"이제는, 말해 줄 수 있지 않아?"

안다 한들 새삼 뭔가 달라질 거란 생각은 하지 않는다. 안다고 해서, 내가 너를 증오하게 되거나 하진 않을 테지. 어차피 난 칼리스에 대해서 아는 게 없다고!

네가 말해 주지 않는다면 나는 시간이 지나 이름도 모른 채 너를 잊어야만 하는 걸까. 그건 좀 슬픈데.

"안 그래도 말하려고 했어."

아델이 느릿하게, 말문을 열었다.

"말할 생각이었어. 하지만 그게 지금은 아니야."

아델이 위로 고개를 들었다. 내 등 너머, 새카맣게 펼쳐진 밤하늘을 알 수 없는 얼굴로 바라보았다.

그래, 그의 시선은 저 달에 박혀 있었다. 오늘따라 유독 선명한 빛을 뿌리는 아름다운 원형의 달. 그가 입술을 달싹였다.

"회담이 끝나고, 다시 만나면 그때—"

좀 더 분명해진 목소리가 떨어졌다.

"넌 내 이름을 알게 될 거야."

'내 이름이 궁금하면 나와.'라고 전제를 다는 건가? 이 녀석, 생각보다 용의주도하다. 하지만 내가 뭔가 말하기도 전에, 녀석이 선수를 쳤다.

"난 이만 가 봐야겠어."

"뭐, 뭐? 잠깐."

뭔가 제대로 말한 것도 없잖아. 떡밥은 잔뜩 던져 주고 결론은 '회담이 끝나고 만나자'라니. 물론 아델의 목적은 처음부터 그거였을 테지.

난 이대로 만족스럽지가 못하다고! 찜찜하단 말이야.

"야, 아델!"

난 그를 손을 뻗어 그를 붙잡았다. 하지만 나한테 아랑곳하지 않고 아델은 다시 입가를 올리고 후드를 눌러썼다.

"어서 들어가 보는 게 좋을걸. 네 수하들이 네가 몰래 빠져나왔단 걸 알게 되면 큰일이잖아?"

"그건 네가 걱정할 일 아니야."

"아니지, 다음 만남에 차질이 있으면 곤란하니까."

아델이 내 손목을 움켜쥐었다. 그는 그 상태로 나를 끌고 그 골목을 빠져나왔다.

"가는 길은 알지?"

그가 턱짓으로 광장을 가리켜 보였다. 단호한 태도였다.

내겐 불만이 있었다. 꼭 자기가 수수께끼의 턱시도 가면인 것처럼 구는데.

하지만 얘는 어차피 내 말은 듣지 않는다. 말해, 말하라고! 하면서 싸우면서 헤어지는 것보단, 후일을 기약하는 게 낫겠지. 그건 내 결정과 상반되는 것이지만.

"그래, 아델."

나는 아델의 손아귀에서 손목을 빼냈다. 검은 장갑에 감싸인 손은 저항할 수 없다고 느껴질 만치 단단하고 힘이 강했다.

아델은 이젠 거의 남자가 되어 버렸다. 만날 때마다 낯설게 느꼈으니, 다음에 만날 땐 더욱 낯설게 느껴지겠지. 어쩌면 우리는 그렇게 점점 멀어질지도 몰라.

"다음에 봐."

내가 순순히 보내 주자 아델은 내게서 등을 돌렸다. 한 치의 망설임도 없는 동작.

도리어 미련이 남은 건 내 쪽이었다. 나는 순식간에 그를 집어삼킨 어둠을 몇 분간 응시하고 있었다.

기껏 찾아와 놓곤 쿨하게도 사라지네. '용건만 간단히' 치고는 시간을 좀 끌었지만.

서늘한 공기에 몸이 으슬으슬했다. 잠들어야 할 시간이었다.

나는 발을 움직였다. 그리고 조심스럽게 숙소로 돌아가 잠을 청했다. 한밤중에 꿈을 꾸고 온 듯한 느낌이었다.

*

"성녀님 간밤엔 평안하셨는지요."

아침에 지브리안이 그 말을 꺼냈을 때, 나는 화들짝 놀라고 말았다. 하지만 용케 티 내지 않았다. 않았다고 생각한다.

"어어, 왜?"

설마, 뭔가를 알고 있는 건 아니겠지? 내가 얼마나 은밀히 움직였는데! 슬며시 불안감이 차올랐다.

혹시 창문을 열어 봤다면, 내가 어디론가 가는 걸 발견했을지도 모르니까.

"인사입니다. 밤공기가 꽤 싸늘하더군요."

아무렇지 않은 듯이 손을 들어 보이며 말하길래, 난 당황했다. 내가 너무 과민하게 반응했나? 태연한 척 이 위기를 넘겨야지.

"아, 난 또 잠든 새 무슨 일이 있었을까 봐. 난 잘 잤어."

그래, 아델이 나를 심란하게 만들긴 했지만, 그것과 별개로 난 잘도 잤다.

단지, 내 앞에 나타난 그 애 덕에 이번 여행에 있어서 칼리스의 위험성에 대해선 지금부터 생각을 해 봐야 했다.

"지브리안이야말로 몸은 좀 괜찮아졌어?"

"저야 뭐. 땅에 있을 때는 그럭저럭 괜찮습니다만."

오늘 또다시 마차에 타야 한단 걸 상기하니 암운이 드리우는 듯한 얼굴이었다. 나는 위로하듯 그의 어깨를 툭툭 두드렸다.

"조금만 참아. 금방 도착할 테니까."

우리는 그 말마따나 또다시 폭풍처럼 마차를 달려서, 다음 마을에 도착하게 되었다. 여관에 들어서서 자리를 잡자마자 식사를 하기 위해 식당으로 내려왔다.

이번엔 전날만큼 많이 달리지 않아서 그런지 지브리안도 합류했다.

“이다음 마을이, 목적지지?”

“예, 일찍 도착해 있어도 무리는 없을 테지요.”

아리안느의 치유를 받은 지브리안의 낯빛은 창백했지만, 그래도 전날보단 멀쩡해 보였다.

음식을 시켜 놓고 난 생각에 잠겼다. 여태까지는 별다른 문제가 없었다. 앞으로도 없을 테지만, 아델의 등장이 마음이 걸렸다.

칼리스가 내 움직임을 눈치챘다면, 반대로 신성교국 쪽 움직임도 눈치챌 수 있지 않을까? 그쪽은 우리보다 루트가 단순할 테니까.

우리가 아델이 보인 기묘한 확신대로 위험하지 않을 순 있어도, 법황은 위험할 수 있는 거 아니야?

하지만 히스칼이 위험하진 않을 것 같단 느낌이 밀려왔다. 이건 예감이다. 나는 예감을 따랐다.

문득 예전의 광경이 눈앞을 스쳤다. 야파 왕국의 회담장에서, 우두커니 서 있던 히스칼. 그는 무엇도 지시하지 않고 관조하듯, 재미있는 구경거리를 보듯 그 자리에 서 있었다. 흡사 스스로의 안전을 전혀 의심하지 않는 듯이.

그리고 그가 가지고 있었던 펜던트.

히스칼이 칼리스와 내통한다는 게, 가능한 일일까? 그건 내가 예전에도 품은 의심이었다.

신성교국 측은, 그러니까 히스칼은 칼리스와 얽히는 그 순간들에서 단 한 번도 위험해진 적이 없었다.

하지만 그걸로는 확증이 부족했다. 그의 대사제들이 칼리스를 상대로 싸웠던 것이 사실이니.

아무리 삐뚤어진 소년이라고 해도, 적국과 내통하여 정보를 내준다고? 그 정도까지 최악일까를 떠나서 그에게 그럴 능력이 있을지도 의문이었다.

성녀인 나보다 법황인 그가 더 권속들에게 둘러싸인 삶을 살 테니까.

게다가 칼리스를 뭘 믿고? 칼리스로서도 히스칼을 믿을 구석이 없다. 자그마치 신성교국의 법황이다. 법황은 신성교국 권력의 핵심이다. 일반적으로 그렇게 알려져 있었다.

답은 모르겠다. 일단 법황을 만나 봐야 알 수 있겠지. 아델이 말한 게, 우리는 회담을 막을 거고 너희는 위험하지 않지만, 신성교국 사절단은 위험해질 거란 뜻인지 아닌지를.

히스칼은 정해진 날이 되어서야 도착할 거였다. 그야 나보다 직무가 많고 바쁠 테니, 구경 다닐 시간 같은 건 갖지 못할 터.

늦지 않게끔 조금만 서둘러서 나왔다가 회담을 마치고 바로 가 버릴 테지.

법황이라, 히스칼.

나는 기억을 더듬어 보았다. 삼 년 전, 히스칼은 선량한 미소를 띤 소년이었다. 아델보다 골격이 가는 편이고, 그때에도 옷만 잘 갖춰 입으면 소녀로 오인할 만한 모습이었다.

어딜 보나 초식남에 가까운 인상. 실제로는 육식에 가까울 테지만. 그 애는 얼마나 달라졌을까? 아델이 그토록 낯설게 느껴졌듯이, 히스칼 역시도 많이 변했겠지?

애초에 히스칼과 난 친하지 않았다. 그 애는 내게 적대적이다.

아델이 좀 더 차분해진 것과 마찬가지로, 그 애도 성숙해졌겠지. 내게 안 좋고, 더 의뭉스러운 쪽으로! 뱃속이 시커먼 뱀이 되어 있을 거야! 나는 절레절레 고개를 저었다.

"왜 그러세요, 성녀님? 마음에 안 드세요?"

마침 음식이 나온 터라, 아리안느가 나를 향해 물었다. 난 내 앞에 놓인 토마토가 잔뜩 들어간 고기 수프를 내려다보았다. 때깔이 영 좋지 않아! 마음에 안 들긴 해.

"아무것도 아니야."

밖에 나와서까지 음식 투정을 할 순 없지! 가볍게 때우고 또 마을을 돌아 다녀 버릴 테다! 라고 마음먹는데, 어제 있었던 일이 떠올랐다.

그래, 칼리스가 우리 행적을 알고 있댔지. 더 이상 여행을 즐길 순 없을 것 같다.

아델은, 어째서 회담이 끝나고 나서 만나자고 했을까. 만날 기회를 잡기가 쉽지 않다면, 그 무엇이든 차라리 어젯밤 말하는 쪽이 나았을 텐데.

그 애가 나를 생각해서 복잡한 얘기는 회담이 끝난 후 말하자고 할 성격도 아니고.

난 고뇌 속에서 여관방 안을 서성이고 있었다. 아무리 생각해 봐도 회담과 아델이 할 말을 연결 짓기도 어려울뿐더러…….

칼리스가 우리 행적을 꿰뚫고 있단 건 우리가 언제든 표적이 될 수 있단 소리다. 아델이 칼리스는 그러지 않을 것처럼 말했지만, 말 자체도 모호했고 아델 자체가 내가 백 퍼센트 믿을 수 있는 상대는 아니다.

물론, 회담에 대해서 칼리스가 크게 의미부여 하지 않을 가능성도 다분했다. 이때까지 그랬던 것처럼 칼리스가 움직이지 않는 한 우리 쪽에서 먼저 칼리스를 치지는 않을 테니까.

성국이건 신성교국이건 침략전쟁은 하지 않는다. 섣불리 성전이란 단어를 내세워 행동하는 편도 아니었다.

애초에 두 나라 모두 소수 정예의 군대가 강력하긴 하되 동원할 수 있는 병력 자체가 적다.

규모가 작다는 건, 그만큼 영향력이 덜하다는 말이다. 아예 전면전을 벌일 셈이라면야 우리 쪽 움직임에 촉각을 곤두세울 테지만, 삼 년 전 야파 왕국과의 사건 이후 이상하리만치 침묵을 지키고 있는 칼리스라…….

난 걔들 심리를 도통 모르겠어. 당장에라도 전쟁을 벌일 듯이 날뛰다가 왜 또 잠잠해진 걸까. 내부에서 도대체 무슨 일이 벌어지고 있길래?

아델이 어떻게 말했든, 또 칼리스가 어떤 움직임을 보였든 내가 방심해선 안 된다는 것만은 확실했다. 그놈의 저주 때문에 칼리스가 내게 집착하고 있단 건 사실이니까.

앞으로 회담이 끝날 때까지 얌전히 있자. 그리고 아델을 만나는 건…… 피치 못할 상황이 아닌 한, 아델은 내가 당연히 그를 만나러 나올 거라고 약속받은 것처럼 여기는 듯했다.

그건 사실이 아니지만 무시해 버릴 수는 없잖아! 만약 아델을 만나지 않기로 결정해서, 내가 부름에 응하지 않는다면 그 애가 그것을 순순히 받아들일까.

"그건 아닐 것 같은데."

그때야말로 배신감을 느끼고 칼리스로 하여금 뭔가를 도모하게끔 만들어 버릴지도 모르겠다. 그렇게 되면 곤란함을 넘어서 위험해질 거다.

아델은 반항아란 말이야. 좀 컸다고 해도, 그 애가 날 위하는 건 적어도 우리 친분이 유지되는 선에서라고.

"응해야 하나?"

그것도 문제였다. 내가 또 몰래 빠져나올 수 있을까. 물론, 가능은 했다. 만약 협조가 있다면 말이지.

나는 카마엘에게 실토해야 할까 고민했다. 혹시 그가 눈치채고 내가 먼저 말하기를 기다리는 건 아닐까 눈치도 봤다.

하지만 카마엘은 원래 표정이 포커페이스라 읽어 내기 어려웠다. 그가 과연 아델의 접근을 몰랐을까? 그도 촉이 나쁘진 않은데. 알쏭달쏭하다.

그라면 눈감아 줄 것도 같은데……. 어딘지 찝찝하게 걸리는 것이 있단 말이지. 몰래 나쁜 짓을 한 것 같기도 하고.

근데 그게 나쁜 짓이라면 이번이 처음은 아니잖아? 나이를 먹어서 그런가. 하긴 이제 슬슬 철이 들어야 할 나이지.

답이 잘 나오지 않는다. 결국 난 고민을 포기하기로 했다. 때가 되면 말할 기회가 있겠지, 생각하면서.

"숙소에만 계시면 심심하실 텐데요."

내가 가만히 방안에만 있자 방으로 찾아든 아리안느가 등을 떠밀었다. 난 침대에 궁둥이를 붙인 채로 퉁명스레 대꾸했다.

"바깥에 나가도 별것 없는걸. 성국과 그리 다른 건 없단 말이야."

물론 이곳에서 나는 평범한 여행자이며 소녀로 세상을 돌아다니며 새로운 공기를 마실 수 있었다. 그게 의미가 없지는 않았다.

하지만 뭐, 돌아다니기에 특별한 곳이 아닌 건 사실이지. 특별난 유적지나 관광지가 아닌 한 이런 보통 마을은 대개 비슷비슷하게 생겼는걸. 구경 다니고픈 욕구를 자제할 수 있다고.

"그건 그래요. 뭐, 이전에 들린 마을과 큰 차이는 없지요. 굳이 안 돌아보셔도 될 거예요. 하지만 돌아오는 길엔, 길을 좀 달리해서 큰 도시에 들를 예정이에요. 거리상으론 별 차이 없는데 그쪽 길이 낙석으로 손상되어 통행을 제한한다는 이야기를 들어서 혹시 여정에 차질이 생길까 봐 이쪽 길을 택한 거거든요. 갈 때는 괜찮을 테지요."

"큰 도시라고?"

"네, 오즈벨이라는 도시인데 축제가 열리는 기간이라 볼거리가 많을 거라고 해요."

"축제라고?"

칼리스고 뭐고, 귀가 솔깃한 난 벌떡 일어섰다. 해외에서 축제라니 황홀하게 들리는 소리였다. 아리안느가 싱긋 웃었다.

"물론, 회담을 순탄히 끝마쳐야만 들리실 수 있을 거예요. 시간이 남을 테니 여유롭게 즐기다가 떠나가지요."

그래, 회담을 순탄히 끝마치면……. 나는 그 말을 곱씹었다. 아델을 믿어야 할까.

하지만 아델을 믿지 않아서, 칼리스가 우리 행적을 알고 있단 걸 말한다면 회담은 파투가 나 버릴지도 모르는데. 그게 과연 이로운 방향일까.

나는 그것을 장담할 수 없었다. 모호함은 항상 나를 침묵하게 한다.

"그럼 쉬세요."

내가 기대에 부풀어서 말이 없다고 느꼈는지 아리안느는 방문을 열고 나섰다. 나는 그녀를 붙잡아 세우지 않았다.

"잘 자."

그녀를 떠나보내고 나는 꼬물꼬물 이불 속으로 기어들어 갔다. 오늘은 얌전히 이 이불 안에서 잠들어야지. 알 수 없는 어떤 예지가 나를 휘감고 있는 것이 느껴졌다.

정확히 수평에 걸쳐서 어디로도 치우쳐 있지 않은, 좋은 의미일지 나쁜 의미일지 아직은 모를 예지. 나는 그것이 모습을 드러낼 날이 머지않았음을 어렴풋이 직감했다.

삼 년의 세월은 변화를 가져오기에 충분하니까. 나는 그 변화를 곧 실감하게 될 터였다.

의미심장한 회담

회담 장소까지 우리의 이동은 수월하게 이루어졌다. 지브리안은 곧 해방이었다. 그러니까, 멀미로부터.

진작 도착해서 몸을 좀 추슬러야 멀쩡한 상태로 회담에 응할 수 있을 거다.

마지막 마을. 그리고 회담이 열리는 마을. 내가 지브리안과 함께 있는 사이 아리안느와 카마엘이 마을 내부와 주변을 꼼꼼하게 돌아봤다.

이상한 건 없는지, 혹은 그때 야파 왕국에서와 같은 종류의 함정 마법진이 설치되어 있는 건 아닌지 먼저 도착한 우리 쪽에서 상대가 도착하기 전에 확인해 봐야 할 터.

"여긴 딱 요양지 같네."

난 여관에 앉아 중얼거렸다. 인근에 산을 둔 마을이었다. 흔히 있는 야트막한 산.

산기슭에 위치해선지, 공기가 맑고 좋았다. 회담을 연대도 이런 마을에서 열리라곤 생각 못 할 법하다.

"그리 길게 끌진 않을 겁니다. 칼리스에 대항하여 위급 상황 시 병력 지원 같은 부분에 있어서 사전적인 합의를 하는 게 전부일 테니까요."

미리 어떤 내용에 대해서 다룰지 들었던 난 고개를 끄덕거렸다.

"그렇단 얘긴 말야. 혹시 신성교국이나 성국이 칼리스로부터 침략을 당했어. 그러면—"

"합의를 구할 것 없이 즉각 지원 병력을 파견할 수 있단 소리가 되겠지요."

"하지만 신성교국으로 파견된 우리 병력은 약화될 수밖에 없잖아."

신성교국의 대사제 카스라조차도 성국 내부에서는 버거워했다. 월신의 성역을 방문한 최초의 태양신의 권속이었으면서도 그 기념비적인 방문을 오래 유지하지도 못하고 쫓겨가듯이 떠나갔고.

"그러면 병력 파견이 의미가 없지 않아?"

"신성교국도 폐쇄적인 나라이니 칼리스에서 하룻저녁에 침략할 수 있는 건 아닙니다. 따로 도움을 청하지 않아도 서로의 위기를 감지했으면 도와주자는 뜻이지요."

"뭐, 그건 그래."

납득할 수 있으면서도 좀 기분이 묘해지는 게 있었다. 사실 신성교국이야말로 칼리스의 시선에서 다소 비껴 나 있어서 그리 위험한 일이 없다.

억울한 일이지만, 야파 왕국 사건 때도 칼리스는 미친개처럼 우리를 노리고 따라왔다. 성국을 침략하여 월신의 저주를 받은 이래로 우리한테 이를 득득 가는 그들이다.

그러니 만약 또다시 침략을 당한다면 그 상대는 우리일 거다. 그러니까 대체로 도움은 우리가 받게 될 거라고 보면 되겠지.

근데 신성교국, 히스칼로부터 도움을 받고 싶냐면, 글쎄……. 나는 걔가 내 영역 인근에 자연스럽게 발 들이는 게 싫다고. 그 수상쩍은 녀석이 과연 제대로 된 도움을 줄까가 문제고.

그런데 목청껏 싫다고 소리 높여 외치자니 이 협약은 여러모로 필요한 협약이었다. 만약을 대비해서라도.

칼리스의 침묵이 그대로 침묵으로 이어질 리 없단 건 명백했다. 그들은 뭔가를 준비하고 있으리라. 무엇인지 아직으로선 알지 못할 그것을.

아마 어마 무시한 마법이라거나 마법무기일지도 모르지.

동맹국 중 그 어떤 나라도 칼리스의 심장부에 첩자를 들여보내진 못해서 정보가 없다.

"신성교국에 회의적이시군요."

지브리안이 바로 내 속내를 알아챘다.

"법황이 한 번 배신과 같은 행태를 보인 적 있기에 그러시는 겁니까."

"응, 신성교국의 입장이 어떻건 난 법황이 못 미더워. 그리고 만약 말이야. 그럴 가능성은 낮다고 보지만, 신성교국이 성국을 침략할 마음을 품으면 어떻게 될까?"

지브리안이 눈썹을 치켜들었다.

"……그건 있을 수 없는 일입니다."

"왜? 정말 만약에라도 그럴 수 있잖아."

칼리스와 손을 잡고 성국을 쳐내기로 할 수도 있잖아. 나는 거기까지 가는 건 오바라고 생각하면서도 가능성을 키웠다.

사실 동맹국들이 죄 칼리스에 복속되는 쪽이 더 현실성 있는 발상이리라. 지브리안이 웃었다.

"두 신의 신성이 충돌하면 공멸할 뿐입니다. 태양신의 신성과 월신의 신성은 함께 다루어진 바가 적으니 크게 언급된 일이 없습니다만, 제가 아는 바로는—"

그가 짤막하게 덧붙였다.

"한쪽이 약화되면 서로가 약해집니다."

"그건 무슨 소리야?"

"이를테면 그림자 같은 관계지요. 본체가 작아지면 그림자의 절대 크기도 작아질 수밖에 없습니다. 이 경우에는 어느 한쪽이 그림자라고 할 수는 없겠지만, 태양신의 권능이 약해져서 성력을 가진 사제들의 수가 급격하게 줄어들면 같은 시기에 월신의 사제들의 수도 어느 정도 줄어들게 되어 있습니다. 그건 신도를 많이 확보한다고 달라지는 문제가 아닙니다. 일종의 균형이지요. 역사상에 이것이 기록된 문건이 있습니다."

"그건 운명공동체처럼 들리는 말이네."

서로 분리되어 존재하고 있지만, 결국 운명은 함께한다. 한쪽이 멸망을 걸으면 다른 쪽도 쇠약해질 수밖에 없다. 왜 그런 게 존재해야 해?

이해할 수 없는 일이었다. 나는 눈썹을 치켜떴다.

지브리안이 여전히 미소를 머금은 채로 말을 이었다.

"만약 태양신의 권속들이 월신의 신성을 제거하고 유일신으로서 서고자 한다는, 극단적인 마음을 먹는다면, 그들은 그들이 가진 권능을 내려놓아야 할 겁니다. 그것은 신의 권속으로서의 특별함을 잃는다는 뜻이지요. 성력뿐만 아니라 기나긴 수명, 건강, 뭐 대체로 준수한 외모까지도."

지브리안이 그렇게 말하며 하하 웃었다. 나는 따라 웃을 수 없었다. 그거 큰일이잖아! 가장 마지막 거가 문제였다.

카마엘이 못생겨진다니 그렇게 되면 나는 이 세상 따윈 멸망해도 상관없어질 거야. 성녀다운 마음가짐은 아니겠지만!

"그렇게 되는 건 그들도 결코 원치 않겠지요. 당연합니다. 잃게 만들기 위해선 잃어야 하는 관계이기에 신뢰할 수 있는 겁니다. 자기파멸을 초래하면서까지 배신하려고 들지 않을 테니까요."

"잠깐, 신성교국에는 법황이 있잖아? 하지만 성국은 대대로 대사제들이 통치해 왔단 말이야. 그러니까 내가 태어나기 이전엔. 대신 우리 쪽 대사제들이 수가 많고 강력했겠지. 균형이 일정 선에서 맞춰지는 거라면 내 존재는 그 균형에 어떤 영향을 미치는 거지?"

월신의 신도가 늘고 있음에도 성국에서는 대사제들이 더 이상 나고 있지 않다. 그 뜻은 내가 월신의 신성에서 여러 명의 대사제들만큼의 비중을 차지하고 있단 것.

그것과는 별개로 태양신의 신성과 균형을 생각한다면—

"글쎄요. 아시다시피 법황이 죽으면, 그 자리를 대체할 법황이 바로 새로 정해집니다. 그건 예나 지금이나 그래 왔습니다. 하지만 성녀님은 다르시지요."

"내가 죽어도 새로 성녀가 태어나진 않겠지."

"……그런 불길한 말씀은 말아 주십시오. 여하간 성국에는 성녀님이 있고, 성녀님은 월신의 신성 그 자체. 양국의 역사상 있어 본 적 없는 존재이십니다. 그게 태양신의 신성에 어떤 영향을 미치는지는 알려진 바 없으나, 성녀님의 탄생이 신께서 의도하신 변화라면 그쪽에서도 뭔가가 달라졌겠지요."

그건 모르겠고, 내가 가여워서 내버려 두실 수 없었단 건 안다. 지브리안이 불분명하게 답하는 건, 신성교국에는 내 등장으로 인해서 이렇다 할 변화가 일어나지 않았기 때문이리라.

아니면 반대로 내가 태어난 만큼, 성국에서 대사제들을 더 내지 못하는 것 말고도 뭔가를 잃은 걸까. 알 수 없다.

지브리안과 대화를 마치고 나는 갈피를 잡지 못할 상념 속에 쭉 사로잡혀 있었다. 아리안느와 카마엘이 돌아올 때까지.

*

우리가 도착하고 나서부터 비가 추적추적 내렸다. 비가 내리는 와중에 마을을 돌아볼 만한 열의는 내게 없었고, 이전에 들렀던 것에 비해 특별난 데가 있는 마을도 아니었다.

정말 회담이 코앞이니 더욱 조심해야만 했다. 이것만 성사되면 그제야 한시름 놓을 수 있을 같다.

이곳은 여관이 아니기에, 매끼 마다 식사를 사다 나르거나 직접 준비해야 하는 점은 불편했다. 하지만 만인이 드나드는 여관에서 회담을 갖는 것도 좀 아니잖아?

그런 이유로 해외 별장에 휴양을 나온 양 신성교국 쪽에서 도착하는 날까지 우리는 이곳에서 느긋하게 기다리기로 했다. 나도 성국에서 교육이니 뭐니 그간 꽤 바빴단 말이야.

레스토랑 주인이라는 직업을 가졌었던 지브리안이 단시간 동안 살림을 도맡았다. 그런 점에서 그도, 드디어 이 여행에서 처음으로 동반한 의미를 찾았다고 할 수 있겠다. 아리안느의 짐이 좀 덜어졌다.

회담이며 신성교국과 성국과의 관계 때문에도 머리가 아팠지만, 나는 다른 문제로 고민에 잠겨 있었다. 그건 당연히 아델이었다. 그처럼 나를 혼란하게 하는 존재가 없었으므로.

나는 카마엘에게 아델을 만났단 사실을 고백하지 못했다. 아델을 다시 만나게 되는 순간까지 말할 수 있을진 모르겠다.

그러니까 카마엘이 아델에게 검을 들이댄 이후로, 이전까지는 모른 척할 수 있었던 게 너무도 선명해져 버렸다.

아니, 언젠가는 이렇게 될 거였다. 단지 내가 어리고, 현실로 닥치지 않아 애써 고개 돌리고 있었을 뿐.

아델은, 내가 이곳에 있단 걸 알고 있겠지? 그래야 회담이 끝나고 다시 접근할 테니까. 기분이 몹시도 싱숭생숭하다.

늦은 오후, 내가 창밖을 내다보며 빗방울이 웅덩이에 자국을 만드는 걸 지켜보고 있을 즈음이었다. 저 멀리에서 말 울음소리가 들렸다.

물론, 이 마을에도 말은 있었다. 하지만 난 자리에서 벌떡 일어섰다. 서늘한 예감이 나를 스쳤다.

독서를 하거나 명상에 잠겼던 대사제들도, 카마엘도 자리에서 일어났다.

기운을 감추고 있는 상대. 월신의 권속들 앞에서 완전히 자신의 힘을 감출 수 있는 것은 오히려 칼리스였다. 태양신의 권속들에겐 그저 존재하는 것만으로도 감출 수 없는, 존재감이 느껴진다. 그것이 신성의 힘.

이윽고 문을 두드리는 소리가 들렸다. 똑똑. 여러 명의 인기척이 느껴졌다. 지브리안이 차분한 기색으로 나가서 문을 열었다.

후드를 깊이 눌러쓴 수상쩍은 네 명의 사람이 비에 젖은 채 자리하고 있었다.

“어서 오십시오.”

지브리안이 온화하게 인사를 건넸다. 그들 중 가장 앞에선 한 명이 먼저 걸음을 내디뎌, 안으로 들어섰다.

물기 젖은 후드가 등 뒤로 떨어져 내렸다. 요요하게 빛나는 자줏빛 눈동자로, 그가 나를 향해 인사를 건넸다.

"안녕, 오랜만이지?"

아찔한 감각이 나를 스쳤다. 눈부실 만치 화사한 낯. 뼈대가 가늘고 호리호리한 청년이 내 앞에 있었다. 호화로운 금발 아래서 깊게 그늘진 자줏빛 눈동자가 선명하다.

그린 듯이 온화한 미소를 머금은 그는, 놀랄 만치 아름다웠다. 아델을 보았을 때와는 또 다른 충격이 날 강타한다.

얘, 얘가 이랬었나. 히스칼. 젖은 후드를 걷어 내어 팔에 걸치는 동작이 기막힐 만치 우아했다. 페르시안 고양이를 연상케 하는 동작. 나는 창피하게도 넋을 빼 버릴 뻔했다.

지브리안이 나서지 않았다면, 정말이지 그런 나 자신을 들켜 버렸을 거다. 손님을 맞아 지브리안이 문을 더욱 활짝 열었다.

"모두들 안으로 들어와 앉으시지요. 환영합니다."

그 목소리가 나를 일깨워, 뒤늦게야 용케 더듬지 않으며 말할 수 있었다.

"다른 사람인 줄 알았어. 오랜만이야."

가슴이 콩닥거린다. 이건 긴장감일까? 설마 내가 히스칼을 보고 두근거리는 건 아니겠지?

아니야, 아닐 거야. 아무리 껍질이 그럴싸해졌다고 해도, 저건 뱀이라고 뱀! 하지만 그 히스칼이…….

무, 물론 삼 년 전에도 히스칼은 적어도 외형만큼은 성자 같은 느낌을 주는 우아한 소년이었다. 하지만 이렇진 않았는데.

아델 이상으로 훌쩍 성장해 버린 그는 그야말로 청년이 된 듯하다.

"내가 좀 달라지긴 했지."

싱긋 웃으며 그가 다가서서 말했다. 마치, 친한 상대를 오랜만에 마주한 듯한 친근한 말투.

내 기억력이 조금만 안 좋았다면 하마터면 속아 버릴 뻔했다. 우린 그렇게 좋은 사이가 아니잖아?

그간 히스칼의 가식과 가면은 한층 더 견고해진 모양이었다. 그건 내게 다른 감상을 불러일으켰다. 모두가 성장한 동안 나 홀로 정체되어 버린 듯한 소소한 격세지감이랄까.

"여전히 귀엽네."

어린아이를 대하듯 히스칼이 눈을 휘며 웃었다. 나를 보는 눈빛이 미묘해졌다. 비웃는 듯한? 은근슬쩍 본색을 드러내는 건가.

나는 순식간에 기분이 나빠졌다. 더불어 자존심도 대단히 하락했다. 하지만 질 수 없지! 난 생긋 웃으며 말했다.

"넌 더 예뻐졌네. 난 또, 내가 모르는 여사제가 왔나 했잖아."

여자로 착각할 만치 곱상한 건 확실히 예나 지금이나 변함이 없었다. 히스칼은 변장을 하면 잘 어울릴 것 같다. 그저 여자 옷을 입으면 모두가 속아 버릴 테니까!

히스칼의 표정이 미세하게 굳어졌다. 신성교국에서 감히 누가 그더러 예쁘다고 말할까. 아델이나 히스칼이나 인내심이 깊은 것과는 별개의 문제로 이런 쪽에서는 면역력이 그닥 없다.

파지직, 우리 사이에서 전류가 튀었다. 물론 남녀가 흔히 서로를 마주 보며 튀기는 그런 교감의 전류는 아니었다. 상극의 불꽃이 튀는 듯한, 뭐 그런 거지.

우리 사이의 분위기가 심상치 않음을 알아챘는지 동반한 카스라 대사제가 하하 웃으며 끼어들었다.

"종일 비가 내려서 찾아오는 길이 평탄치 않더군요. 조금 쉬어도 괜찮겠는지요."

그러고 보니, 카스라 대사제에 카피토 대사제도 있네. 익숙한 얼굴들이다. 근데 다른 한 명은 누군지 모르겠다.

젊고 시원하고 뚜렷한 이목구비의 청년. 검을 가지고 있는 걸 봐선 대사제는 아닌가?

난 일단 고개를 끄덕였다. 저택을 구한 건 신성교국 측이지만, 먼저 도착하여 이 내부를 미리 숙지하고 있었단 이유로 지브리안이 그들을 안내했다.

2층 방이 비어 있긴 하지만, 한숨 자고 내일 이야기하잔 건 아닐 거다. 조금 숨을 돌리고 싶단 거겠지.

회담 날에 딱 맞춰오는 건 좋은데 여유를 두고 느긋하게 온 우리와는 달리 신성교국 쪽에서는 꽉 짜인 일정을 고수하는 듯했다.

그래, 바쁘고 고귀하신 법황님이란 말이지. 그것이 또 아니꼬웠다. 아니 안쓰러워해야 하나? 히스칼은 나와 달리, 바깥 구경 같은 건 꿈도 꾸지 못했을 테니.

도착한 신성교국 사람들은 젖은 옷을 널어 두고, 말을 저택에 달린 마구간에 넣었다. 몇 분 후 모두가 1층에 마련된 응접실에 자리하고 앉아 있었다. 큰 테이블이 있어서 이야기를 나누기 좋은 장소였다.

맞은편 소파에 앉은 히스칼이 턱을 괴며, 날 똑바로 쳐다봤다. 관찰하는 듯한 시선.

그러나 삼 년 전보다도 그의 눈빛을 받는 것이 부담스러워졌다. 이상하게도.

뭐랄까, 못돼 먹은 연예인이 날 지그시 보고 있는 느낌. 중요한 건, 연예인이란 거다. 그것도 아주 유명한.

법황은 신성교국에서 어떤 면에선 연예인 같은 존재겠지. 저 미모에 몸에 밴 가식이라면, 모두가 기꺼이 그를 따르고도 남을 거다. 난 내심 불만스럽게 투덜거렸다.

부엌 쪽으로 갔던 아리안느가 따뜻하게 데워진 차를 가져와 나누어 주었다. 히스칼은 '고마워.'라고 짤막하게 말해 놓고는 손도 대지 않았고,

카스라 대사제가 입가로 가져갔다가 미묘하게 인상을 찡그렸다.

아리안느는 확실히 차를 타는 데 소질이 없다. 게다가 예의상 대충 타 왔을 게 분명하다. 아리안느는 삼 년 전 그 사건 이후로 신성교국 사람들을 그리 좋아하지 않으니까.

늘 맛있고 좋은 것만 먹고 살았을 그들은, 아무리 비에 젖은 몸이 차더라도 어설픈 솜씨로 탄 차가 입에 맞지 않을 테지.

그러나 의외로 카피토 대사제와 다른 한 명은 순순히 차를 들

이마셨다. 성의란 걸 생각해 줄 줄 안다는 데서, 난 그 두 명을 좀 달리 봤다. 뭐랄까, 좀 덜 까다로워서 인간적이다.

"이쪽은 신성교국 성기사단 부단장 유스토입니다."

"안녕."

나는 상냥하게 손을 흔들었다. 히스칼과 정반대의 반응을 보였다는 것만으로도 그에게 상냥해질 용의가 충만했다. 그가 깍듯하게 내게 고개를 숙여 보였다.

"처음 뵙습니다."

"오는 길에 별일 없었어?"

히스칼의 그 여상한 물음이, 유스토에게 뭔가 말을 던지려던 날 가로막았다. 뭐야, 자기 권속한테 말 건다고 견제하는 건가?

그런데 질문이 묘하단 생각이 들었다. 별것 아닌 듯도 하지만, 오는 길에 별일 없었느냐니, 당연히—

"없었어."

있었지. 근데 나 빼고 여기 있는 누구도 아는 사람은 없지. 히스칼의 입꼬리가 깊어졌다.

"그렇겠지."

불현듯 나는 아직 히스칼의 사라진 펜던트 사건을 해결하지 못했단 것을 상기해 냈다. 추리 소설의 주인공이 된 기분이다. 아델이라면 뭔가를 알고 있을지 모르는데, 물어볼 걸 그랬나.

그때 미심쩍은 기색을 보였지만, 히스칼은 이제 어엿한 성인이다. 그건 다시 말해 사춘기의 반항아적인 기질을 죽이고 자신의 자리에 익숙해질 만한 나이가 되었단 뜻이었다.

실제로 눈앞의 그는, 냉정하리만치 차분하고 침착해 보였다. 내겐 여전히 호의적인 느낌은 아니지만, 적대적이냐면 또 그렇지 않다. 그게 히스칼이 속내를 더 잘 숨기게 되었기 때문인지는 가늠하기 어려웠다.

모두가 몸을 녹일 때쯤, 히스칼이 손을 들었다.

"회담을 시작하지."

나직한 음성. 어쩐지 박력이 서려 있었다. 그건 확실히, 이전의 히스칼에게 희박했던 것. 역시 세월이 그를 성장시킨 걸까.

나는 곧 대사제 카피토가 히스칼을 대하는 태도가 상당히 달라졌단 걸 눈치챘다.

삼 년 전만 해도, 히스칼을 대하는 데 있어서 성국인인 우리 쪽 눈에도 문제가 될 만하다 못해 불경한 태도를 보였던 그다. 히스칼은 나와 마지막 대화를 나누는 데도 그의 허락을 받아야 했다.

하지만 오늘의 그는 히스칼에게 복속된 자처럼 말없이 공손했다. 그저 히스칼의 뜻에 따르는 듯이. 그리고 다른 이들 역시도 모두가 그러했다.

그건 존경이나 마음으로 따르는 그 어떤 것과는 달랐다. 따를 수밖에 없게, 강제된 느낌. 그건 신성교국 내에서 히스칼의 위상 변화를 뜻함일까.

무엇이 그것을 가능하게 만들었는진 모르겠다. 어쩌면 히스칼이 제대로 법황 노릇을 하기로 마음먹었을지도 모르지.

억지로 법황 자리에 앉았다고 투정을 부리는 그라도 법황은 법황이다. 그가 그 자리에서 권한을 쥐고 법황으로서 살고자 한다면, 큰 저항은 일지 않았을 거다.

사실 신성교국에서 무슨 일이 벌어지건 내 알 바는 아니다. 나는, 이 자리에 회담을 위해서 온 거니까.

서로가 거진 아는 사이였기에 짧은 자기소개를 마치자마자 우리는 바로 공식적인 회담에 접어들었다.

상당히 구체적인 논의로 진행해 간 시점이었다. 우리는 서로에게 보낼 신호에 대해서 고심하고 있었다. 그러니까, 서로가 위기에 빠졌을 때 병력을 파견해서 진입해 달란 신호에 대해서 말이다.

단순히 도움을 구하는 것과는 다른, 특수한 상황에서 쓸 신호. 정말 만약에, 단시간에 칼리스에 침략당하여 어떤 연락도 보낼 수 없는 상황이라면, 비상시의 신호 하나쯤은 만들어 두는 게 유용하다.

단지 아무리 성국과 신성교국이 손을 잡은 역사적인 첫 회담이라고 쳐도-그렇다기엔 없어 보이는 장소에서 소규모의 조촐한 모임이었지만-그렇게 세세히 정해야 할까. 의미 있는 논의인가 싶었다.

칼리스가 연락도 취하지 못할 만큼 단시간에, 철저하게 성국 혹은 신성교국을 정복하는 데 성공하는 건 일단 현실적으로 불가능에 가깝다.

"신호 말입니다. 있지 못할 상황인데, 너무 나아간 것 아닌가 싶습니다."

"왜 있지 못할 상황이라고 생각하는지?"

히스칼이 느긋하게 반문했다. 그 태도에서 어디서 났는지 모를 위엄 같은 것이 느껴져서 난 움찔했다.

이 달라진 분위기, 적응이 안 된다. 그거 어디서 사는 거야? 돈 주고 살 수 있다면 나도 좀 부자인데.

우리 쪽만이 아니라, 신성교국 측에서도 굳이 그렇게까지 해야 하나 생각하는 듯한 기색인 건 사실이다. 법황인 히스칼이 강력히 주장하여 거론되고 있을 뿐.

신성교국의 법황은, 원래 독단적인 존재였다. 비록 삼 년 전의 히스칼을 비롯한 사절단 일행이 그런 이미지를 상당히 훼손했을지라도.

옆에서 지브리안이 입을 열었다.

"신성교국과 성국은 각기 성역에 자리하고 있습니다. 견고한 성벽에 둘러싸인 채로요. 칼리스는 오십 년 전 성국을 침략하는데 실패했고, 성공에 이를 뻔했던 적도 없습니다."

그래, 성국은 칼리스를 패퇴시켰다. 그리고 만약 칼리스가 침략한 것이 신성교국이었더라도 결과는 다르지 않았으리라.

태양신과 월신의 신성을 받은 두 나라는 칼리스가 존재하기 이전에 이미 인간의 영역을 넘어서는 권능을 허락받고 있었다.

그 힘이 성역에서 행사되는 이상, 아무리 마법이란 힘을 지녔다고 한들 칼리스가 뛰어넘을 것은 못 되었다.

"칼리스의 침묵에 대해서 생각해 본 적 없나?"

히스칼이 고저 없는 음성으로 다시금 물었다.

“그간 칼리스가 뭔가를 준비하고 있을 거라고 생각해 본 적 없나?”

그건 나 역시도 품었던 의심.

“이전의 실패를 반복하지 않기 위해, 더 철저히 준비하여 침묵하고 있을 수 있겠지. 그러니 아예 있지 못할 상황은 아니라고 본다. 하여 대비책이 필요하단 거지. 최악을 가정하여.”

그래, 최악이라. 성국의 성벽이 허물어지는 것은 상상조차 하기 어려운 일. 아델도 그런 시도는 하지 않을 거라고 약속했지만, 그걸 곧이곧대로 믿을 순 없는 노릇이지. 누군가에게 말할 수도 없다.

나는 한 가지 질문을 더 꺼냈다.

“하지만 그런 상황이 온다면 신호가 의미 있을까?”

그렇게 단시간에 양국 중 하나를, 연락조차 취하지 못할 만한 상황에 몰아넣은 칼리스라면 섣불리 도우러 갔다간, 두 나라 모두 망해 버리는 거 아닐까. 지원병력마저 괴멸해 버리면 그때는…….

“그런 상황이라면 그들의 전력도 약화되었겠지. 최후의 순간 구원의 손길을 내밀 수 있을지 몰라. 물론, 돕건 돕지 않건 그건 선택의 문제지. 하지만 선택을 하려면 적어도 상대가 위기에 빠졌단 걸 알아야 하지 않을까.”

사실 불만이 있었던 건 아니다. 의아함이 있었을 뿐이다. 하지만 뭐, 그래 최악을 가정해도 나쁠 건 없겠네.

놀랍게도 히스칼은, 거기까지 생각해 둔 것 같았다.

"내게 의견이 하나 있는데."

빙긋 웃는 얼굴이 왠지 모르게 다르게 보인다. 나와는 비교가 되게 주도적이다. 생각이 깊잖아!

얘는 왜 이렇게 변한 거지? 철이 들면 사람이 이렇게나 달라질 수 있나? 그사이 열병을 앓거나 머리에 충격을 받았는지도. 카피토 대사제가 뒤에서 머리를 내리쳤다거나?

나는 의혹에 찬 눈으로 그를 쳐다보았다.

삼 년 전만 해도 나 이상으로 빈둥대면서 대사제들이 뭘 하든 신경 쓰지 않았던 그다.

서당 개 삼 년이면 풍월을 읊는다지만…… 아니, 이 비유가 아닌 것 같은데.

"의견이 뭔데?"

"흔한 방법이지만, 가장 높은 종탑에 깃발을 내거는 거지. 주의를 기울이고 있다면, 빨리 포착할 수 있을 거라고."

"깃발을 내건다고?"

감시는 아니더라도 서로의 동태 정도는 파악하고 있다. 성력을 가지고 있지 못한 월신의 신도들은 신성교국까지도 왕래할 수 있었다.

그러니 확실히, 종탑을 주의 깊게 살펴보게끔 숙지시킨다면 이상 상황이 발생할 시 빠르게 알아챌 수 있으리라.

"청기는, 적에게 포위당했단 뜻이고."

그가 태연하게 덧붙였다.

"적기는, 심장부까지 침투당했단 뜻인 거지."

"그럼 적기가 내걸릴 시에는……."

"허락을 받지 않고도 상대에게 병력을 투입할 수 있단 합의."

"악용될 여지가 있지 않을까요."

아리안느가 신중한 투로 묻자, 기다렸다는 듯이 히스칼이 말해 왔다.

"깃발을 내거는 의미를 여기 있는 이들만 알고 있지 않나. 그리고 이 회담의 결과는 오로지 대신관 선에서 공유될 테지. 그들 중 누군가가 신의 권속이길 포기하지 않는 한 이 사실이 누출될 위험이 있을까? 그리고 누출된다고 한들—"

산뜻한 얼굴로 히스칼이 웃었다. 그는 단정적으로 말을 맺었다.

"외부인이 종탑을 기어올라 깃발을 내거는 짓은 못 할 테지."

"확실히 그건 무리가 있지."

나는 고개를 끄덕였다. 종탑이라고 하면 심장부 중의 심장부다. 그리고 나나 법황의 거처가 인근에 있을 테니, 경계가 철저하지 않을 수 없다.

"그럼 정해진 걸까."

히스칼은 새삼 의견을 묻는 듯이 좌중을 둘러보았다. 압박감이 느껴진다. 짧은 침묵이 따랐다.

외형만 본다면 그가 신성교국과 성국 양자를 위하고 있단 걸 의심할 길이 없다. 신의 예술품처럼 아름답고 선이 고운 얼굴엔 선량함이 그득 배어 있다. 흡사 성자와 같은 얼굴.

그러나 세월은 그 속내를 얼굴에 나타나게끔 한다. 오묘한 자줏빛 눈동자가 담긴 눈매에 위험스러운 기미가 비쳐 난다.

그의 안에 도사린 독사 같은 악의와 부정을 나는 안다.

이 휩쓸리는 듯한 상황에서 선뜻 그러마 말할 수 없는 건, 그런 까닭이었다.

그러나 그의 의견은 잘 준비되었고, 일리가 있었다. 나는 반대를 내세울 근거를 찾지 못했다.

우리는 기본적으로 동등하니까. 내가 근거 없이 반대를 내세울 순 없는 거지.

나는 결국, 입을 열었다.

"받아들이지."

나는 네가 무슨 꿍꿍이인지 모르겠다. 하지만 카마엘이 있는 한, 성국이 칼리스의 침략을 허용하지 않을 거란 건 명백하다.

반대의 상황이라면 그의 말대로 우리 쪽에서 선택할 수 있는 문제일 테니, 그때 가서 신중하게 생각해 보면 될 터.

그는 신성교국을 대표하여 이 자리에 왔고, 법황답게 회담을 주도하고 있었다. 그의 저의를 의심하기엔 수상한 점을 비추지도 않는다.

몇 가지 논의를 더 끄집어낸 우리는 세부 사항을 정리하곤 회담을 끝마쳤다. 꼬박 열 시간가량을 잡아먹은 회담이었다. 중간중간 쉬고 각자가 준비한 식량을 나누어 식사를 했음에도, 정신적으로 지친 기분이다.

히스칼이 완전히 어둑어둑해진 창밖을 내다보며 입을 열었다.

"비는 그쳤나?"

"그친 것 같습니다."

"그렇군, 그렇다면 우리는 떠나야겠어. 결론이 내려졌으니."

너무도 단호하고 빠르게, 회담이 끝났다고 하여 자리를 파하려고 하니 당황스러웠다. 좀 쉬다가 날이 밝을 때쯤 떠나도 괜찮을 텐데, 굳이 이 밤중에 가겠다고?

히스칼이 퍽 깔끔한 태도로 선언했다.

"처리해야 할 일들이 산적해 있어. 바로 본국으로 귀환한다."

"잠깐 히스칼!"

내가 막 몸을 일으켜 떠나려던 그의 이름을 부른 건, 절대 그와 헤어지는 게 아쉬워서가 아니었다.

"어쩐 일로 나를 부르는지, 성녀님?"

상큼하게 느껴질 만치 선한 얼굴로 미소를 띠고 묻는데, 히스칼의 뱃속에 구렁이가 수백 마리쯤 서식하는 걸 아는 나도 살짝 움찔했다.

의심을 품는다는 게, 가책이 들 만한 모습이다.

"이야기를 좀 하고 싶은데, 오랜만이잖아?"

나는 히스칼의 미소를 흉내 내어 제법 성녀다운 미소를 지었다. 나도 내공 좀 늘었지?

휩쓸리듯이 히스칼이 목적을 달성하고 떠나가도록 내버려 둘 순 없었다. 이렇게 빨리 자리를 뜨려는 것도, 사실 좀 수상하고.

따로 이야기를 나누긴 해야 한다고 생각했다.

삼 년 전, 아직 풀리지 않는 의문이 있는 것도 사실이거니와 현재의 히스칼에게 어떤 심경 변화가 일어났는지도 알고 싶었다.

선물을 보내고, 회담을 주최하고……. 올해, 갑자기 그렇게 하게 된 동기가 무얼까. 신성교국 내에선 어떤 이야기가 오갔을까. 히스칼의 의도는 무얼까.

히스칼이 제 본의를 대사제들 앞에서 드러내진 않을 테지. 하지만 그는 나를 싫어한다. 그리고 내게 반응한다.

둘만 있게 된다면 어떻게든, 드러낼지도 모른다. 그것이 나의 계산.

"글쎄."

히스칼의 미소가 깊어졌다. 기분 나쁘도록 속내를 드러내지 않는 얼굴이다.

"괜찮은 생각인데, 내가 좀 바빠서."

너와는 달리. 그 말이 환청처럼 따라붙었다. 그렇게 나온다 이거지? 순순히 면담에 응해 줄 거라곤 처음부터 생각 안 했다.

나는 웃는 얼굴 그대로, 아무렇지 않은 척 그에게 다가섰다. 그리고 뒷짐 진 채 넌지시 물었다.

"그래? 시간을 뺏으면 안 되지. 그렇담 지금 여기서 물어봐도 괜찮겠지? 삼 년 전에 그 물건 말이야. 나는 아무래도 이해가 안……."

히스칼의 눈매가 꿈틀거렸다. 그가 한쪽 손을 치켜들었다.

"……잠시, 대화할 시간을."

역시, 대놓고 언급하긴 곤란한 게 틀림없다. 히스칼과 나는 다른 이들을 뿌리치고 이 층으로 올라가 방 하나를 차지하고 들어섰다.

문 앞을 가로막듯이 서며 바로 서리 찬 눈빛으로 나를 바라본다. 그가 성숙한 만큼 차가워진 눈빛에 뱃속이 시리다.

그래, 그게 너지. 히스칼. 그 얼어붙도록 싸늘한 표정을 보고 있자니, 기분이 좋아진다.

어어 아니야, 난 변태가 아니라고! 단지, 아무리 성숙한 척해도 히스칼에게 여전한 부분이 있다는 걸 확인한 게 마음에 들었을 뿐이다.

"그래서 용건은?"

"너를 사모해서 불러낸 건 아니니 오해하지 마."

나는 강조하듯 덧붙였다. 히스칼의 입꼬리가 재미있다는 듯이 올라갔다.

"그런 건, 묻지도 않았는데."

"또 왜 너를 혼자 불러냈느냐며 이상한 소릴 할까 봐 그렇지."

그러나 어떤 오해도 허용하지 않겠단 엄포를 히스칼은 다분히 곡해한 모양이었다.

"설마 우리 사이가 돈독하다던가 하는 덜떨어진 착각을 하고 있는 건 아니시겠지요, 성녀님?"

한층 차가워진 얼굴로 그가 말했다.

"나는 신성교국의 법황이고 너는 성국의 성녀야. 그보다 명확한 관계는 없지."

"누가 너랑 친하댔어?"

나야말로 그런 말도 안 되는 착각은 피하고 싶다고. 난 콧방귀를 뀌었다.

"그래서, 친하지도 않은 내게 그 선물은 뭐야?"

"아아, 그거? 얼마 안 하는 건데, 별거 아니니 가져."

그래, 신성교국도 부자긴 하지? 눈을 휘며 말하는 투는 가벼웠으나, 적선하는 듯한 뉘앙스가 영 마음에 들지 않는다.

"왜 내게 선물 같은 걸 준 거야? 너답지 않게."

대놓고 묻자 히스칼이 비아냥거리듯 응답했다.

"나다운 게 뭔지, 네가 알긴 알까. 성국의 성녀에게, 신성교국의 법황이. 나쁠 것 없는 명목이잖아? 감사 인사라고 보기엔 반응이 아닌데."

"네 말대로, 우리가 그런 거 주고받을 사이는 아니니 그렇겠지?"

"주고받다라……. 주긴 했지만, 받은 기억은 없는데, 뭔가 준비했나?"

유연하게 받아넘기며 아니꼽게 날 내려다본다. 네가 내 머리핀을 강탈한 적이 있긴 하지. 그건 선물이 아니었지만. 난 팔짱을 껴 보였다.

"내가 주는 선물 받고 싶어?"

"아니."

딱 잘라 말하는 태도가 너무도 단호하여, 웬만한 사람이었다면 상처를 받을 것 같다. 하지만 나는 웬만한 사람이 아니었다.

"마찬가지로 나도 네 선물 같은 건 받고 싶지 않아."

"돌려줄 거면 버려."

반품 거부라고? 선물하는 자세가 안 되어 있다. 거절당할 것 정도는 염두에 둬야지! 난 고개를 쳐들며 거만하게 말했다.

"하지만 성의를 생각해서 받아 주도록 하지."

자그마치 성녀인 내가 선물을 받아 주는 거란 말이야. 영광으로 알라고!

"대신, 설명을 좀 들어야겠어."

"무슨 설명이 필요할까. 회담은 끝났는데."

히스칼이 어깨를 으쓱해 보였다. 남들 앞에서는 성자인 척하는 그이지만, 내 앞에서의 히스칼이 성격 나빠 보인다는 건 부인할 사람이 없을 것이다.

"회담은 끝났지만, 회담을 주최한 네 의도는 아직 모르겠거든."

"모르는 게 당연하지. 내가 말하지 않았으니까."

보랏빛 눈동자가 광채를 띤다. 내가 말하지 않았는데 멍청한 네가 어떻게 알겠느냐는, 딱 그런 뜻으로 들렸다. 이중적인 의미를 완벽하게 전달한단 점에서 히스칼은 대단히 고단수였다.

난 당당히 요구했다.

"그럼 말해 줘."

"내가 왜 그래야 하는데?"

그야 네겐 말할 이유가 없지. 하지만 내겐 네 말을 들어야 할 이유가 있다. 어디 보자…… 좀 더 말을 끌어내 볼까?

"삼 년 전만 해도 너는 네가 법황인 걸 좋아하지 않았지. 이제는, 그 자리가 좋아졌니? 권력의 맛을 깨달은 거야?"

아니야, 그렇진 않을 거다. 노골적으로 물으면서도 나는 확신하고 있었다. 만약 그렇다면 히스칼이 아직도 나를 싫어하진 않을 테니까.

그의 마음이 바뀌었다면 옛 감정 같은 건 사춘기적 심술이나, 유치한 과거 정도로 희석되어 버려 날 만나선 이렇듯 싫은 기색을 드러내진 않을 거다.

하지만 히스칼이 나를 싫어하는 감정은 아직도, 그때와 엇비슷하다. 태도만 봐도 알 수 있잖아? 히스칼은 여전히 삐뚤어져 있었다.

성인이 되어서도 비뚤어진 낌새를 풍기다니. 정말 노란 묘목답게 있는 그대로 자라났군!

히스칼이 낮게 웃었다.

"내가, 네 눈엔 퍽 좋아 보이나 봐?"

"잘 큰 것 같은데? 적어도 육체 쪽은."

키가 참 잘 자랐고, 외형도 훤칠해졌다. 저렇게 생겼고, 저렇게 자랐고, 게다가 법황이다. 조건상으로 어디 하나 빠지는 게 없다. 인생도 참 불공평하지!

보통 사람이었으면 축복받았다고 할 만한 요소는 다 가지고 있는데, 안타깝게도 히스칼에겐 한 가지 중대한 결함이 있었다. 저 삐딱한 성격.

신성교국 안에서는 내내 가식 떨고 있다가 나한테만 이러는 거겠지? 그건 꽤 짜증이 나는 사실이다.

"그런데 너는 여전히, 행복해 보이지 않아. 네 자리에도 익숙해지고 법황으로서의 권력도 차지한 듯한데 어째서일까. 처음 봤을 때 넌 많이 달라진 것처럼 보였는데, 막상 변화하지 않은 것 같기도 해."

그리고 히스칼은, 나를 싫어하는 것만치나 내게 신경을 썼다. 그것은 곧 내가 그에게 신경을 쓰는 것을 달갑게 받아들인단 뜻이었다.

그에 대해 생각했다는 내 말이, 히스칼을 만족시킨 것 같았다.

"아아, 변화라는 게 있긴 있었지. 너에 대해서 생각하면서 나는 때때로 네가, 사랑스럽게 느껴지기 시작했거든."

그 선물은 그런 의미야. 라며 히스칼이 싱긋 웃었다. 나는 진지한 얼굴로 대꾸했다.

"그게 고백이라면 사절할게."

태연하게 대꾸한 것과는 달리 가슴이 벌렁벌렁했다.

얘, 얘 무슨 소리를 하는 거야. 두근거려서가 아니다. 꼭 맹수가 '너는 내 먹잇감이다'라고 선언한 것 같은, 그런 기분이었다.

낙마를 하거나 돌을 맞아서 머리를 다치지 않고서야 히스칼이 나를 순수한 의미에서 사랑스럽다고 여길 리 있나. 온몸에 소름이 쫙 돋는다.

히스칼이 하하, 소리 내어 웃었다. 맑은 웃음소리가 방안을 울렸다.

이윽고 날 쳐다보는 그의 입가에 기묘한 미소가 피어났다.

"사람에겐 용도라는 게 있어. 그리고 진절머리나는 너라는 존재 역시도, 내게 쓸모가 있다는 걸 깨달은 거지."

히스칼이 내게로 손을 내밀었다. 또 목을 조르려는 건가. 난 막아 내려고 손을 쳐들었다. 하지만 히스칼의 손길은 느릿하게 내 뺨에 와 닿았다.

해치려 한다기엔, 이상하게도 다정하고 조심스러웠다. 마치 소중한 물건을 대하는 것처럼. 히스칼이 눈을 맞추며 속삭였다.

"나는 너를 통해서 원하는 바에 이른다."

섬뜩한 음성이 귓전에 스며들었다. 힘이 실린 음성.

"그 펜던트의 의미, 굳이 궁금해하지 않아도 돼. 머지않아 알게 될 테니까."

그리고 서서히 손을 떼어 냈다. 골격이 아름답고 흰 손. 서늘함으로 가득하여 미미한 온기만을 담은. 나는 그 손이 멀어져가는 것을 지켜보았다. 히스칼의 속내를 캐내려고 무던히도 애쓰면서.

나를, 성국을 이용해서 뭘 하려는 걸까. 갈피를 잡을 수 없었다.

"이 회담, 신성교국이 아닌 너에게 어떻게 이득이 되지?"

"깊게 생각할 것도 없잖아? 우선 난, 신성교국 밖으로 나올 수 있었지. 삼 년 만에 처음으로. 이곳까지 오는 여정, 너는 즐겁지 않았어? 보아하니 일정을 넉넉히 잡은 것 같은데."

그 말은, 부인할 수 없었다. 성국에서 만족하고 사는 나라도 드물게나마 바깥 구경을 하는 건 놓치기 싫은 기회였다.

실은 그래서, 히스칼이 무슨 꿍꿍이이건 그의 회담 요청에 응하지 않고는 견딜 수 없었던 것도 있었다.

난 그를 지그시 쳐다보며 물었다.

"그런데 왜 그리 빨리 돌아가려는 거야? 너도 나오고 싶었던 거 아니야?"

붙잡아 두고 싶어서 하는 소리가 아니라, 순수한 의문이었다.

"나는 이 바깥의 공기를 갈망했지. 하지만 이 공기는, 나를 초조하게 만들어. 내가 원하는 바를 이루려는 데는 인내가 필요해. 이 당장의 초조감이 모든 걸 망쳐 버릴지도 모르지."

바깥에 있는 게 너무 좋아서, 오히려 흐트러져서 일을 그르친다는 뜻인가. 무슨 일을 꾸미고 있길래.

히스칼이 냉담하게 중얼거렸다.

"이해할 수 없다는 눈이군."

"내겐 성국이, 새장이 아니니까."

간혹 답답하긴 해도 나는 성국이 나를 가둔다고 생각해 본 적이 없다. 당연하다면 당연한 일이다. 나는 성국에서의 삶에, 퍽 만족하고 있으니까.

히스칼이 친절한 투로 말했다.

"너는 온실의 꽃이야. 그건 새장 속의 새와는 다른 거지."

잡혀 들어온 새는 불행할지라도 온실의 꽃은 행복할지도 모른다. 야생이 아닌 풍요로운 토양에 뿌리를 내리고, 양분을 받고, 볕을 쬐며 온기를 누릴 테니까. 그 두 가지 경우는 확실히 달랐다.

그가 무슨 말을 하는지는 알 것 같았다.

나는 그를 향해 분명히 말했다.

"성국이 적기를 내거는 일 따윈 없을 거야."

히스칼은 그 합의를 우리가 받아들이게 하게끔 애썼다. 그건 그에게 중요한 일이었을 터.

하지만 현재로서도 대사제쯤 되지 않는 한 종탑을 기어올라 적기를 내거는 짓을 하는 건, 말 그대로 불가능에 가까운 일이었다.

이 회담이 있고 나선 더욱 경계가 철저해질 테니 타의로 그런 일은 일어나기 어렵다. 자의로도 마찬가지다. 성국은 스스로를 수호할 수 있으니.

"그럴 수도 있겠지."

히스칼은 선뜻 대꾸했다. 모호한 미소를 머금은 채로. 나는 히스칼이 뭘 꾸미고 있는지는 모른다. 하지만 중요한 것은, 어설픈 공감은 필요 없단 것.

히스칼이 말했듯이 나는 그와 친하지 않다. 그리고 성녀인 내게 박애가 요구된다고 한들, 그 상대가 적어도 눈앞의 히스칼은 아니다.

"만약 네가 성국에 뭔가를 하려고 한다면,"

난 침착하게 말을 이었다.

"나는 네가 삼 년 전에 내게 한 짓을 되돌려 줄 거야."

"내가…… 한 짓?"

히스칼의 의아한 듯 눈썹을 들었다. 난 그를 노려보며 또박또박 말했다.

"네 목을 졸라 줄 거라고! 그리고 나는 너처럼 어설프게 하다가 그만두지 않을 거야."

걸레를 짜듯이 아주 꽉, 비틀어 버릴 테다. 살생을 저지른다고 해서 성력을 잃는다는 패널티가 존재하는 건 아니니까!

"제법 패기가 넘치는구나?"

히스칼이 같잖다는 듯이 비꼬았다. 어차피 적의를 숨길 것 없는 사이였다.

나를 이용하려 든다면 제 감정을 감추는 게 유리할 텐데, 히스칼 역시도 둘만 있는 자리에서는 전혀 그러려고 들지 않았다. 그건 나에 대한 반감이, 제 필요보다 앞서기 때문일까.

"그 연약한 손으로 과연 네 말을 지킬 수 있을지는 모르겠지만—"

히스칼은 빙긋 웃었다. 다시 가면을 쓴 듯 선량한 얼굴로 돌아와 말한다.

"뭐, 아무래도 좋아. 나는 네게 관대해질 마음이 들었으니까."

이내, 흥미 없는 눈빛이 되었다. 슬슬 대화의 말미였다.

"다음에, 또 볼 일이 있을 거야. 그때에는."

난 별로, 널 또 보기 싫은데? 흡사 예언을 하는 듯했다. 불길한 예언. 자줏빛 눈동자가 일순 짙게 물들었다.

히스칼이 생각났다는 듯이 당부했다.

"돌아가는 길을 조심해."

묘한 뉘앙스로. 그는 가볍게 손을 흔들며 방을 빠져나갔고, 나는 그 모습을 노려봤다.

"떠나는군요."

비가 그쳤다지만, 땅은 차게 젖어 있었다. 머지않아 날이 밝아올, 파르스름하게 젖은 새벽길이었다. 돌아가는 길이 순탄치 않을 거란 건 명백하다.

하지만 신성교국 일행, 히스칼은 그대로 주저 없이 저택을 떠나 버렸다.

먼저 회담을 제의한 건 그쪽인데, 먼저 돌아서는 것도 그쪽이다. 그 태도가 퍽 깔끔하다. 어차피 회포를 나눌 만한 사이도 아니었지만.

"그쪽 대사제들과 이야기는 좀 해 봤어?"

나는 지브리안에게 눈짓했다. 언질해 둔 건 아니지만, 내가 히스칼을 붙들고 있는 동안 눈치 빠른 그라면 뭔가 이야기를 끌어냈을 법하다.

"이번 회담은 전적으로 법황의 주장으로 추진된 거라더군요."

지브리안이 진지한 얼굴로 대꾸했다.

"카피토 대사제의 행동이 삼 년 전과는 좀 달라지지 않았어?"

"그것도 슬쩍 이야기를 해 보았습니다만, 법황께서 태양신의 대리자로서 바로 서셨으니 자신의 불민함을 다잡는 것은 당연한 일이라고 답하더군요."

완고한 듯 보이나, 사소한 점에서도 그가 어떤 사람인지 드러난다.

아리안느의 맛없는 차를 싫은 내색하지 않고 들이마셨듯-미맹일지도 모르지만-카피토 대사제는 나쁜 사람은 아니었다.

그가 그렇듯 말했다면, 히스칼은 그간 '법황답게' 되기 위해서 노력한 것일 테고, 그 결과로 신성교국 내에서 강력한 발언권을 구축하게 된 것이리라. 이전의 법황들이 그러했던 대로.

그가 어쨌든 법황인 이상, 그게 크게 어려운 일일 것 같지 않았다. 내가 아무리 패악을 떨어도, 성녀일 수밖에 없는 것처럼 그 역시도 그러할 테니.

하지만 히스칼이 마음을 고쳐 먹은 게 아닌, 다른 꿍꿍이를 품고 그렇게 행동했단 게 문제였다.

신성교국을 위하지 않는 자가, 사적인 목표를 위해 나라에서 가장 큰 권력을 휘두른다면 그게 과연 이로운 쪽으로 흘러갈까. 히스칼과 신성교국이 추구하는 바가 같진 않을 텐데.

하지만 그것이 신성교국을 무너뜨릴 순 없을 터였다. 신성이 존재한 이래, 그 유구한 역사를 이어오는 동안 무수한 법황이 그 자리에 섰었다.

그 모두가 멀쩡한 사람이진 않았으리라. 무능하고 모자라거나 악한 자도 있었겠지.

하지만 신성교국은 성국만큼이나 오랜 세월을 존재해 왔다. 나름대로 대처 체계가 있지 않을까.

게다가 비록 직접적으로 다스리고 있진 않다지만, 태양신께서 자신의 성역이 무너져 내리는 것을 허락지 않을 테니까. 내가 남의 나라 일까지 걱정할 건 없지.

그러나 내가 알아낸 건, 히스칼에게 신성교국이 아닌 자신을 위한 모종의 계획이 있고 나를 이용하여 뭔가를 이루려고 한단 거.

그 계획이 뭘까. 히스칼이 나를 어떤 식으로 이용할 수 있지? 도무지 감이 잡히지 않는다.

"회담은 균형 있게 이루어졌습니다. 우리 쪽에서 손해를 본다거나, 크게 위험을 감수할 만한 사항은 없었습니다."

지브리안이 안심하란 듯이 덧붙였다. 하지만 나는, 뭔가 마음이 놓이지 않았다. 그렇다고 근거 없는 불안감을 드러낼 순 없는 노릇이어서, 난 활짝 웃었다.

"그럼, 우리도 돌아갈까?"

신성교국이 떠난 자리에 우리만 오래 남아 있는 것도 찜찜하니 말이야.

그러나 마차를 타야 하는 상황이 다가온 걸 깨달은 지브리안의 표정은 심히 좋지 않아졌다. 개의치 않고 난 쾌활하게 외쳤다.

"가자, 오즈벨로!"

축제가 기다리고 있댔지? 지금 바로 성국으로 돌아가는 게 안전하기는 할 테지만, 아델의 말을 무시한 게 되어버릴 거다. 그러면 더 안 좋은 상황이 벌어질지도.

아델은, 왠지 모르게……. 좀 위험해진 느낌이거든.

큰 도시인 오즈벨로 간다면 아델이 내게 접촉할 만한 기회가 생기겠지. 그래, 아델과 이야기해 보자.

아직은 새벽이었기에, 우리는 잠을 좀 이루고 날이 밝았을 때 떠나기로 합의했다.

가면 축제

햇볕이 쨍쨍한 오후, 나는 오즈벨로 향하는, 아니 질주하는 마차에 앉아 있었다. 젖었던 땅은 금세 말랐고, 길은 조금 물러지긴 했으나 진창은 아니었다.

그리고 우리 마부는 마차를 모는 스킬이 좋았다. 너무 좋다 못해, 스스로의 능력을 과시하는 듯이 느껴질 만큼.

폭주하는 듯이 달리는 마차의 덜컹거림을 느끼며 나는 처음엔 그게 멀미에 시달릴 지브리안을 위해서라고 생각했다.

하지만 돌이켜 보니 꼭 그런 것 같진 않다. 아리안느도 오즈벨의 축제를 이야기하면서 눈빛이 달라졌었지. 미세하게 들뜬 기색을 비쳤거든.

그녀도 축제를 기대하고 있는 걸까. 하긴 아무리 외부에 돌아다니는 일이 잦다곤 해도, 임무 수행차 나가는 거니 본격적으로 축제를 즐길 기회는 많지 않았겠지. 대사제가 날로 먹는 지위는 아니었다.

반면, 카마엘은 여행 내내 거의 평온한 침묵을 유지하고 있었다. 위험할 일이 없었기에, 그가 활약할 만한 여지도 없었다.

아마 그로서는 성국으로 빨리 돌아가는 쪽이 속 편할 거다. 축제를 즐기는 카마엘이란 건 연상이 잘되지 않는다.

"오즈벨의 축제는 어떨까."

중얼거리던 난, 내가 꽤 기대에 부풀어 있단 사실을 알아차렸다.

그래, 축제란 심장을 두근두근하게 만드는 단어지! 이왕 회담도 잘 마친 거, 잠시 근심은 잊고 신나게 놀아 보는 것도 괜찮지 않을까? 이젠 성국으로 돌아가는 일만 남았단 말이야.

정말로 오랜만에, 성국 밖으로 나왔고 또 언제 나올지도 모르는데 히스칼을 만나서 신경전 한 걸로 내 기억의 종지부를 찍고 싶지 않다고!

내 앞에 앉은 카마엘이 질문이라 여겼는지 냉큼 입을 열었다.

"가면 축제일 겁니다."

"가면 축제라고?"

세상에! 너무 낭만적이잖아. 나는 눈을 빛내며 그에게로 몸을 숙였다. 좀 더 설명해 보라는 듯이.

"밤이 되면 제각기 가면을 쓰고 모여들어 광장에서 춤을 추고 노래를 부릅니다. 가면을 쓰지 않으면 참석할 수 없다고 하더군요. 그렇게 기억하고 있습니다."

"카마엘도 오즈벨에 가 봤던 거야?"

카마엘이 무표정한 얼굴로 답했다.

"유명한 축제라 책에서 읽었습니다."

"그래……."

나는 왠지 그가 안쓰러워졌다. 그토록 오랜 세월을 살았으면서, 성국 가까이에서 열리는 유명한 축제에도 참석하지 못하다니!

뭐, 카마엘은 축제 따위엔 전혀 흥미가 없겠지. 전적으로 내 입장에서 안쓰럽다는 거다. 감정이입이 되잖아!

그러고 보니 휴가도 전혀 누리지 못했댔어. 육 년 전, 내가 카마엘에게 휴가를 내리긴 했지만, 그건 실상 휴가라고 할 수 없는 임무였다.

이대로는 십 년쯤 파업을 한다고 해도 카마엘에게 뭐랄 사람은 없을 것 같았다. 노동청에 신고해야 하는 거 아니야? 여기, 한 요정이 혹사당하고 있어요!

"카마엘도 같이 즐기면 좋을 것 같아."

난 생긋 웃으며 말했다. 가면 축제라면, 그의 넘쳐나도록 눈에 띄는 외형도 어느 정도 가릴 수 있겠지.

그 눈부신 신체 비율은 가리려야 가릴 수 없는 것이지만, 적어도 호위를 서느라 칙칙한 후드를 입고 멀찍이서 따를 필요는 없을 거다.

대사제들과 성국 제일 성기사와 함께하는 축제라니! 이런 기회는 누구에게도 오지 않을 거다. 난 정말 행운아였다.

다만 카마엘은 나와는 정반대로 생각한 것 같았다.

"성녀님과 함께하는 축제라면, 오즈벨의 모두에게 더할 나위 없는 영광이겠군요."

……그야말로 성기사다운 말이지? 밤이면 달빛 아래 펼쳐진 축제. 나는 그리듯이 상상해 보았다.

분명, 즐거울 거다. 그리고 그 흥겹고 복잡한 축제 속에서 대사제들과 카마엘의 이목을 피해 내게 접근하는 건, 전적으로 아델의 소관이었다.

*

저녁이 막 될 시간 우리는 오즈벨에 입성할 수 있었다.

입구부터 꽃과 장식들로 잔뜩 치장되어 있고, 공기부터 부산한 것이 이제껏 들렀던 마을과는 좀 달랐다. 관광지 느낌이라고 해야 하나. 하긴 축제이니 모두가 한껏 들떠있을 거다.

"일단 숙소에 짐을 풀지요."

우리는 아리안느가 미리 알아 둔 중심지에 가까운 고급스러운 숙소에 들어섰다. 그처럼 빨리 짐을 풀었던 적이 없었던 것 같다.

축제 기간이라 방이 없을지도 몰랐는데, 아리안느가 예약을 잘해 뒀다.

우리 방은 일종의 스위트룸이었는데, 1인실 4개가 하나의 거실을 두고 연결되어 있었다. 즉, 아델이 내게 접근하긴 더 어려워졌단 소리다. 알아서 하겠지.

나는 만나야 한다고 느끼면서도, 만나기 꺼려지는 어설픈 마음 한가운데에 있었다.

우리는 곧 거실에서 모였다.

"출출하신가요? 여관에서 식사를 하고 나가실 건지, 아니면 바깥에서 드실 건지 말씀해 주세요."

아리안느가 내게 결정을 떠밀었다. 하지만 그녀가 후자에 치우쳐져 있음은 분명해 보인다. 강조하는 뉘앙스가 그랬거든. 그리고 나 역시, 후자 쪽에 마음이 더 끌렸다.

"나가서, 마을을 좀 돌아보고 식사할까? 우리, 가면도 구해야 하잖아."

급히 구하는 거니, 맘에 드는 걸 구할 수 있을진 모르겠지만, 적당한 게 필요했다. 가면을 써야 축제에 참여도 하고 본격적으로 즐길 수 있잖아.

"상점가 쪽에서 많이 팔 거예요. 그쪽으로 가 보지요."

"저어……."

가라앉은 목소리가 들려와 시선을 끌었다. 지브리안?

기대에 부푼 나와 아리안느야 힘이 넘쳤지만, 또다시 멀미에 시달린 지브리안은 시금치처럼 축 늘어져서 축제를 즐기는 데 의욕이 나질 않는 것 같았다.

그는 소파에 몸을 기대고 앉아 물었다.

"저도, 같이 가야 합니까."

성전을 앞두듯 엄숙한 얼굴이다. 성녀님께서 같이 가야 한다고 말하면 모든 고난을 이겨 내고 함께할 듯이.

내일 당장 마차를 타고 성국으로 돌아가지는 않아도 되겠지만, 어쨌든 돌아가는 길에 그가 멀미에 시달릴 건 뻔한 일이다.

"축제에 함께 가지 않아도 괜찮겠어? 드문 기회잖아."

"저를 위해 말씀하시는 거라면, 저는 괜찮습니다."

방에 들어오자마자 아리안느가 성력을 써서 회복시켜 줬음에도 정말로 상태가 좋지 않은지, 단호하게도 말한다.

그도 같이 축제를 즐기면 좋을 텐데, 생각하면서도 나는 내 권속의 의사를 존중할 줄 아는 민주적인 성녀니까.

"식사는 여관에서 할 거지?"

"예."

따로 음식 같은 건 사 올 필요는 없을 듯했다. 뭐가 들어갈 속도 아닌 듯하니. 나는 그럼 쉬라는 말을 남겨두고 아리안느와 카마엘에게 손짓했다.

"가자!"

카마엘도 별로 돌아다니고 싶지 않을진 모르겠지만, 그에겐 선택의 여지가 없다. 지브리안과는 달리 그는 내 호위거든!

뭐, 카마엘도 싫어하진 않을 거다. 그는 항상 대부분의 문제에 있어서 어떻게 되든 상관없는, 중립에 가까운 존재이니까.

*

마차를 타고 올 때부터 느꼈던 거지만, 거리는 시끌벅적했다.

군것질거리나 장난감을 파는 상인들이 노점을 깔고 앉아 목소리를 드높였고, 하나둘씩 가면을 쓴 사람들이 길을 오가고 있었다.

개중엔 그럴듯하게 화려한 드레스를 입었다거나 짐승 분장을 해서 아예 털옷을 입고 돌아다니는 사람도 있었다. 여기저기 눈길이 쏠렸다.

"어디 보자."

우리는 곧 한 상점에 들어섰다. 명색이 성녀인데 촌스러운 깃털이 달린 알록달록한 가면을 쓸 수는 없잖아.

길거리에 늘어 파는 가면들은 썩 완성도가 높지 않았다. 그래서 우리는 여관 근처의 고급 상점가가 모인 곳으로 이동했다.

왜 여기냐면, 유리창 너머로 보건대 이 상점의 물건들이 제일 고급스럽고 예뻐 보였기 때문이다.

"천천히 둘러보시지요."

말쑥한 중년의 상점 주인이 친절하게 우리를 맞이했다.

수수한 색감의 옷을 입었다지만, 성국에서 가장 높은 지위를 가진 사람들이 입는 옷이다. 그 재질이 상인의 눈으로 보기엔 확실히 남달랐을 터. 즉, 우리가 돈이 있어 보인단 거지.

알아서 고르고 말하겠다며 그를 뿌리쳐 내고, 난 세밀한 눈으로 가면을 살폈다. 빨리 골라 들고 식사하러 가야겠다. 슬슬 배가 고프단 말이야.

아리안느는 곧 고급스러운 빨간 깃털이 달린 밤색 가면을 샀다. 금박 문양이 아주 디테일하고 세련되게 새겨져 있었다.

"어서 고르세요."

나는 고심 끝에 풍성한 하얀 깃털이 달린, 코가 덮이는 하얀 가면을 골랐다. 나도 세뇌가 되었던 걸까. 이거 정말로 성녀 같잖아!

아리안느의 것과는 달리 은박에 반짝거리는 보석 장식도 박혀 있다.

카마엘 건 내가 골라야겠지? 나는 깔맞춤하듯 또 하나의 하얀 가면을 골라냈다.

오페라의 유령을 연상케 하는 단순한 형태의, 곡선이 우아하여 입매가 드러나는 모양새였다. 카마엘은 그냥 서 있어도 눈에 띄니까 굳이 화려한 가면을 고를 필요 없을 테지.

후드를 뒤집어쓰고 묵묵히 서 있는 그를 구석으로 데려간 난 가면을 내밀었다.

"카마엘, 이거 써 봐."

당연한 이야기겠지만, 가면은 그에게 썩 잘 어울렸다. 우아한 굴곡이 두드러지는 가면 위로 제비꽃 색깔의 눈동자가 요요한 빛을 내어 신비로웠다.

그리고 그 아래 완벽하고 섬세한 턱선. 달빛 아래 나타나는 가면의 기사 같았다. 난 잠시 홀린 듯이 그를 바라보았다.

"성녀님."

그러다가 의아한 부름에 퍼뜩 정신을 차렸다. 난 헛기침하며 아무것도 아니라고 얼버무렸다. 아무튼 잘 골랐어.

'그럼, 누구 안목인데!'라고 외치고 싶지만, 카마엘은 길거리에서 파는 아무 가면이나 주워 써도 근사하게 소화해 낼 것이다.

그건 그렇다 치고, 큰일인걸? 카마엘의 미모는 가면 따위로 가려질 게 아니었다. 게다가 반짝반짝한 은빛 머리카락.

나는 가게에서 짙은 흑발의 가발을 골라내어 그의 머리에 씌워 주었다. 신비로운 분위기가 덜해지니 고귀한 귀족 남성 같은 느낌을 풍긴다.

눈에 띄는 건 어쩔 수 없겠지만, 이 정도면 괜찮겠지?

나는 내 가면을 뒤집어쓰고 아리안느에게 손짓했다. 그녀 역시도 자신의 가면을 쓰고 상점 주인에게 다가가서 값을 치렀다.

이젠 대망의 식사 시간이다! 편의를 고려해선지 우리가 구매한 가면은 모두 얼굴 전체를 가리는 탈과 같은 형태가 아니라, 얼굴 윗부분을 가리는 모양새였다.

가게 밖으로 나온 난 생글거리며 웃었다.

"식사는 어디서 할까?"

기분이 퍽 좋다. 이젠 가면도 샀겠다 마음 편히 돌아다닐 수 있겠어! 카마엘도, 이렇게 나란히 다닐 수 있고 말이야.

아리안느도 기분이 좋은지 슬쩍 미소를 머금었다.

"제가 알아 둔 곳이 있어요."

우리는 사람들 틈새를 헤치고 오즈벨 중앙 길을 따라 걸었다. 조금 전보다 사람이 더 많아져서, 거리는 완전히 시장통이었다.

분장한 거리악단이 곳곳에서 공연을 하느라 소란스러웠고, 상인들은 소리 높여 손님을 불러모았다.

거리 주변의 가게들은 색색깔로 장식을 달거나 모형을 세워 앞다투어 눈길을 끌었다.

그리고 그만큼이나 많은 사람이 왁자지껄하게 떠들며 거리를 오가고 있었다. 다들 갖가지 현란한 분장을 한 채로.

성국에서는 보기 어려운 광경이었다. 딱히 규제하는 건 아니지만, 월신의 성도들에게 어울리는 분위기는 아니잖아?

게다가 신의 성역이다. 먼저 신성한 의식과 제례가 치러지고 난 다음에야 열리는 축제는 월신의 안전에서 소란스럽지 않도록 어느 정도 격의를 지켰다.

그렇기에 이런 광경은 내게 퍽 새롭게 와닿았다. 그래, 성국은 고인 물이지. 너무도 오래도록 변화가 없었어!

이런 것도, 적당히 질서만 지킨다면 나쁘지는 않을 것 같아. 성국에선 축제라고 해서 달리 문제가 생기지 않으니까. 월신께서도 별로 상관 안 하실 것 같은데, 우리도 축제를 이런 식으로 열어 볼까.

가면 축제라니. 그런 거면 나도 분장하고 섞여 들 수 있잖아? 퍽 마음이 끌렸다.

"저곳이에요."

아리안느가 속삭였다. 십 분 정도 걸어 우리는 곧 어떤 가게 앞에 도착해 있었다. 거리에서 커다란 면적을 차지하고 있는 5층 건물.

가게는 대중적인 분위기로 보였다. 그러니까 패밀리 레스토랑 같다고 해야 하나? 척 보기에도 커다랗고 북적북적했다.

유명한 곳인가? 사람들이 줄지어 서 있어서, 족히 한 시간은 기다려야 식사를 할 수 있을 것 같다.

"어쩌지?"

"기다려 보세요."

여유롭게 말하고 먼저 가게 안으로 들어간 아리안느가 곧 돌아 나왔다. 종업원 한 명이 뒤따랐다.

"5층으로 안내해 드리지요."

곧 5층의 칸막이가 있는 룸 형식의 창가 자리로 안내된 우리는 불빛으로 그득한 상점가를 내려다보며 앉게 되었다.

이런 명당자리라면 선호하는 사람이 많을 텐데, 자리가 남아 있었단 말이야? 난 아리안느에게 물었다.

"어떻게 자리를 구한 거야?"

아리안느는 그리 대수롭지 않은 듯이 말했다.

"높은 층의 자리는 따로 자릿세를 매겨요. 특히, 이런 창가 쪽 자리는 그렇지요. 가격이 비싸서 몇 자리 정돈 남는다고 하는데 혹시나 해서 걱정했어요. 다행이네요."

돈의 힘이란 역시 굉장하다. 이런 바글바글한 축제 기간에, 사람 많은 맛집에서 남아 있을 만한 전망 좋은 자리라면 얼마나 비싼 값을 치러야 할지 모르겠다.

난 문득 묘한 의문을 품었다. 신의 권속이면 청빈한 삶을 살아야 하는 거 아닐까? 이렇게 비싼 물건 턱턱 사고, 자리도 좋은 데 앉고 그래도 돼?

나도 뭐, 성국에선 나름대로 호화로운 삶을 누리긴 하지.

"원래도 임무 수행 경비는 넉넉하게 책정돼요. 성녀님을 모셔야 하니 예산이 더욱 두둑하게 책정되었어요. 굳이 남겨갈 건 없으니까요."

"그래?"

아리안느는 손을 들어 종업원을 불렀다. 여기로 안내해 온 아리안느가 뭐가 맛있는진 잘 알 거다.

시간을 들여 음식을 고르겠다고 종업원을 돌려보낸 아리안느는 내 취향을 물어가며 이것저것을 골랐다.

내 옆자리에 앉은 카마엘은 아예 메뉴판엔 관심도 없는 눈치로, 누군가가 화살을 쏘지 않을까 봐 염려가 되었는지 창밖을 내다보고 있었다.

바깥엔 불빛이 화려했고, 축제의 광경을 내려다보면서 식사를 하는 건 꽤 운치 있는 일이었다. 난 잠시 감상에 잠겼다.

종업원을 불러 여러 가지 메뉴를 주문한 아리안느는 이 김에, 아주 뽕을 뽑을 참인지 숫자가 대단히 많이 붙은 비싼 술을 시켰다. 오즈벨 명물이라나?

곧 종업원이 찰랑거리는 붉은 액체가 담긴 뭉툭하고 투명한 병과 세 개의 잔을 내왔다.

"나도 마셔도 돼?"

성배에 담긴 과실주는 마셔 본 적 있는데, 한 모금 정도다. 이렇게 본격적으로 술을 시키고 앉은 건 처음인걸.

내가 눈을 빛내자 아리안느가 씩 웃었다.

"너무 많이 마시면 곤란해요. 취해 버리시면 이따가 광장에서 춤을 추실 수 없을 테니까요."

"광장에서 춤을 춘다고?"

"귀족들의 가면무도회와는 좀 다르면서도 비슷한 건데, 그냥 넓은 광장에 우르르 몰려서 음악에 맞춰 춤을 추는 거예요. 흥겨운 분위기지요."

"그렇게 사람이 많은 곳은 곤란합니다."

카마엘이 지적했다. 호위인 그의 입장에선 이 혼란한 축제에서 신경을 바짝 곤두세워야 할 테지.

그는 거리를 지나면서도 줄곧 옆에 바짝 붙어서, 나를 가운데 두고 걸었었다.

"오즈벨의 가면 축제에서 근 십 년간 사고가 난 적은 없었어요. 광장은 탁 트여 있고, 불빛이 환한걸요. 게다가 다들 가면을 썼잖아요? 특정한 누구 한 명을 찾아서 노리는 건 확실히 어려운 일이지요."

"나는, 나를 방어할 수 있어."

난 단호하게 말했다. 그런 자리라면 이 가면 축제의 백미일 텐데, 꼭 가 줘야 하는 거 아닐까? 나를 지지하듯 아리안느가 잔을 건넸다.

"카마엘 님도 한잔하세요."

요정기사의 주량은 얼마나 되지? 나는 못내 잔을 받아들인 카마엘이 그 붉고 찰랑찰랑한 술을 목 뒤로 넘기는 것을 지켜보았다.

카마엘의 미간이 미미하게 찌푸려졌다. 맛이 없나, 아님 카마엘이 술에 약한가?

궁금증에 찬 난 아리안느가 바닥에 깔릴 정도로 조금 따라준 술잔을 입가로 가져갔다. 으아! 얼굴이 확 찌푸려진다.

이거, 도수가 너무 높은 것 같잖아? 달큰하니 맛있긴 한데 코가 아팠다. 알코올 기운이 훅 올라온다.

아리안느가 빙그레 웃었다.

"그만 드시는 게 좋겠죠?"

그리고 기다렸단 듯이 병을 독차지하고 혼자 비워 냈다. 이럴 줄 알고 시켰지! 여하간, 뒤이어 나온 음식들은 하나같이 맛있었다.

전망 좋은 자리에서 마을을 내려다보며 술안주를 연상케 하는 푸짐한 식사를 마친 우리는 느긋하게 광장으로 향했다.

축제는 새벽까지 이어지고, 광장에서의 가면무도회는 10시 정각부터 시작된다고 한다. 무도회라기엔 격식 없는, 댄스 타임 비슷하지.

마침 타이밍 좋게도, 사흘에 걸쳐 열리는 축제의 딱 중간 날 와서 한창 분위기가 무르익을 때였다.

광장으로 향하는 길에 알록달록한 사탕이나, 작은 기념품, 손바닥만 한 꽃다발 같은 것들이 눈길을 사로잡았다.

난 한껏 신나는 기분 속에서 온갖 축제다운 것들을 구경하고 즐기며 돌아다녔다. 다트를 던져 자그마한 인형도 뽑았고, 비눗방울을 불어 흩날리기도 했다.

잠시 길거리 공연에 눈을 빼앗겼다가, 드디어 광장에 이르렀을 때쯤, 딱 맞춰 시간이 되었다.

인파가 가득 메운 광장에 흥겨운 음악이 울려 퍼지기 시작했다. 이리저리 규칙 없이 늘어서 있던 사람들이 너나 할 것 없이 줄지어 섰다.

그리고 작고 큰 원을 만들어 강강술래를 하듯 빙빙 돌아댔다. 빠르고 느리게, 음악에 맞춰서!

원은 직선이 되어서 기차놀이를 하듯 죽죽 뻗어 나갔다가 다른 원과 만나 안과 밖을 이루었다. 그렇게 한 쌍을 이루어 잠시 노닐다가 파트너를 바꾸는 것이다.

"어서, 안으로 들어가요. 즐기자고요."

나만큼이나 신이 난 아리안느가 손목을 잡아당겼다. 나는 다른 손으로 카마엘을 잡고 이끌었다.

우리는 금세 무리에 휩쓸렸다. 활발한 무리에 섞였는지 우르르 이동하기도 하며 빙빙 돌다 보니 자연스레 머리가 어지러워졌다.

박자가 빠른 음악이 고막 가득 울려와 더욱 정신이 없었다. 맞은편 파트너가 뒤바뀌다 보니 누군가가 내 손을 잡아당겼다가 한 바퀴 돌린 뒤 놔주는 일의 반복이었다.

파트너는 남녀노소를 가리지 않고 정신없이 바뀌었다. 숨을 내돌릴 새 없이 음악이 잠시 멎었다.

나는 빠르게 주변을 살폈다. 어느새 손을 놓친 아리안느는 어디로 갔는지 모습이 보이지 않는다. 어어, 이러면 곤란한데.

아리안느가 놀고 싶어서 온 거라는 데 심증이 더욱 쏠렸다.

설마 대사제가 축제에서 낯선 남자와 눈이 맞고 그러는 건 아니겠지?

아리안느의 미모는 가면에 가릴 테지만 그녀는 감춰지기 어려운 몸매를 가지고 있지.

나는 카마엘을 쳐다보았다. 그럼 우리 둘뿐인가? 카마엘은 약간 거리를 두고나마 용케 내 곁을 지키고 있었다.

그러나 그것도 잠시였다.

"저기요, 저희랑 같이 춤추시겠어요?"

"저기요, 잠시만요."

"저희랑 한 타임만 같이 춰요."

카마엘의 숨겨지지 않는 미모가 축제의 흥겨움에 들뜬 여자아이들에게 대담함을 안겨 주었나 보다.

나보다 두세 살 어린 여자아이들 한 무리가 꺄르르 웃으며 내 쪽으로 다가오려는 그를 에워쌌다.

"나는."

곤경에 빠진 카마엘이 내 쪽을 돌아보았다. 그로서도 그를 막 힘없이 포위하고 있는 소녀 떼를 뿌리치기 곤란한 듯싶었다. 밀치다가 다치게 할지도 모른다는 점에서.

얘들아, 그건 안 돼! 내 카마엘이란 말이야, 그를 놓아 달라고!

그러나 내가 그쪽으로 막 나서려던 순간, 콰광! 굉음 같은 전주로 음악이 시작되었다. 폭풍 같은 음악이 빠른 박자로 광장을 후려쳤다.

잠시 멈춰 섰던 사람들이 환호를 울리며 음악에 발맞춰 몸을 움직이기 시작했다.

광장은 또다시 혼란의 도가니가 되었다. 카마엘 역시도 그 순간의 흐름에서 벗어나지 못한 것 같았다.

카마엘 쪽으로 발걸음을 떼던 난 지나가던 젊은 여자에게 붙들렸다.

"혼자야? 같이 놀자고!"

혼자냐고 묻고, 대답은 구하지 않는다. 나는 어어 소리만 내며 끌려갔다. 그러나 그 사람도 나를 오래 끌고 다니지 않았다.

새 무리에 섞이고 흩어지고 다시 다른 쪽으로 등 떠밀려 실려 가면서 정신이 혼미해졌다.

음악에 맞추어 난장판 클럽 같은 느낌이 재밌긴 하지만, 늘 조용한 성국에서 살다 보니 적응이 안 돼…….

하지만 그래, 색달랐다. 축제다운 흥겨움. 어색함도 잠시, 어느 순간 나는 몸을 흔들고 발을 쿵쿵거리며 뛰고 있었다. 누가 날 성녀님이라고 부르면 모른 척해 버릴 테다!

가면이 내게서 성녀에게 요구되는 그 뭔가를 단숨에 벗겨내었다. 해방된 기분이다.

나는 얼굴도 모르는 가면 쓴 사람들과 신나게 어울려 놓았다. 일행을 찾을 겨를도 없었다. 다른 사람들도 어쩐지 일행을 놓쳐버려서, 대충 섞여 어울리는 듯했다.

낯선 이들과 평범한 사람처럼 어울리는 축제. 이 느낌이 낯설도록 새롭고, 또 놀랍도록 나를 흠씬 빠져들게 했다.

히스칼은 이런 것을 바란 걸까. 대단한 운명을 짊어진 어떤 한 존재가 아닌, 그저 군중 속의 한 사람이기를.

……아니지. 내가 왜 히스칼을 이해하려고 하고 있담! 그런 건 이 즐거운 축제에 어울리는 일이 아니잖아.

난 가라앉은 상념을 지워 냈다. 어쨌든 이 광장 안에 있으면, 아리안느든 카마엘이든 나를 찾아오겠지. 내 모습을 발견할 수 있다면 말이지만!

음악이 멈추고, 나는 내가 어디서부터 이동해 왔는지 가늠해 보려고 애썼다.

광장은 넓었고 사람이 그득했으며 나는 여기가 어딘지 알지 못했다. 이러다가 다음 곡이 시작되면, 또다시 휩쓸려 버릴 거야!

인기 많은 카마엘, 어디에서 시달리고 있는 걸까. 나야 성녀라서 튼튼하다지만, 여기 사람들은 당최 지쳐 보이지가 않는다. 에너지가 넘친단 말이지.

광장 외곽 쪽으로 방향을 잡고 움직여 보려는 그때, 등 뒤에서 누군가가 내 어깨를 잡았다.

음악이 울려 퍼지지 않는 시간에, 이토록 가까이 닿은 접촉은 처음이라 난 몸을 흠칫거렸다. 하지만 익숙한 기척이었다. 돌아보는 내게 그가 속삭였다.

"안녕."

"아델?"

새까만 가면. 꼭 까마귀를 연상케 하는 단순한 모양의 가면 위에서 새파란 눈동자가 빛을 발한다.

여기 모인 사람들 죄다 코스프레하듯 한껏 꾸미고 있다지만, 그는 단숨에 눈에 띄었다. 아마 내 눈에만 그럴지도 모른다.

이건 꼭 뭐랄까. 왕자님 같은 옷이다. 색이 짙은 긴 망토에, 금사가 박힌 고급스러운 푸른 의상, 허리에 찬 검. 진검이겠지?

그렇다 쳐도 무도회에 나설 듯한 모습인데. 아델, 너에게 이런 취향이……?

나는 아델과 마주쳤단 사실보다 그쪽에 더 관심이 쏠렸다. 하지만 확실히 전자에 주의를 기울여야만 했다.

"어떻게 날 찾았어?"

난 목소리를 높이다가, 말꼬리를 끌어내렸다. 이 북새통 어딘가에 아리안느가 있고 카마엘이 있다. 그 둘 모두 내가 아델과 함께 있는 모습을 보여서는 안 되는 이였다.

아델이 심드렁하게 대답했다.

"나는 네 키와 체형을 알지. 그리고 네 가면, 공작새처럼 눈에 띄어."

하긴 아델도 비싼 거라면 단번에 알아볼 만한 안목을 가졌지. 그런데 키와 체형이라니?

"변태!"

남의 몸 사이즈나 재어 보고 있었단 말이야! 그걸로 나를 알아볼 정도라고? 들뜬 기분이 섞여, 거기에 더해 솟은 당황은 금세 가라앉았다.

"손을."

멍멍이를 대하듯 내게 손을 내밀어 보이는 아델의 모습은 퍽 고상한 신분의 소유자 같았다.

그래, 이를테면 왕자님 같은…….

그러나 현실 속의 왕자님이 칼리스의 왕자라면 그건 결코 동화 같은 의미가 아닐 테다.

하지만 축제라는 이 특별한 순간은, 잠시 현실에서 벗어날 수 있는 때이니. 나는 도도하게 턱을 치켜들며 그에게 손을 내주었다.

"잘 모셔 봐."

나는 아델에게 들어야 할 말이 있었다. 그건 분명히, 좀 더 조용한 분위기에서 들어야 할 테지만.

세 번째 곡이 울리기 시작했다. 리듬감 있으나 블루스를 추듯 느릿하고, 잔잔하다. 쉬어가는 타임일까.

아까처럼 기차 놀이하며 돌아다닐 일이 없었기에, 나는 다른 사람들처럼 자연히 아델과 한 쌍의 파트너를 이루게 되었다. 노린 걸까.

나는 그를 물끄러미 보며 웃었다.

"삼 년 전, 그때가 생각나는걸."

야파 왕궁에서 나는 나를 몰래 찾아든 아델과 춤을 췄었지. 이렇게 사람들 틈바구니에서는 아니었지만, 더 낭만적인 장소이긴 했다. 테라스라니! 게다가 밀회였어!

뭔가 분위기를 내기엔 거기 있던 우리가 열세 살 꼬꼬마였단 게 문제였을 뿐이다.

감회가 새로웠다. 그때에는 어렴풋이 그려야만 했던 성장한 아델이 내 앞에 있었다.

더군다나 사람 많은 축제에서 그와 함께 있는 이 상황은, 그야말로 꿈에서도 상상하지 못한 일이었다.

왠지 이 많은 사람 틈에서 다른 차원으로 갈린 듯 비껴 나 있는 듯한 느낌이 든다. 나야 성물의 도움을 받고 있다지만, 그래도 내겐 사람 같은 존재감이 있다.

하지만 아델에게는 이상하도록 시선이 쏠리지 않았다. 흡사 어둠에 묻혀 버린 듯이.

춤을 추는 사람들에게 자연스럽게 섞이며 아델이 슬쩍 나를 이끌어 광장 외곽으로 움직였다. 나는 순순히 그를 따랐다. 그러다가 조금 인파가 드물어진 순간에, 입을 열었다.

"이제야 드디어, 내게 네 이름을 알려 줄 준비가 된 거니?"

"서두르지 마."

"서둘러야 해. 내겐 시간이 별로 없어."

카마엘은 곧 나를 찾아낼 테고, 얼마만큼의 시간이 남아 있을지 모르겠다.

똑딱똑딱 시계는 부지런히 자정을 향해 달리고 있었고, 나는 마법에 사로잡힌 신데렐라일 뿐이지.

아델이 나를 이끄는 손에 힘을 주었다. 몸이 쏠리며 그와 내 사이 거리가 급격하게 좁혀졌다.

누군가 우릴 눈여겨보더라도, 춤을 추는 듯이 보일 거다. 난 속삭이듯이 물었다.

"어떻게 내가 여기 올 줄 알았니."

"내겐 그걸 아는 게 어려운 일이 아니야."

얄밉도록 말을 돌린다. 난 불퉁한 표정으로 그를 노려봤다. 어차피 가면을 써서 잘 안 보일 테지만!

"곧 불꽃놀이를 할 텐데, 보고 싶지 않아?"

"그렇지. 하지만 네 말을 듣는다고 해서, 불꽃놀이를 하지 않는 건 아니잖아."

"하지만 그게 잘 보일 장소에 널 데려다줄 수는 있지."

"난 여기서 떠날 수—"

"가까운 곳이야."

낮게 속삭인 아델이 나와 눈을 맞추었다. 검은 가면 아래 가려진 그 새파란 눈동자. 철가면 아래에 가려진 비밀을 엿보듯이 아슬아슬하게 나를 긁어 대는 감각.

돌이킬 수 없는 무언가가 있었다. 그리고 내 안에서, 굳어진 결정체 같은 말들이 있었다.

나는 고개를 끄덕였다.

날카로운 첫 키스의 추억

우리는 시계탑에 오르고 있었다. 그러니까 마을 광장에 으레 하나쯤 있는 바로 그 시계탑 말이다.

밀회를 나누는 연인이나 왁자지껄한 친구들이 이미 올라있을 만도 한데 시계탑의 입구는 철문으로 꼭꼭 잠겨 있었다.

하지만 아델은, 어디서 났는지 모를 열쇠로 입구를 열었다. 우리가 들어서자마자 입구는 다시금 굳게 닫혔다.

왠지 여기 으슥한걸. 나 얘, 따라가도 되는 거지? 좁은 원형의 계단을 따라 올라가며 나는 포기하지 못한 질문을 꺼내댔다.

"히스칼과는 무슨 사이야. 친구?"

"농담이겠지?"

코웃음 치는데 어처구니없다는 기분이 드러난다. 연기하는 걸까? 난 아델을 유심히 살피었다.

신성교국의 법황과 내가 정말로 안 친하다는 걸 드러내는 질문이긴 한데, 아델이 딱히 그걸 모를 것 같진 않았다.

그도 삼 년 전, 그 회담장에서 히스칼이 어떻게 행동했을진 보았을 테니.

"히스칼이 내가 여기 있는 걸 알려 준 거 아니야?"

"그는 네가 여기로 올지 알아?"

그 질문에는 좀 고개가 갸웃거려진다. 오즈벨에서 축제가 열린다는 것 정돈 알았을지 모르지만, 거기 내가 참석할 거라는 걸 히스칼이 알 리 없다. 아리안느가 떠벌리고 다니지 않았다면 말이지.

게다가 아델에게 우리 일행의 움직임을 감시하는 건, 그렇게까지 어려운 일은 아니었을 거다. 감시자를 두어 마을 입구만 지키게 해도, 충분히 파악할 수 있었을 테니까.

"히스칼과는 무슨 사이야?"

"신성교국의 법황과 내가 무슨 사이일 수 있겠어?"

질문에 질문으로. 바르지 못한 태도다. 나는 이맛살을 찌푸렸다. 쉽사리 여지를 내주지 않는다.

제 속내를 더 잘 감추게 된 아델에게서 뭔가를 더 이끌어 내는 건 어려운 일이었다.

하지만 어렵다고 해서 포기하는 건, 성녀다운 태도가 아니지. 성녀다운 태도가 뭔지는 모르겠지만!

결국, 난 돌직구를 던졌다.

"난 히스칼이 수상한데, 너는 그 애에 대해서 뭔가 알고 있는 게 있어?"

성녀가 동맹국의 법황을 의심하는 걸 칼리스인에게 드러내고 있는 묘한 상황이었다. 적의 적은 친구라는데, 신성교국이 친구라기엔 좀 애매한 구석이 있지. 삼각관계, 좋잖아?

아델이 그제야 나를 천천히 돌아봤다.

"법황이 무슨 꿍꿍이를 품고 있는지 내가 알게 뭐야. 그 이름, 그만 좀 말해!"

짜증이 담긴 눈빛이었다. 아델의 인내심을 자극했단 걸 깨달은 난 기분이 좋아졌다.

짜식, 수양을 좀 한 것처럼 보였지만, 성질머리가 어디 가지 않았군! 사람은 항상성을 가져야 하는 법이지.

어느덧 층계를 다 올랐다. 바람이 안으로 새어 들어오는 입구가 보였다. 한참을 올라왔으니 여기 좀 높을 것 같은데.

먼저 꼭대기에 올라선 아델이 계단에서 내 팔을 잡고 끌어 올려줬다. 난 약한 척 꿍얼거렸다.

"있잖아, 아델. 나 고소공포증이 있어."

"심했다면 올라올 엄두도 못 냈겠지. 참아."

예리하고 매정한 녀석! 난 속으로 투덜거렸다.

계단을 따라온 위쪽은 사방에 난간과 기둥으로 둘러싸인 꼭대기 방이었다. 완전히 방처럼 벽이 있거나 펜스가 쳐진 것은 아니라, 위험해 보였다.

위에서 저 아래를 내려다보자니 긴장감이 차올랐다. 여기서 떨어진다고 죽진 않겠지만.

불편했는지 한숨을 토한 아델이 가면을 벗어 내어 바닥에 놓았다. 난 일순 숨을 들이켰다. 암흑처럼 새카만 가면을 거둬낸 얼굴은 희었고, 흩어져 내리는 금발에 빛이 서리는 듯했다.

이, 이것이 인간 후광인가! 얘는 칼리스인인데 어째서 패시브로 이런 걸 타고난 거지?

난 놀란 기색을 보이지 않기 위해서 애써 표정을 다잡았다. 그리고 태연한 척 가면을 벗어 내렸다. 성물의 기운도 풀어냈다. 더 이상 모습을 숨길 필요가 없었기에.

그래, 우리 당당히 면대 면으로 마주하자고!

아델의 시선이 내게로 닿았다. 뭔가 낯선 것을 보듯, 뚫어지게 날 바라보는 눈이 청광을 머금었다. 그의 입꼬리가 나른하게 들렸다.

"정말, 예뻐지긴 했네."

어쩐지, 심장이 내려앉는 듯한 말.

"……응? 뭐라고? 다시 한번 말해 봐."

난 부러 과장되게 귀에 손을 대며 호들갑을 떨었다.

세상에, 아델이 나더러 예쁘대! 예뻐졌단가. 아무튼 그건 내 평생 아델에게 들을 수 있을 거라곤 생각하지 못한 말.

그 말이 아델과 너무도 어울리지 않다 보니, 충격적이다 못해 소름이 일었다.

아델이 코웃음 쳤다.

"성국에선 익히 듣는 말일 텐데, 넌 예뻐."

아델의 탈을 쓴 귀신인가? 뭔가 무서웠다. 난 공포감에 잠겨 그를 향해 손가락질했다.

"그렇지만, 너한테서 익히 들었던 말은 아니잖아! 너, 사실 아델이 아니지!"

이 세계에도 구미호 같은 게 있었나? 아델로 둔갑을 한 거 아닌가. 아델이 어처구니없다는 듯이 되묻는다.

"그럼 내가 뭐로 보이는데?"

"아델의 탈을 쓴 칼리스의 비밀 병기라거나?"

"난 농담 따먹기 같은 건 좋아하지 않는데. 하나는 인정해야 할 것 같아. 네 시답지 않은 소리를 들어주는 건, 꽤 즐거워."

그렇게 말하며 웃는 얼굴은, 약간 신경질적으로 보였다. 그런 자신을 인정해야 하는 것에 짜증이 나는 걸까.

이토록 순순한 아델은 처음이다. 이상해! 너한테서 그런 소릴 들으니까 마치 내가…… 나쁜 여자가 된 거 같잖아. 어렸을 적부터 세뇌시킨 성과를 보는 듯 기분이 복잡해진다.

한숨을 내쉰 아델이, 이내 머리를 쓸어넘기며 말했다.

"내가 이런 대화, 받아 주는 건 너 하나뿐이야."

"받아 주다니! 반대거든? 성녀인 이 내가 너를 상대해 주고 있는걸. 영광으로 알렴."

별로 뽐낼 생각은 없지만, 제가 먼저 날 찾아와 놓고는. 그건 그런 의미다. 내가 그를 놓아 버리기 전엔, 아델이 나를 놓아 버릴 수 없다는 것.

무거워지려는 기분을 애써 끌어올리며 난 가벼운 말투로 입을 열었다.

"혹시 너……."

허리에 손을 짚고 얼굴을 바짝 들이대고 부담스럽도록 쳐다보았다. 난 애써 근심스러운 표정을 떠올렸다.

"건강에 이상이 있는 건 아니겠지? 그 왜, 죽을 때가 되면 사람도 변한다잖아."

"칭찬 한마디에 유난 떨 거 없어."

피식 웃은 아델이 손을 뻗어 내 이마를 꾹 눌렀다.

어어? 이제 나보다 많이 커졌다 이거지? 막 내리누른다. 난 불만스럽게 그를 노려봤다.

"이리 와."

아델은 개의치 않고 그대로 나를 이끌어, 시계탑 가장자리에 서게 했다.

이 시계탑이 원래 이랬었나? 아찔하도록 높았다. 어두운 밤이었지만, 아래는 온통 환했고 불빛 가득했다.

음악에 맞춰 춤추는 인파며 치장된 건물을 위에서 내려다보는 조망이 제법 볼만했다. 그 화려함이 시선을 빼앗는다.

나는 침을 꿀꺽 삼키며 물었다.

"너, 너 나를 밀어 버릴 셈이야?"

"경계심 부족한 널 없앨 거면 그보다 쉬운 방법이 수두룩하지. 이런 곳까지 불러낼 게 아니라."

대수롭지 않게 대꾸한 아델이 내 등을 팔로 안아 어깨를 틀어쥐었다. 그리고 뺨을 밀어 하늘을 올려다보게 했다.

"잘 봐."

뭘 보라고? 눈알을 굴리자마자 펑! 하는 소리가 들렸다. 검은 하늘 위로 꽃이 피어나듯 화려한 불꽃이 번졌다.

그것이 시작이었다. 곧 퍼퍼퍼퍼펑! 하는 소리와 함께 오색찬란한 불꽃이 하늘을 가득 장식한다. 유성우가 쏟아진다고 한들, 이보다 화려한 모습은 아니리라.

역시 축제하면 불꽃놀이지! 이런 명당자리라니. 그러나 감탄하기 무섭게, 아래쪽에서 우레와 같은 함성이 파도처럼 올라왔다. 와아아- 공기를 밀어 올리는 기세에 떠밀리는 듯한 기분이었다.

난 뒷걸음질 쳤고, 그러다 보니 나를 감싸고 있던 아델의 품에 폭 파묻혔다.

난 고개를 틀어 그를 바라보며 웃었다.

"와, 정신없어. 근데 너무 좋다."

이런 걸 보여줘서 고맙다고 할 셈이었다. 그러나 아델의 눈빛이 날 흠칫거리게 했다.

가늘게 눈을 뜬 채, 아주 가까이서 그는 날 내려다보고 있었다. 새파란 그 눈동자. 섬세하게 세공된 블루 사파이어처럼. 그 빛이 내게로 시리게 박혀 든다.

사방에선 소란하게 불꽃이 터지고 있었지만, 정작 그에겐 얼음 같은 침묵이 배어 있었다.

"아델."

나는 저도 모르게 그의 이름을 불렀다. 심장을 조여드는 감각. 아델이 입을 달싹였다. 이상스러울 정도로 귓가에 스며드는, 낮은 음성.

"내 이름을 알고 싶다고 했지."

지금 말해 버리려는 걸까. 잘 듣지 못하면 그대로 얼버무리려는 셈이야? 어림도 없지!

나는 콧방귀를 끼며 그에게 좀 더 얼굴을 가까이했다. 아무리 작은 소리로 읊조려도, 놓치지 않고 들을 셈으로.

부쩍 가까워진 파란 눈동자가 빛을 냈다. 이토록 가까워 본 적이 있었나? 내 의도와는 반대로, 일순 소리가 잊혔다.

그리고―

머리카락을 파고들어 당기는 손길을 느꼈다. 입술에 부드러운 감촉이 내려앉았다.

반듯한 콧날이, 아름다운 이목구비가 눈앞에서 다시금 아로새겨졌다. 미온이 스며 있는 숨결이 피부를 적셨다.

나는 잠시, 뿌리치지 못했다. 그러니까, 아주 잠시였을 거다.

"아……."

그러니까 내가 신음을 낼 수 있었던 건, 아델이 나를 놓아주었기 때문이었다. 멍한 내 얼굴을 보고, 아델의 눈꼬리가 살짝 휘어졌다.

뱃속이 서늘하게 떨렸다. 그가 다시금 입술을 붙여 왔다. 머금듯이, 조심스럽게. 나는 그저 내버려 두었던 것 같다.

고막을 때리는 불꽃 터지는 소리가 아득히도 멀게 느껴지고…….

어느 순간, 정신이 확 들었다.

퍼펑! 불꽃이 시계탑 가까이에 왔던 걸까. 환한 불빛이 비쳐 들고, 굉음이 고막을 때렸다. 꺅!

난 화들짝 놀라서 그를 밀쳐냈다. 얼굴이 확 달아올랐다. 뭐, 뭐야. 무슨 일이 일어난 거야! 에스텔아 정신 차려! 나는 노력 끝에 반쯤 나간 정신을 되돌렸다.

"뭐 하는 거야?"

느긋한 물음이 들려온다. 밀쳐낸 게 마음에 들지 않았는지 팔짱 낀 채 아델이 날 쳐다봤다.

지독한 공황에 머리를 쥐어뜯을 뻔한 난 주먹을 꾹 쥐고 다른 손으로 입을 틀어막았다.

나는 소중하니까. 내 곱고 찰랑거리는 머리카락을 다치게 할 순 없지!

"이, 이건 없는 일로 하자. 우리 둘 다 잊으면 돼. 그러면 없는 일이 되는 거야!"

누군들 알겠어? 내가 말하지 않는다면.

세차게 고개를 휘저은 나는 엉거주춤 계단 쪽으로 발을 움직였다. 여기가 조금 더 도망가기 좋은 환경이었으면 바로 전력 질주해서 사라졌을지도 모르겠다.

하지만 아무리 사라져 버리고 싶은 나라도, 시계탑에서 뛰어내리는 건 무리였다. 축제를 즐기는 사람들에게 자살 시도하는 것처럼 보이면 안 되니까!

"그건 안 되겠는데."

턱, 손목을 잡는 손길이 있었다. 그게 놀랍도록 쉽게, 내빼려는 날 멈춰 세웠다.

"내 이름, 알고 싶다고 했잖아."

그걸 볼모 삼아서 네가 날 불러냈지. 난 고개를 돌려 그를 노려봤다. 아이참, 얼굴이 빨개져 있을 텐데!

반면 아델의 얼굴엔, 느긋한 미소가 어려 있었다. 망설임 없이 나를 직시하는 눈빛. 나는 그 새파란 눈에서 광포한 자신감을 느꼈다. 원하는 것은, 반드시 차지하고야 마는.

"그걸 이용해서, 날 여기 데려와 놓고는. 왜—"

아델이 내게 한 걸음 다가섰다.

"내가 왜 그랬을까? 생각해 봐."

멍청한 너라도, 그 정돈 생각할 수 있잖아? 비꼬는 음성. 그러나 웃는 얼굴. 이 상황을 즐기는 듯한.

그딴 건 생각하고 싶지 않아! 빽 소리를 지르려던 난 누가 들을세라 애써 목소리 낮췄다.

"너, 너 왜 갑자기 이러는 거야?"

"갑자기라……."

"갑자기가 아니라고? 그럼 나한테, 언제부터 흑심을—"

"처음부터? 어떤 얼간이가 마음에도 없는 여자 때문에 이 고생을 하겠어."

그가 날 잡아당겼다. 나는 그 가벼운 동작만으로 힘의 격차를 실감해야 했다. 저항할 겨를도 없이 쑥 당겨져 그에게 가까이 붙어섰다.

무표정한 얼굴이 된 아델이 날 내려다보며 속삭였다.

"이 자리를 위해서, 내가 얼마나 많은 걸 감수해야 했는지 넌 모를 거야."

"아델."

무거웠다. 이루 말할 수 없는 무게가 이 순간에 담겨 있었다.

"똑똑히 들어. 내 이름은,"

저주를 읊조리듯 그 이름이 내 귓전에 스며들었다.

"아드라하트 블라스페미아 칼리스."

칼리스. 성으로 나라의 이름이 온다면 그것이 무슨 의미인지, 모를 수 없다.

아델이 내 턱을 끌어올려 눈을 맞추었다. 눈 아래, 그의 숨결이 닿았다. 그가 나른하게 속삭였다.

"나는 칼리스의 왕자야. 순서는 의미가 없지. 현재로서 왕자는 나 하나뿐이니."

아델이 재미있는 농담을 했단 듯이 웃었다. 안광이 번져 날 것처럼 새파란 눈이다. 그는 일순, 위험스러운 맹수처럼 보였다.

나는 눈을 깜빡였다. 좀체 정돈되지 않는 혼란이 나를 사로잡았다. 심장이 빠르게 뛰었다. 손이 떨리고 있었다.

생각보다 충격은 크지 않았다. 비록 전율이 나를 후려치고 지나갔을지라도. 적어도 멀쩡히 사고할 수는 있었으니까.

그래, 나는…… 알고 있었던 것이다. 나는 장님이 아니었다. 그의 태도, 정보력, 그가 가진 알 수 없는 힘.

칼리스인들이 그를 어떻게 대하는지, 일개 귀족에 불과한 아델이 어떻게 나를 찾아올 수 있을지. 조금도 의심을 품지 않는 게 가능한 일일까.

나는 적어도 상식 면에서, 다른 이들보단 포용 범주가 넓었다. 그러니까 칼리스의 왕자가 나를 돕고 있단 게 내게 전혀 상상하기 어려운 일은 아니었단 거다.

내 안에서 스멀스멀 피어오르는 불길한 예감을, 나는 끝끝내 뿌리쳐 내지 못했다.

확인하고 싶었다. 그러나 확인하는 것이 두렵기도 했다. 하지만 결국, 이렇게 되었구나.

내 안에 새겨진 결정을 되확인하게 되는 시간. 난 느릿하게 눈을 감았다가 떴다.

"칼리스의 왕자라고."

내 목소리가, 그토록 냉정하게 들려온 적은 처음이었다.

"에스델."

그가 내 이름을 불렀다. 나는 차가운 얼굴을 그려 냈다. 아마, 아델이 한 번도 본 적 없었을 얼굴이었다.

"내게서 떨어져."

"에스델."

아델의 눈썹이 찌푸려졌다. 그는 약간 혼란에 잠겨, 낯선 것을 보듯 날 봤다. 그래, 나는 아델에게 화는 냈을망정 그를 확실히 밀어낸 적은 없었다.

하지만 나는 지금, 그에게 역력한 거부감을 드러내고 있었다.

"너는, 대체 나를 뭐라고 생각하는 거야. 네가 칼리스의 왕자란 걸 알고도, 내가 너를 받아 줄 거라고 생각했어?"

"네가, 물어봤잖아. 내 이름."

받아들일 수 없으면서, 어째서 알려고 했느냐고 묻는 그건 흡사 비난처럼 들렸다.

그래, 나는 알고 싶었다. 너에 대해서. 하지만 네가 말한 건 내가 알고 싶지 않은 사실이었다. 난 고개를 저어 보였다.

"아델, 나는 너를 좋아했어. 그리고 내가 좋아한 너는 어리고 불행한 칼리스의 한 소년이었지. 저주받은 칼리스의 왕족이 아니라!"

아델의 낯에 경련이 일었다. 덜컥, 어깨를 붙잡아 오는 손엔 힘이 실려 있었다. 그러나 그는 나를 강제할 수 없었다.

그 손이 떨림을 머금고 있단 걸 알면서도 난 아델을 똑바로 노려봤다. 그가 입술을 달싹였다.

"너는 성녀잖아."

경멸하듯 말했던 그 사실에라도, 매달리고 싶은 걸까.

"나는 성녀지. 그리고 너는 칼리스인이고."

"이제까지 그게 중요했다면 왜―"

이유를 찾으려는 건 납득할 수 없기 때문이다. 하지만 그의 납득은 중요치 않았다.

나는 나를 잡은 아델의 손을 붙잡았다. 그리고 그 손을 힘주어 떨구어 냈다. 난 차갑게 웃었다.

"착각하지 말렴. 이제까지 난, 변덕을 부리고 있었던 거야. 생각해 봐. 성국이란 나라가 얼마나 평화롭고 무료한 곳인지. 그리고 거기서 자라난 내가 얼마나 단조로운 삶을 살았을지. 불행한 칼리스 소년이 날 찾아오는 것도, 꽤 색다르고 재밌었으니까."

내 말이 얼마나 칼날처럼 그를 파고들고 있는지 안다. 왜냐하면 난 이제껏 아델에게 단 한 번도 그렇게 말한 적이 없었으므로.

그래, 나는 악역이 되어야 하는 이 순간이 두려웠다. 그를 밀어내야 하는 이 순간이 두려웠다.

평생 아무에게도 상처 주지 않고 사는 건, 불가능에 가까운 일일 테지.

하지만 나는 그 누구에게보다, 아델에게 상처 주는 것이 두려웠다. 그래서 이 순간이 오길 바라지 않았다.

그 마음은 여전한데, 아이러니하게도 내 입은 막힘 없이 움직이고 있었다.

"너는 더 이상 돌봐 주고 싶은 어린애가 아니고, 아델조차도 아니지. 나는 이제 이 놀이에 질렸어."

아마, 내 눈빛에 흔들림은 없었을 거다.

"그러니 오늘이 마지막이야. 다시는 날 찾지 마."

"웃기지 마."

아델이 바로 잘랐다.

"내가 갑자기 키스해서. 그래, 그래서 그런 거라면—"

"아, 그것도 꽤 불쾌했어. 하지만 어차피 마지막이니 눈감아 줄게. 네 말대로, 나는 성녀니까."

나는 생긋 웃었다.

이제는 불꽃놀이가 끝나가는 하늘은 맑았고, 새까만 어둠에 휩싸여 있었다. 그리고 그 어두운 창공 한가운데, 축제의 불빛이 무색할 만큼 환하게 빛나는 달. 그 빛이 시리도록 찼다.

나는 그쪽으로 시선을 주었다.

"저 달을 봐, 달은 매일 모양이 이지러지잖아. 나 역시 마찬가지인 거야."

내 마음이 변했고, 그의 이름을 알게 된 게 계기였던 듯이 보이든 예전부터 시작되었던 걸로 보이든 그건 중요치 않았다. 변했다는 것, 그리고 끝났다는 것.

"너나 나는 더 이상 아이가 아니지. 이제는, 놀이는 그만할 때가 온 거야."

성장한다는 건 성인다워져야 하는 것이다. 그리고 어른이 된다는 건, 더 이상 솔직해질 수 없단 뜻도 내포하고 있었다.

추억은 변치 않을 거다. 하지만 과거로 남겨져 가겠지. 너는 내 마음 같은 건 결단코 모르기를.

저를 가지고 논 변덕스러운 성녀라고 나를 기억하는 쪽이 이가 갈릴망정 덜 아플 거야. 내가, 나쁜 거니까.

"안녕."

나는 분명하게 말했다. 그리고 그 안녕은, '다시 또 만나자'는 뜻을 품고 있지 않았다. 정말로, 안녕. 아델 역시 알아들었으리라. 그러나,

"나는,"

아델이 말했다. 죽음처럼 스산한 그늘이 그의 얼굴에 음영을 드리웠다. 내면 깊숙한 곳에서 피어오른 심연이 훅 끼쳐오는 듯이. 지독한 고요감이 그에게서 배어났다. 그 얼어붙은 눈. 한 번도 본 적 없는 눈빛이었다.

"상관없어. 네가 뭐라고 하든. 그런 말 한다고 해서, 네 멋대로 떠날 수 있을 거라고 착각하지 마."

그가 손을 뻗어, 내 손목을 낚아챘다. 아까완 비할 수 없는 강도. 나는 눈을 찌푸렸다. 아야.

"시작한 건 너였지만, 끝내는 건 네가 아니야. 난 허락 안 해."

차갑고 명령하듯 위압감 실린 말투. 그리고 확연히 내리누르는 듯한 기세. 아델은 완전히, 다른 사람 같았다.

아마 이게 평소의 그겠지. 칼리스의 왕자, 아드라하트 블라스 페미아 칼리스.

나는 그 낯선 이름을 곱씹었다. 이제는 내가 그를 어떤 이름으로 불러야 하는지 안다.

"너 때문에 내가 얼마나 많이 인내했는지 모르지?"

"아델."

하지만 나는 어르듯이 부르던 대로, 그의 이름을 불렀다. 그렇게 함으로써, 그가 내게 알려줬던 그 이름이 내게 아무 의미 없다고 말하는 것처럼.

"취소해."

"싫어. 그리고 너는 나를 강제할 수 없어."

"내가 못 할 것 같아?"

다시 손목을 휙 잡아 끌어당긴다. 몸이 기우뚱했다. 난 애써 버텼다. 아프다. 아프다고!

난 도리질 치며 나를 끌어당기는 그를 밀쳐 냈다. 숨을 한 번 들이쉰 난 빠르게 말을 쏟아 냈다.

"내가 성력을 사용하길 원해? 가까이에 카마엘이 있고, 내 대사제들이 있어. 내 성력을 느끼면 바로 달려올 거야. 그리고 너 홀로 카마엘을 막아 낼 순 없을 테지. 그들은 널 가만두지 않으려고 할 거라고! 내가 그렇게 하게 만들지 마. 괜한 짓 하지 말고 이대로 떠나!"

웃으며 헤어지는 건 아니더라도, 최악으로 헤어질 필요는 없잖아. 정말이지, 이런 거 두 번 다신 못 할 짓이다.

"그래? 그럼 불러내. 그리고 여기서 날 죽여. 그게 너 자신을 위한 일일 테지!"

아델이 사납게 외쳤다.

"아델!"

"그렇겐 못 하겠어? 그것도 네 알량한 자비심인가."

아델이 일그러지듯 웃었다. 고통이 선연히 드러나는 그 표정. 나는 내가 완전히 아델을 상처 입혔음을 알았다.

아니, 나는 부순 거다. 삼 년 전, 그리고 거기서부터 삼 년 전, 처음 그를 만났을 때부터 고이 간직해 왔던 수정 구슬 같은 그것을.

돌이킬 생각은, 내게도 없었다. 아니 이미 돌이킬 수 없는 것이었다. 나는 다시는 이런 식으로, 그와 함께하지 못하겠지.

아델이 고개 숙여 내게 눈을 맞추었다. 속내를 꿰뚫는 듯이 날카롭다. 조금이라도 동요가 있다면, 알아채 버릴 것처럼.

하지만 나는 똑바로 그의 시선을 받았다. 그의 눈에 비친 내 눈동자는 너무도 선명하고 환하게 빛나고 있었다.

나를 해부할 듯이 뚫어보던 아델의 표정이 미묘하게 변화했다. 표면이 얼어붙듯 좀 더 감정이 제거된 차가운 낯.

그가 조금 더 깊이, 고개를 숙여 내 귀에 입술을 붙였다. 저주 같은 음산한 속삭임.

"너는 오늘 이 순간을 후회하게 될 거야."

그는 나를 밀쳐 내듯 놓아주었다. 그리고 새카만 가면을 움켜쥐고 몸을 돌렸다. 나를 잡았던 것이 언제냐는 것처럼. 뒤도 돌아보지 않고, 등을 돌린 채 떠나간다.

망토 자락을 휘날리며 좁은 층계로 사라져 가 이내 발소리도 울리지 않게 되었다. 난 주먹을 틀어쥐었다.

에스델, 왜 서운해하는 거야? 내가, 내가 아델에게 떠나라고 했는데. 피할 길 없는 상실감이, 커다란 파편으로 내게 파고들었다. 지독한 허전함이 가슴을 메운다.

나는 잠시 후 그가 완전히 떠났다는 걸 확인한 다음에야, 층계를 타고 내려갔다. 느릿하게, 다시 가면을 쓰고…….

원형 계단은 가팔랐고 어두웠다. 내려가는 걸음은 더디기만 했다. 카마엘과 아리안느를 찾아서 돌아가야지.

그리고…….

난 급히 숨을 들이마셨다. 공기가 빨려 나간 듯이 괴로웠다.

난 분명히 층계를 내려왔는데, 꼭 등산한 것처럼 가슴이 헐떡거린다.

이렇게 하기로 결심했었잖아. 그게 오늘이 된 것뿐인데, 왜 새삼 가슴이 무너져 내리는 것 같은 걸까. 왜 심장이 찢기는 것 같지? 내가 얼마 만에, 이런 감정을 느껴 본 걸까.

마지막 계단을 내려와 섰을 때, 난 곧 내가 눈물을 줄줄 흘리고 있단 걸 깨달았다. 가면 안쪽이 흥건하게 젖어, 짠맛이 났다. 수도꼭지가 터진 것처럼 계속 계속 눈물이 났다.

그 어느 때에도, 행복한 성녀님이고 싶었는데, 이 순간의 불행이 사무치도록 넘쳐나고 있었다.

문을 열고 나와 비틀거리며 광장을 돌아다녔다. 앞이 제대로 보이지 않아서, 뭘 하고 있는지 모르겠다. 그리 오래되지 않아, 내 어깨를 잡아 오는 손길이 있었다.

"성녀님."

귓가에 흘러드는 익숙한 음성에 눈물이 더 났다. 난 괜히 손을 들어 카마엘의 가슴을 때렸다.

"나를 두고, 어디로 갔었던 거야!"

"성녀님……."

"찾았잖아!"

난 아이처럼 엉엉 소리 내어 울었다. 길을 잃고 헤매느라 불안했던 것처럼. 그래서 울고 있었던 것처럼.

"우십니까."

카마엘의 목소리에 곤혹이 서렸다. 나는 다시 태어나 이토록 울었던 적이 없다. 그러니 카마엘이 이런 내 모습을 처음 보았을 건 분명하다. 나도 당황스럽다고!

근데, 어떻게 할지 모르겠어. 그냥, 이 소란스러운 광장을 벗어나서, 조용한 곳으로…….

"가자."

난 떨리는 음성을 냈다. 카마엘이 인파에 휘말리지 않으려는 듯 내 어깨를 감싸 쥐며, 걸음을 옮겼다. 난 그에게 기대다시피 한 채 걸었다. 거의 광장을 벗어났다 싶을 즈음,

"모두, 여기 계셨네요! 축제는 잘 즐기셨어요?"

활기찬 목소리가 들려왔다. 아리안느다. 빠르게 내 쪽으로 달려오던 그녀가 흠칫, 정지했다.

"성녀님?"

카마엘이 그녀에게 말했다.

"숙소로 돌아가야겠습니다."

당황스럽게 날 쳐다보는 시선이 느껴진다. 아리안느는 내 쪽으로 손을 뻗었다가, 분위기가 심상찮음을 감지했는지 엉거주춤 내렸다. 그리고 말없이 뒤를 따르기 시작했다.

*

방으로 돌아온 난 가면을 던져 버리고 침대에 엎드렸다. 베갯잇이 축축하게 번져 난다.

이 벅차도록 넘쳐나는 감정도, 어느 순간 삭여질 테다. 몸과

마음이 가라앉을 때까지, 혼자이고 싶었다.

내 범상치 않은 반응은 담대하고 성격 있는 아리안느도 위축시켰던 것 같다. 슬며시 따라 들어 왔던 아리안느는,

"무슨 일이 있으셨나요? 죄송해요. 그 북새통에 성녀님을 홀로 내버려 둬서, 혹시 불쾌한 일을 당하신 건—"

"나가."

내가 차갑게 자르자, 더 이상 말하지 못하고 방문을 나섰다.

그러나 닫힌 방문은, 조금 후 조용히 다시 열렸다. 나는 그 인기척의 주인이 누군지 알았다. 카마엘, 내 요정기사님. 그가 반갑지만은 않은 건 기이하게 느껴지는 일이었다.

그가 내게 잘못한 뭔가가 있어서가 아니었다. 잘못은 그를 따돌린 내게 있겠지.

"목이 마르실 것 같아서."

침대 옆 탁자에, 물컵이 놓이는 소리가 들렸다. 나는 베개에 얼굴을 묻은 채 웅얼댔다.

"혼자 있고 싶어."

하지만 카마엘은, 내 말에 따르지 않았다. 그는 도리어 내 침대 옆에 의자를 놓고 앉았다. 그답지 않은 일이었다.

"카마엘."

"그를 만나신 겁니까."

여기서 그가 누구를 의미하는지, 나도 카마엘도 알았다. 아델과 접촉한 건 그에게도 숨기고 있었던 일이었다.

대답을 망설이는 내게서 카마엘은 그다운 통찰력으로, 빠르

게 답을 찾아냈다.

"그가 무슨 짓을 한 겁니까."

나는 그 비난을 품은 말을, 어쩐지 참을 수 없었다.

"그 애는, 내게 아무 짓도 하지 않았어. 대신 내가 무슨 짓을 했지."

무심코 내뱉다가 문득 깨달았다. 그래, 그 애도 내게 뭔가를 했지. 그 또한, 아주 몰랐던 건 아니었다. 나는 정말로 백지로 자라난 성녀가 아니니까.

어렴풋이 그가 칼리스의 왕자란 걸 알았던 것처럼, 그의 마음 역시도 어렴풋이 알고 있었다.

다만 그가 말하기 전에, 내가 먼저 말했어야 했는데. 그편이 차라리.

떠올리고 싶지 않은 생각에 나는 눈을 찌푸렸다. 무얼 확인하려는지, 카마엘이 질문을 이었다.

"그에게 말하신 겁니까."

그것이, 일순 나를 폭발시켰다.

"그래, 카마엘이 바라는 대로 했어. 카마엘은 내가, 그 애를 버리길 원했잖아!"

난 입술을 꾹 다물며 고개를 쳐들었다. 내 얼굴, 분명히 눈물 콧물에 젖어서 엉망일 거다. 그런데 거기에 놀랍도록 신경 쓰이지 않았다. 난 손등으로 얼굴을 훔쳤다.

남보다 한 번의 삶을 더 살았는데, 난 조금도 성숙해지지 못했어. 이것 봐, 지금도 애꿎은 카마엘을 탓하고 있잖아. 그에겐 아무 잘못도 없는데.

나는 누구라도 탓하고 싶었다. 원망하고 몰아세우고 싶었다. 그렇게 하지 않으면 견뎌 낼 수 없을 것 같았다.

품에서 손수건을 꺼낸 카마엘이 내 눈물을 닦아 주었다.

"저는 바라지 않았습니다. 그러나 해야 하는 일이라고 생각했습니다."

이건 꼭, '우는 여자아일 달래려면 눈물을 닦아 줘야 한다'는 머릿속 지식을 그대로 실천하는 것 같은데. 기분이 묘해졌다.

하지만 그 손길이 위로가 되는 건 사실이었다. 그래, 카마엘은 나를 위로하고 있었다. 그것이 날 부끄럽게 했다.

난 조금 누그러진 기색으로 그를 바라보았다.

내가 해야 하는 일. 성국을 위해서, 그리고 나를 위해서. 카마엘이 말하는 바가 뭔지 안다.

내가 아델과 계속 연을 이어 가는 건, 그에게나 나에게나 좋은 선택은 아니었을 거다. 누군간 끊어야 했고, 그게 나일 가능성이 높단 건 진작 알고 있었다.

나는 조그맣게 물었다.

"있지, 카마엘. 내가 옳은 일을 한 거겠지? 나는 그 애를 잃었어야만 하는 거겠지?"

그리고 그가 답을 하기 전에, 먼저 말을 이었다.

"하지만 난 그러고 싶지 않았어."

강조하듯, 다시 한번 말했다.

"정말로, 그러고 싶지 않았어."

잠시 그쳤던 눈물이 한 줄기 뚝 떨어져 내렸다. 난 카마엘의 손수건을 잡아챘다. 그리고 코를 홍, 하고 풀었다. 답답해서 말을 할 수가 있어야지!

카마엘이 차분한 투로 말했다.

"이미 일어난 일입니다."

"알아."

"일어난 일은, 없던 것으로 만들 수 없습니다. 그를 잊으십시오."

차분하고 매끄러운 음성. 그는 정답을 말하고 있었다. 그리고 그게 카마엘의 최선일 테지.

"성녀라면 모든 걸 가질 수 있을 거라고 사람들은 생각할 테지만, 이게 뭐야. 난 결국—"

내 마음도 이룰 수 없잖아. 그 말을 떠올려 낸 난 눈을 크게 떴다. 그건 하나의 깨달음이었다.

만약, 내가 아델을 받아들여도 되는 상황이었다면— 예를 들어, 내가 성녀가 아니거나 그가 칼리스의 왕자가 아니었다면.

그래, 나는. 그 시계탑 위에서 서툴게나마 그의 손을 맞잡았을 거라는 거.

내가 아델을 좋아한 게, 아델이 나를 좋아하는 것과 같은 마음이지는 않았다. 하지만 거기에 별로 큰 차이는 없었을지는 모른다.

왜냐하면 내게, 아델만 한 비중을 차지한 남자애는 이제껏 없었으니까. 그 언젠가 늦된 나도…….

어딘지 저렸다. 욱신욱신, 아파 온다. 나는 전생에 할머니를 잃었을 때도 제법 잘 견뎌 내고 살아갔다. 그것에 비하자면 서로 어딘가에 살아 있는 이별쯤은 별것 아닐지도 모른다.

하지만 이쪽이, 더 오래가리란 건 자명했다. 왜냐하면, 아델을 밀쳐 낸 건 나였지만, 그 애의 표정을 보고 상처를 받은 건 나 역시 마찬가지였으므로.

그런 눈빛, 받아도 족하다고 생각했는데, 막상 받아 보니 가슴이 아팠다.

자꾸만 시계탑 위에서의 순간을 곱씹으려는 상념을 흩어 버리며, 나는 카마엘에게 그 말을 꺼냈다. 그에게 해야 할 말이 있었다.

"카마엘, 나는 아델의 진짜 이름을 알아. 알게 됐어. 그가 누군지도."

일순, 카마엘의 눈빛이 변화했다. 제비꽃 같은 보랏빛 눈동자가 예기를 머금었다.

"카마엘도 알고 싶겠지? 그런데 말해 주는 대신 조건이 있어."

"제게 바라는 바가 있으시다면, 명령하십시오."

"아니야, 그런 게……. 성녀로서 하는 말이 아니라, 개인적인 부탁이야."

카마엘의 눈썹이 들렸다. 그에게 에스텔은 성녀고 성녀는 에스텔이다. 그 두 개는 분리되지 않은 한 가지일지도 모른다. 하지만 내겐 아니었다.

난 설명을 포기하는 대신, 다만 이렇게 말했다.

"그의 이름을 말해 줄 테니, 내 부탁을 들어줘."

이것이 옳은 일은 아닐 거라는 생각이 든다. 하지만 내 마음의 빚, 이 남은 하나는 도저히 뿌리칠 수 없었다.

카마엘은 순순히 긍정했다.

"예."

그 밤의 대화가 끝나고, 나는 까무룩 잠이 들었다. 잠에 깨어나고 나서 난 아무 일도 없었던 것처럼 밝은 얼굴로 떠들어댔고, 아리안느는 내가 무슨 일을 당했는지 궁금해했지만, 굳이 물어보지 않았다.

대신 그녀는 이유가 무엇이든 내가 펑펑 울 상황이 발생했다는 것에 심히 죄책감을 느끼며 눈치를 봤다.

아침 식사를 위해 모인 자리에서 난 말했다.

"축제는 이제 충분해. 난 빨리 성국으로 돌아가고 싶어!"

향수병을 느끼기엔 짧은 여정이었다. 하지만 난 어서 짐을 싸서 출발하자고 졸라 댔고, 고작 한 시간 후에 우리는 오즈벨을 나서서 성국으로 향하는 길에 오르게 되었다.

가는 길엔 쫓기는 듯한 초조감이 잇따랐다. 국경을 넘어 성국이 보이는 위치에 다다르는 그 순간까지 난 마음을 놓지 못했다.

삼 년 전, 칼리스에 쫓기던 기억이 여전히 나를 점령하고 있기 때문일까. 확실히 그때의 기억은 내게 상흔처럼 남아 있었다.

하지만 그보다도 어떤 깨달음이 발길을 독려했다. 내가 마지막으로 아델과 마주하며 깨달은 사실은—

아델은, 내가 그를 놓아 버려도 나를 놓지 않을 거라는 거. 내가 그의 애정을 부쉈더라도, 아델은 증오로라도 나를 노릴 거라는 거.

그래서, 칼리스에서의 유일한 우군을 잃은 나는 이제 정말로 위험해져 버렸단 거다.

이제 성국 밖으로의 여행은 영영 끝인가?

성국의 입구에 이르러 나는 잠시, 마차의 창문을 열고 내가 이제껏 떠나온 길을 돌아보았다. 아쉬움과 슬픔, 그리움이 짙게 깔린 그 길을.

하지만 후회는 남기지 않을 테다. 단절하듯 창문을 닫은 난 눈을 내리감았다. 곧 마차가 다각거리는 소리와 함께 성국으로 들어섰다.

그것이 내 두 번째 여행의 끝이었다.

외전

분노

"축하드립니다."

아델은 그 말을 한 자를 평소와 같은 차가운 눈으로 마주 보았다. 아지스, 그를 이 자리에 있게 한 일등 공신이었다.

왕속 특무단의 일원으로서 오랜 세월 종사해 왔으나 실상 그 정체를 알 수 없는 자. 제 목적이 있을 뿐 완전한 그의 편이라고 할 수 없는, 기쁨을 나누기엔 의심스러운 상대.

짤막한 답변이 튀어나왔다.

"그래."

그러나 그에게선 평소와는 다른 감정이 묻어나고 있었다. 그의 안에서 후련함과 성취감이 휘몰아쳤다.

이 순간이 오기까지 얼마나 많은, 소위 말하는 시련과 고난을 이겨 냈던가.

왕의 광증이 심해져, 아드라하트 블라스페미아 칼리스는 칼리스의 전권을 차지했다. 왕위를 계승 받는 것은 기다리면 따라올 순서일 뿐, 이변이 벌어지지 않는다면 변하는 건 없다.

직계 왕족 중, 왕위를 계승 받을 수 있는 상태인 것은 그밖에 없었으므로.

"외조부께선 국혼을 서두르자는 의견이신 것 같군요."

"내 결혼은, 내가 원하는 시기에 내가 원하는 상대와 한다."

"그 원하는 상대가 동의하지 않는다면 어쩌시겠습니까?"

그 상대가 누구인지 알아챈 아지스가 서늘하게 웃었다. 그 물음에 아델은 답하지 않았다.

이제야 준비가 되었을 뿐, 거쳐야 할 과정이 많을 것이다. 에스델은 당연히 망설일 터.

슬슬, 그가 누구인지 알려 줘도 괜찮겠다는 생각이 들었다. 그의 지배하에 있는 이상 칼리스가 성녀를 위협하진 않을 테니까.

3년이란 시간 동안 한 번도 얼굴을 보지 못했다. 그래서 그는 준비했다. 새로운 만남을.

성국 밖으로 그녀를 끌어내는 건 예상대로 되었지만, 그 이후가 쉽지 않을 거란 건 알고 있었다. 그 때문에 모처럼 조심히 접근한 터였다.

그러나 결과는 최악이었다.

'내게서 떨어져.'

'너는, 대체 나를 뭐라고 생각하는 거야. 네가 칼리스의 왕자

란 걸 알고도, 내가 너를 받아 줄 거라고 생각했어?'

'아델, 나는 너를 좋아했어. 그리고 내가 좋아한 너는 어리고 불행한 칼리스의 한 소년이었지. 저주받은 칼리스의 왕족이 아니라!'

장난스러우면서도 늘 상냥했던 그녀의 입에서 나올 수 있을 거라곤 예상하지 못한 말들.

날카로운 칼날처럼 그를 깊숙이 찔러 들었다. 충격이, 이내 분노가 닥쳤다. 그녀의 말이 귓가에서 사납게 뱅뱅 맴돌았다.

시계탑을 나와 터벅거리며 내디디는 걸음이 차츰 빨라졌다.

누군가를 짓밟고, 뭐든 부숴 버리고 싶은 흉포한 살기가 전신에서 바짝 곤두섰다. 차가운 분노가 머리를 얼리고, 뱃속을 뜨겁게 만든다.

'너는 오늘 이 순간을 후회하게 될 거야.'

그 싸늘한 말은, 스스로에게 속삭인 말이기도 했다. 평생 누군가를 믿어 본 적 없다. 그러나 지금 이 배신감은, 믿지 않고서는 느낄 수 없는 것이리라.

그는 후회했다. 기대한 것을, 그리고 받아들여질 거라 믿었던 것을.

태어나서 한 번도 원하는 것을 쉽게 가져 본 적 없는 그의 안일했던 생각을. 그 모두를.

방심해선 안 됐는데, 무엇이 그를 느슨하게 만들었던가.

"가능성 없는 일을, 굳이 시험하셨군요."

비꼬는 듯한 음성에 아델은 고개를 들었다. 당장에라도 베어 버릴 듯이 날카로운 눈이었다.

어느새 나타난 아지스가 딱하다는 듯이 혀를 찼다.

"안 그래도 좋아하는 여자의 일이라서인지, 이번 계획을 준비하면서 분별력을 잊으신 듯하여 우려가 되었습니다."

"닥쳐."

"지금이라도 병력을 불러 성녀를 사로잡아 보는 게 어떻겠습니까. 저는 대화보다는 그쪽이 더 유효할 거라고 봅니다. 쭉 그렇게 생각했었습니다만."

그리고 모호하게 웃었다.

"하지만 전하께서, 마치 평범한 소년처럼 다가가길 원하시기에."

"네가 뭘 안다고!"

에스델과 나에 대해서. 그러나 관조하듯 지그시 쳐다보는 눈길에 말이 막혔다.

특별한 관계와 감정이었다. 그렇게 믿었었다. 그러나 그 믿음이 옳았나? 아니, 전혀.

완벽하게 틀렸고, 모든 것이 무너졌다. 성녀는 끝을 말했다. 돌이킬 수 없는 끝. 부인하고 싶어도 못이 박힌 듯 선명하다.

"전하께서 생각하지 못하는 점을 알지요. 전하께서 그녀의 특별한 뭔가라고 확신하십니까? 다짜고짜 몇 년 만에 나타나서 고백이라도 한들 그냥 칼리스인도 아니고 왕자인 당신을, 순순히 받아 주실 거라고 생각하셨는지요."

후려쳐 주고 싶은 낯짝이라 생각했다. 아델은 생각과 동시에 빠르게 주먹을 휘둘렀다.

하지만 아지스는 왕속 특무단원다운 가벼운 몸놀림으로 아델의 주먹을 피했다. 막힘 없이 말이 이어졌다.

"성녀니 뭐니 해도 열여섯이면 한창 예민할 시기의 소녀지요. 오랜만에 만난 전하의 갑작스러운 고백. 그리 좋은 반응이 나오지 않을 거라고 예상하는 게 당연하지 않겠습니까."

"성녀는 내가 칼리스인임을 알고도 나를 살리고, 나를 만났었다."

"어렸을 적 이야기지요. 그리고 칼리스의 귀족 소년과 칼리스의 왕자는 다릅니다."

"무엇이."

"모르셔서 묻는 겁니까?"

그 질타와 같은 질문에 아델은 이를 갈았다. 그래, 성녀를 노리는, 저주받은 칼리스의 왕.

아델은 떼려야 뗄 수 없는 왕의 아들이었다. 비록 혈육의 정 같은 건 조금도 느끼지 못한다고 해도.

"그녀는 성녀입니다. 많은 것을 짊어지지요. 전하께서도 칼리스의 권력을 손아귀에 넣으셨듯이, 그녀에게도 권력이 그와 비례하는 의무로 짐 지워졌을 겁니다. 삼 년이란 세월은 충분히 깁니다. 설령 전하와의 과거 일들이 진심이었더라도, 그녀의 마음이 달라졌을 거라고 생각하지 않으십니까?"

"그래서, 나를 끊어 내기로 한 게 진심이니 받아들이기라도 하라는 건가?"

에스델이 한 말들이 뜻하는 바는 간단하다. 자신이 그녀에게 선 버릴 수 있는 존재였던 거다. 불편하고 버거워질 때 끊어 버릴 수 있는, 딱 그 정도였던 거다.

그러면 포기할 건가?

대답은 명확하다.

'아니.'

시작한 이상 포기하는 것은 패배를 시인하는 일이다. 그런 식으로 물러나 본 적이 없는 그다.

그가 성녀를 위해서 했던 일들에 대가를 바라진 않았다. 하지만 그것이 아무 일도 아니게 되기를 바라지도 않았다. 그 모든 것이, 에스델을 가지기 위해 치러야 했던 것들이기에.

"아니요."

아지스가 여전히 여유가 흐르는 얼굴로 빙긋 웃었다.

"전하께서는 칼리스의 고귀한 왕자이십니다. 머지않아 승리자로서 왕위에 오르시겠지요. 전하께서 포기하실 필요는 없습니다. 그래서도 안 되고요. 당신은 그런 것과 어울리지 않습니다."

아델은 고개를 쳐들어 그를 노려봤다.

"마음과 마음이 통한다. 좋은 말입니다. 그녀의 마음을 얻어 함께할 수 있는 길을 모색한다면, 어디 그보다 좋은 일이 있겠습니까. 하지만 마음을 얻을 기회도, 상황도 주어지지 않는 상대라면."

"……."

"그래도 가져야겠다면, 강제로라도 가져야겠지요. 그래야겠다고 생각하신 게 아닙니까?"

아델은 변화에 대해서 생각했다. 그리고 세월에 대해서 생각했다.

그처럼 불변하여 하나의 마음을 진득이 간직하는 자는 극도로 적고, 성녀는 거기에 속하지 않는다는 것을 인정해야 했다.

성녀에게 그가 특별한 존재였다는 것을 의심하지는 않지만, 그것이 지금까지 유효하지도 않다는 것을.

어차피 그의 것과 같지 않은, 미미한 애정에 불과했다. 언제든 사그라질 수 있는, 언제든 뿌리치고 도망가 버릴 수 있는 그런 것.

'저 달을 봐, 달은 매일 모양이 이지러지잖아. 나 역시 마찬가지인 거야.'

이명처럼 그녀의 목소리가 고막을 울렸다. 변덕스러운 달이라. 언제는 가지기 쉬웠는가. 처음부터 그랬던 것을. 평화롭게 가질 수 있다고 생각했던 건 오산이고 착각이었다.

어떤 상황에서도 그녀가 자신을 끊어 내진 못할 거라고, 못내 만남에 응했듯이 제가 내민 손을 잡을 거라고, 그런 확신이 있었다.

오늘로써 무너져 내린 확신.

아드라하트는 좀체 누군가에게 영향을 받지 않았다. 누구도 그에게 생채기를 남길 수 없었다.

왜냐하면, 의미 없는 존재에게 흔들리거나 훼손당하기엔 그의 심지는 일찍부터 얼음처럼 굳어 있었기에.

그러나 얼음은 온기를 이기지 못하기 마련이다. 녹아 버린 표면에 균열이 일었다. 깨어질 만큼 약하지는 않다.

하지만……. 그는 이를 악물었다. 태어나서 단 한 번도 겪어 본 적 없는 종류의 고통이 그를 잠식한다.

'내쳐진다는 게 이런 느낌이었나.'

말로 표현할 수 없는, 수렁에 삼켜지는 듯한 기분. 눈앞이 까만 어둠에 먹혀들어 간다.

절벽 끝까지 기어올라 빛에 거의 다다랐다고 느낀 게, 고작 며칠 전 일인데.

그를 내쳤다고 말할 만한 존재라곤 그를 두고 목숨을 끊은 그의 어미뿐.

그러나 부서질 만큼 약한 여자라고 생각했던 터였다. 그래서 그녀가 버텨 내지 못했을 때, 그는 어린 나이였음에도 상처받지 않았다.

그러나 지금 느끼는 이 감정은. 기대라는 이름의 불은 찬물을 끼얹은 듯이 꺼졌고, 그는 그것이 현실임을 자각해야 했다.

"그녀는 성녀입니다. 쉽게 손에 넣을 수 있다는 생각은 하지 마십시오."

"어때요. 지금이라도 병력을 소집하면, 뒤를 칠 수 있을 겁니다."

"……아니."

아델의 새파란 눈동자가 광채를 발했다. 격정이 가라앉자 얼어붙은 머리로 생각한다. 이대로 끝낼 순 없다는 것을.

복수라는 말은 적절하지 않다. 바로잡는 것뿐. 그의 방식대로.

"저기엔 성국 제일의 성기사가 있다. 그리고 대사제도. 정교하지 못한 포위망으로 죄어든다고 한들 저번과 같은 방식으로 도망쳐 버릴 테지. 좀 더 확실한 기회가 필요해."

"철저하게, 덫을 놓자는 말씀이십니까."

"그래, 응할 수밖에 없는 덫."

"그렇다면……."

아지스가 의미심장한 미소를 보였다.

"다시 '그'를 이용하는 게 좋겠군요. '그'는 우리와 뜻을 함께하겠다고 스스로를 증명했으니 말입니다."

"그래."

내키지 않은 자이지만, 필요하다면 이용하지 못할 것도 없다.

"아, 그리고."

퍽! 이번엔 제대로 맞았다. 얼굴이 홱 돌아간 아지스가 눈을 찡그리며 입가에 흐르는 피를 훔쳤다. 아델은 냉랭하게 내뱉었다.

"이건 네 주제넘음에 대한 벌이다."

"……예, 명심하지요."

아지스는 여전한 미소로 응답했다.

4부

열아홉 살의 성녀님

두 명의 남자

적기가 걸리다

바야흐로 봄이었다. 내가 열아홉 생일 맞아, 어엿한 성녀가 된 성년의 봄.

어엿한 성녀의 기준은 간단하다. 나는 이제 거의 완벽하게, 성력을 다룰 수 있게 되었다. 나는 타고난 성녀. 애초에 내 몸은 성력을 사용하기에 최적화되어 있었지만, 한편으로 인간의 한계도 가지고 있었다.

나이를 먹으면서 인간은 성숙해지고 장기가 자리 잡으며 기운이 안정되어 육체가 완성을 이룬다.

성력이라는 것은 애초에 신의 힘. 그토록 거대한 힘이니 그에 맞게끔 태어났더라도 육체가 완성되기 전에는 운용하는 데 무리가 있을 수밖에 없다.

열아홉이 되어 성년을 맞은 나는, 간단히 말해 육체와 정신이 조화를 이루어 성력을 원활히 다룰 수 있게 되었다.

서서히 맞춰지던 퍼즐이 이제야 완벽하게 맞물린 느낌. 진정한 의미에서 성년을 맞이한 것이다.

아마 이전 세계에서도 이 나이쯤에 성인 취급해 줬지? 신성교국은 열여섯 살이면 성년으로 인정해 준다지만, 성국은 다르다고!

나보다 한참 먼저 성년이 된 히스칼이 생각났다. 이제 히스칼이고 뭐고 신성교국의 법황도 별거 없……지는 않지만! 스스로 바로 선 느낌이랄까.

아델과 이별하고 삼 년 동안, 나는 별반 비탄에 잠겨 있지 않았다.

그러니까 말이다. 나는 어쩔 수 없었던 것이다. 엎질러진 물은 돌이킬 수 없는 거였다……는 물론 난 엎질러진 물도 돌이키는 기적을 보일 수 있지만, 이 경우는 아니었다.

이미 일어난 일에 대해서 자꾸만 생각하고 곱씹어 봤자 나만 우울해진다. 그래, 나는 그 애를 추억으로 간직할 수 있었다.

마지막 순간에 내가 그 애에게 준 상처와 그 싸늘한 눈빛을 반복해서 떠올릴 게 아니라.

그래서 나는 잊기로 했다. 그리고 잊는 것은, 그렇게까지 어렵지 않은 일이었다. 나는 단순했고, 조금 바빠지는 것만으로도 그 애를 떠올릴 겨를이 없게 되어 갔으니까.

점점 성국의 일에 손대고, 알아 가고……. 제례와 의식에서부터 재정에 이르기까지 많은 것들을 익혔다.

성녀에게 요구되는 건 신앙심과 봉사 정신만 있는 줄 알았는데, 현실의 성녀는 만능이어야 했다.

다들 내가 이렇게 열심히 사는 줄 모를 테지! 힘들게 산다고 말하기엔, 좀 어폐가 있지만.

"성녀님!"

나는 상념에서 빠르게 벗어났다. 이러고 있을 때가 아니거든.

나는 거울 속의 나를 들여다봤다. 열여섯 살 때 받은 관과 생화가 아름답게 어우러져 머리 위에 장식되어 있었다.

흰 꽃으로 가득한 화관이라니. 성녀에겐 흰 꽃이라는 건 너무 전형적이잖아?

아래로는 신부처럼 반투명한 베일이 길게 늘어지고, 화관 아래로는 말끔하고 단정한 이마와 모양 좋게 다듬어진 눈썹이 도드라졌다.

조금 더 아래에서, 금빛 눈이 아른거리며 반짝인다. 가만히 들여다보고 있으면 홀릴 듯한 오묘한 눈빛이다.

거울 속의 나는 나에게조차 낯설었다. 감상하듯 빤히 들여다보다가도 어쩐지 흠칫거리게 된다. 뭔가 거울에 착시효과가 붙어 있는 게 아닌가 하고.

정말, 월신의 성녀다운 파르스름한 기가 돌 정도로 흰 피부의 미려한 여인이 거울 앞에 서 있었다.

소녀의 태를 벗어난 몸에 여성적인 굴곡이 보였다. 볼륨이 좀 생겼다고!

달리 운동을 한 것도 아닌데 알아서 근육도 생기고 S라인이 형성되었달까. 관리하기 편한 몸이다.

월신님도 참, 장인 정신이 있으시지. 만들 거면 좀 인간적으로 만들 것이지, 이대로면 허름하게 입히고 길거리에 던져줘도 '성녀님이시죠? 사인 좀.' 하게 생겼다.

나는 어린 시절부터 역변이 일어나지 않고 그대로 자라나기만을 간절히 바랐다. 플러스가 아니더라도 마이너스만 되지 않기를. 하지만 이건 기대를 초과 달성한 느낌인걸.

"성녀님, 이제 슬슬 나가 보셔야 할 시간이에요."

에이레네가 다가와 뒤에서 어깨를 짚었다. 나를 바라보며 특유의 부드러운 미소를 떠올리는 그녀는 내가 태어났을 적과 별반 다를 바 없는 모습이었다.

그것도 나름대로 굉장한데? 여전히 우아한 그녀에게선 내가 한 이십 년이 지나도 가지기 어려울 것 같은 성숙한 분위기가 묻어났다.

그녀는 이렇게 꾸미고 선 나를 보며 흡족한 기분을 느끼는 듯했다. 성년까지 나를 도맡아 길러 낸 게 그녀이니, 감회가 새로울 테지.

에이레네도 대사제가 되어서 애 보기를 할 거라곤 생각 못 했을 텐데, 월신님이 그녀에게 예상치 못한 과제를 떠넘겨 줬다.

그녀는 성적을 매기자면 '수'를 줄 정도로 제 임무를 잘 수행해 냈다.

하지만 나는 자부심을 느낄 만큼 손이 안 가는 아이였다. 이젠 성년이지! 에이레네에게 감사한 마음 반, 이렇게 잘 자라난 나 자신에게 뿌듯한 마음 반이랄까.

나는 마지막으로 거울 앞에서 한 바퀴 슥 돌아봤다. 에이레네의 손길을 의심하는 건 아니지만, 미흡함이 있어선 곤란하다. 정말 특별한 자리니까. 내 성년을 맞이하여 성국 전역에 축제가 열리고 있다고!

열아홉의 탄신일, 그리고 성녀. 성국 역사상 최초이자 마지막이 될지도 모르는 특별한 존재. 신의 은총.

그 때문에 성국에선 장장 일주일이나 이어지는 큰 축제가 열렸다.

몰래 빠져나가서 돌아다니거나 하기 전엔 이전의 내가 다른 사제들과 별로 접점이 많지 않았다면, 이제 본격적으로, 또 공식 석상에 모습을 드러내는 거다.

흐트러짐 없이, 오늘 행사를 잘 치러 냈으면 좋겠다. 좀 긴장되는데. 나는 머릿속에서 의식 절차를 되짚어 봤다.

그러니까 대 예배당에서 먼저 대사제 아스타가 제례를 이끌고, 내가 주도하여 다 같이 기도를 올리고, 성가를 부르는 순서는 이전과 같다.

다만 좀 더 절차가 붙었다. 이후 성배를 들어 성수를 거기 모인 사제들에게 따라 주며 축복을 내리면 되는 거지?

"제가 옆에서 일러 드릴게요."

너무 걱정하지 말라는 듯, 에이레네가 웃었다. 안심이 되는 미소다. 나는 고개를 끄덕였다. 잘 되겠지 뭐!

"가자."

부러 의기양양하게 말하자 에이레네가 앞장섰다. 나는 그녀를 따라 방을 나섰다.

다들 오늘따라 유독 호화찬란하게 입고 있어서 긴장이 더 되었다. 성국 제일의 성기사 카마엘의 모습이, 특히 눈부시게 두드러졌다.

카마엘은 성기사고 의식에 모두 참석하는 것이 그에겐 의무가 아니다. 그 때문에 그는 아주 중요한 예배에나 참석하곤 했었다.

신앙심의 문제라기보단 카마엘은 이렇게 사람이 많고 줄줄이 모여 선 상황을 그리 좋아하지 않는 것 같았다.

그야 그에게 시선이 하도 쏠려서, 예배에 지장이 있을 정도니까.

오늘은 잔뜩 치장한 내가 좀 시선을 흡수하고 있지. 하지만 나 역시도, 일순 그에게 시선이 갔다.

대사제들은 물론 사제들도 대체로 외모가 빼어나고 아름다운 이들이 많다지만……. 카마엘은 특별했다.

얼굴을 가리고, 온몸에 검은 옷을 두른 채 서 있어도 그는 그토록 시선을 잡아끄는 이였다.

오늘은 예장도 하고 있다. 옷을 새로 맞춘 건지, 어깨에 화려한 견장이 달린 순백색의 성기사단 정복을 입었다.

가슴에서 허리까지 은사로 수놓은 우아한 정복에 허리에는 검을 찼고, 새하얀 장갑까지 꼈다.

그의 주변 공기만 다르게 흐르는 듯이 비현실적이고 신비로운 분위기가 풍긴다.

그는 대부분의 경우 눈에 띄려고 시도하지 않았다. 자연스럽게 눈에 띄었을 뿐이다. 그러나 오늘은.

“카마엘 좀 봐.”

하도 반짝반짝해서 무서울 지경이다. 내가 소근대자 에이레네가 가볍게 대꾸했다.

“오늘은 특별한 날이잖아요. 성녀님의 성년식이라고 준비를 좀 하셨나 봐요.”

이따 신전 내에서 의식을 마치고 사람들 앞에 나설 땐 카마엘과 함께이긴 하지. 나는 고개를 끄덕였다. 아이참, 내 카마엘인데 말이야. 남들 앞에 보여 주기 아까운 모습이다.

모두가 자리에 서자, 아스타 대사제가 경건한 태도로 의식을 집전했다. 나는 함께 단상에 올라 그가 축복의 말과 함께, 기나긴 기도문을 읊조리는 것을 지켜보았다.

사실 대사제들이 돌아가면서 해야 하는 일이긴 한데, 엄숙한 얼굴과 긴장감을 유지해야 하기에 모두가 선호하지 않아서 그의 몫이 되어 버렸다.

월신의 가호를 비는 그의 말이 끝나고, 나는 단상 가운데에 바로 섰다. 드넓은 예배당에 가득한 월신의 권속들을 내려다보며 차분히 입을 열었다.

“칠흑 같은 밤에도, 발 앞을 비추는 빛처럼 우리는 달 아래에서 영세토록 충만하리라.”

시작하는 말을 내뱉고, 바로 눈을 감았다. 빨리 끝내야지!

이런 말 하긴 미안하지만, 아스타 대사제의 의식을 지켜보는 것은 교장 선생님의 훈화를 듣는 것만큼이나 지루했다. 그건 신앙심으로 극복될 게 아니었다.

잔뜩 산만해져 있던 기척들이 기도를 시작하자 자연스레 가라앉았다. 매일 하는 일이라 기도에 집중하는 데는 다들 도가 텄다.

나 역시도. 한 점에 집중하는 듯이, 정신이 이내 완벽하게 좁혀 들었다. 가볍고 포근한 빛이 머리 위에 서리는 듯했다.

눈앞이 탁 트이듯이 환해졌다. 아마 오늘은 특별한 날이니, 내리시지 않을까 생각했었다. 그래도 오랜만이다.

내 성력이 강해지면 강해질수록, 내가 성력을 잘 다루게 되면 될수록 월신과의 접촉은 적어졌다.

성력의 절대량은 정해져 있으니, 내가 성장함에 따라서 월신께서는 지상으로의 개입을 점점 더 줄이셔야만 했다. 접신 자체가 성력을 많이 소모하는 일이니.

"에스델 세라피아, 월신을 뵙습니다."

가슴에 손을 대고 고개를 깊이 숙여 보이자, 나지막한 음성이 들려왔다.

[드디어 네가 성년을 맞았구나.]

전생의 나는, 이 나이까지 이르지 못하고 죽었다. 그러니 이건 내가 살아 본 적 없는 나이의 삶이었다. 그것은 내게도 새로웠다.

아직 잊히지 않은 상흔들이 흐릿하게 되살아났다가 삭여졌다.

"다사다난했죠."

그리고 아직은 진행 중인 일들도 있었다. 성년을 맞은 나는 수 없는 거친 바람 속에서도 거목처럼 우뚝 서서 성국을 지탱해야만 하겠지. 성녀로서. 그게 내게 주어진 삶이었다.

열아홉이 된 지금도, 히스칼이 그랬던 것처럼 반항심이 날 점령하진 않았다. 나는 만족하고 있으니까. 다만—

[너는 잘 견뎌 냈지. 나는 네가 자랑스럽단다, 에스텔 세라피아. 내 하나뿐인 성녀.]

권속과 성녀는 다르다. 섬기는 신에게서 자랑스럽단 말을 들은 이가 얼마나 되겠어? 당연히 기뻤다. 하지만 기쁜 와중에도, 마음 한구석에 묵직해지는 게 있었다.

월신께서는 내가 무엇을 잃었는지 안다. 그리고 아마도 내가 어떻게 느끼고 힘들어했을지도 알 것이다. 나를 믿어 주시고 지지해 주시는 분이다.

하지만 그런 분이라도, 내가 아델과 연을 이어 갔다면 좋아하실 것 같진 않았다.

잊고, 행복해져라. 잘 견뎌 냈다. 그 독려가 내게 결국은 잘했다는 말로 들려오는 것 같았다.

하지만 그 '잘했다'에 공감할 수 없는 내가 있었다. 나는 잘 하지 않았다. 어쩔 수 없었던 것뿐이다.

묘하게 비틀리는 이 감정은 뭘까. 성년을 맞은 날, 신성한 기도 와중에, 성녀로서 이런 기분을 느끼다니. 불경하고 글러 먹었다.

하지만 오늘은 생일이니 내게 조금의 심술은 허용되겠지. 장난기가 솟은 나는 수그린 고개를 들어 환하게 웃었다.

"저 정말 잘 컸지요? 이제 성년도 맞았겠다 시집만 가면 되지 않겠어요? 상대는 누가 좋을까요? 생각해 두신 상대는 있으시겠죠?"

나는 질문을 쏟아 냈다. 이 미모로 후손을 생산하지 않는다면 그것도 나름 안타까운 일 아니야? 장난스레 꺼냈지만 어쩐지 고개가 끄덕거려지는걸.

신랑감 점지를 요구받은 월신께선 잠시 말이 없었다.

[시집이라고……?]

"성녀인 제가 아무 하고나 결혼할 순 없잖아요. 저를 낳으실 때 제 짝을 예비해 두셨을 거라고 믿어요."

믿어 의심치 않는다는 투로 난 초롱초롱하게 눈을 빛냈다. 월신께서 삼신할미도 아니고 웬 짝을 다 예비해 두겠냐 할 수도 있겠지만, 그건 내가 알 바 아니다.

월신께서 느릿하게, 탐탁지 않은 투로 말했다.

[에스델, 꼭 결혼을 해야겠니?]

"제 나이가, 어디 보자……. 전생까지 합하면 서른일곱이라고요! 서른일곱! 전생에서 그대로 살았으면 이미 학부모일 거라고요!"

37년 동안 제대로 된 연애를 하긴커녕 나 좋다는 남자애도 억지로 걷어차고 살았다. 이건 너무 슬픈데.

[정신연령은 몸에 맞추어 성장한 듯한데. 어디 보자.]

나로선 빛으로 화한 월신의 얼굴을 볼 순 없었지만, '미간을 찌푸리고 있다'는 문장을 읽어 낼 수 있는 듯했다.

[대사제들 중 한 명은 어떻겠니.]

"……대사제들은 저를 여자로 본대요?"

정말 앵앵대는 갓난아기 때부터 날 보아 온 대사제들이다.

그걸 떠나서도 뭐랄까, 신앙심 깊은 월신의 권속들에겐 애초에 내가 여자로 보이지가 않는다는 게 문제다. 사람의 허울을 쓴 어떤 신성한 존재로 보이지 않을까.

날 사모하는 눈빛은 슬프게도, 단 한 번도 받아 본 적이 없다고. 게다가 그들은 가족이잖아. 나부터가 전혀, 그렇게 안 되겠는데.

[카마엘은 어때. 너는 그를 좋아하잖니.]

난 미리 준비해 두었던 반박을 꺼냈다.

"무슨 소리세요. 카마엘은 성국의 보배라고요. 제가 독차지하는 건 안 될 일이죠."

사실상 성국의 아이돌이지, 암암. 내가 성녀라지만 결혼 발표 같은 걸 했다간 엄청난 눈총이 쏟아질지도 모른다. 외압으로 카마엘을 차지했다고!

아닌가? 여긴 성국이잖아. 성녀 정도라면 그래도 양도할 수 있다고 생각할지도 모르겠어.

[글쎄, 다른 대사제들이야 난색을 보인다 쳐도, 카마엘은 싫

어할 것 같지 않은데. 신탁을 내려 주랴?]

그야 카마엘이라면, 별생각이 없을 만도 하지. 근데 그걸 신탁으로 이끌어 내는 건 좀 아닌 듯하다.

아니, 너무 멀리 왔잖아! 내 목적은 주선 받아 결혼하는 게 아니라고. 난 퉁명스럽게 대꾸했다.

"아뇨! 그런 거 하지 마세요. 카마엘은 어차피 저랑 결혼하든 말든 상관없을 거고, 시킨대도 거절하지 않을 테니까요. 그리고 문제가, 그와 저는 종족이 다르다고요."

이종교배란 단어가 떠오르는데. 물론, 사자와 호랑이도 사랑에 빠질 수 있고 서로 교미하여 자식을 낳을 수도 있지. 하지만 내겐 익숙하지 않은 관념이었다.

[성자가 등장하지 않는 한, 성녀인 너는 지상에서 유일한 존재란다. 종족에 구애받지 않고 요정이든 인간이든 배우자로 선택할 수 있지.]

웃음기를 띤 음성에, 나를 곤란하게 하려는 의도가 충만하단 걸 깨달은 난 눈썹을 치켜들었다.

"글쎄, 카마엘은 저를 이성으로 보지도 않잖아요. 저는 적어도 저를 여자로 보는 상대였으면 하거든요. 아무튼 됐어요. 빨리 끝내 주세요! 다들 몸을 꼬고 있을 거라고요."

다들 기도시간을 고문처럼 인식하기 시작하기 전에 끝내주고 싶거든. 나만 그런가? 하긴 내가 신전에서 가장 신앙심이 얕은 거 같긴 해.

불손한 대꾸를 한 직후에 이마에서 따콩 소리가 났다. 아야!

인상을 찌푸리며 올려다보자 가라앉은 음성이 들려왔다.

[나는 네게 예언을 하려 한단다.]

지잉― 울리듯이, 피부에 퍼져 나가는 감각이 있었다. 성녀인 내게, 분명히 유효할 월신의 예언. 마음이 무거워진다. 나는 귀를 기울였다.

[곧 네게 어떤 일이 닥칠 거란다. 아마도 해결하기 쉽지 않은 고난 같은 일. 너는 대해에서 태풍을 만난 듯 막막하고 무력한 상황에 빠지게 될 테지. 너는 그 상황을 너 스스로 빠져나와야 할 거란다.]

"도와주실 수 없단 건가요?"

[기나긴 세월, 나는 고민하고 고민했다. 하지만 결국 답을 찾지 못했다. 그 답은 내가 찾을 수 있는 선상에 있지 않았거든. 그래서 난 네게 걸었단다. 답을 찾는 건 오롯이 네 몫이니.]

난 눈을 동그랗게 떴다. 성년이 된다는 건, 더 이상 의존하여 살아가는 아이가 아니게 된다는 것.

내게는 나만의 의무가 주어진다. 지금 예정되었던 의무가 내게로 하달되고 있었다.

[나는 이제 잠자코 지켜보려고 한단다. 더 이상 모습을 드러내지 않을 테지. 네게 너무도 무거운 짐을 짊어지게 해서 미안하구나. 그러나 에스델, 너는 내가 선택한 성녀란다. 그리고 이제껏 잘해 왔지. 네가 최선으로 향해 가고 있단 걸 난 의심하지 않는단다. 네 판단과 의지를 믿고 따르기를.]

"월신님……."

덜컥 겁이 났다. 이어 이별의 말이 떨어져 내렸다.

[나는 이 자리에 있을 거란다. 그러니 거센 파도가 밀려와도 너 자신을 잃지 말렴. 언젠가 다시 만나게 될 거야.]

언젠가. 그토록 기약 없는 말이 또 있을까? 길 잃은 아이가 된 것처럼 눈물이 났다. 따스한 손길이 이마를, 뺨을 쓸었다. 그리고 환영처럼 사라져 가는 온기.

[잘 지내거라.]

눈을 깜빡였을 때, 나는 단상 위에 홀로 서 있었다.

*

"성년의 날 접신이라니. 월신께서 친히 축복을 내려주셨군요!"

접신의 징후는 명확하기에, 모두가 찬탄의 눈으로 날 바라보고 있었다. 단상에서 내려서자 에이레네가 나를 잡으며 말했다.

기뻐하는 얼굴이 그리 와닿아 오지 않았음에도, 나는 태연하게 미소 지었다.

"응, 그랬지."

별로 생일날 듣기 반가운 소리는 아니었다. 내게 어떤 일이 닥칠 거고, 그 일은 고난스러울 거고 월신께서는 날 도와주시지 않을 거고……. 뭐 그런 무겁고 밥 먹다 얹힐 듯한 이야기.

생일날 예언으로 던져지는 미션이라니. 나, 잘 해낼 수 있겠지?

하지만 오늘은 축제였다. 축제는 있는 그대로 즐겨야지. 근심 걱정일랑 잊어버리고!

미소 지은 대로 기분이 따라가는지, 활기가 차올랐다. 복잡한 속내를 드러낼 수 있는 상황도 아니었다. 아직 의식은 끝나지 않았고 다음 차례가 남아 있었으니.

곧 경건한 성가가 울려 퍼졌다. 기운차게 노래를 하고 나니, 한결 마음이 가뿐해졌다. 마지막으로 성배에 성수를 받아서 친히 사제들에게 따라 주는 시간이었다.

대사제건 성기사건 일반 사제건, 보통 성년을 맞았을 땐 축복을 받으며 성수를 받아마시는데 나는 성녀다 보니 내가 성수를 따라 주어야 했다.

난 성배를 손에 들고, 돌조각의 주둥이를 타고 졸졸 흘러내리는 성수를 받았다.

묵직하구나. 성수는 말 그대로 물이다. 신전 중앙에서 나는 성력이 깃든 물.

엄청난 효능을 가진 건 아니고, 그냥 머리가 좀 맑아지고 피로가 풀리며 원기를 돋운달까. 약한 감기 기운 정도는 물리칠 수 있지만, 중병을 낫게 하는 작용까진 없었다.

이를테면, 성수를 마신다고 마법 저주를 푼다거나 하진 못한다는 거지.

성수는 월신의 권속들에게 효능이 더 강해졌다. 모두가 좋자고 마시는 보약이니, 나쁠 건 없지 뭐.

당연한 이야기지만, 이런 것도 순서가 정해져 있었다. 나는 가장 앞에 선 대사제들 한 명 한 명에게 성배를 기울여 잔을 따라 주었다. 축복 같은 덕담을 건네는 것은 필수다.

예를 들어서 아스타 대사제에겐 마음을 좀 느긋하게 먹고 살라던가, 지브리안에게 멀미에서 해방되었으면 좋겠다던가, 아리안느에게 성질을 죽이라던가.

마침내 난 카마엘에게 다다랐다. 그가 인간이 아님을 부각하는 제비꽃색 눈동자는 여전히 테가 선명하고 아름다웠다.

날 쳐다보는 시선은 언제나 그렇듯이 차분하다. 남색 비단 끈으로 동여맨 은빛 머리카락이 가지런하고, 드물게 차려입은 예복엔 흐트러짐이라곤 조금도 느껴지지 않는다.

거의 종일 공무에 시간을 쓰는 카마엘은 옷을 그리 반듯이 다려 입는 편이 아니다. 그가 오늘 복장에 상당히 신경을 썼다는 건 바로 보였다.

"카마엘은……."

말을 꺼내다가 난 머뭇거렸다. 빤히 내 쪽을 보는 카마엘이 이상하리만치 의식이 되었다. 월신님과 하필 그런 이야기를 나눠서 그런가.

어린 시절의 나야 커서 카마엘과 결혼하겠다느니, 그가 내 약혼자라느니 별소릴 다 떠들고 다녔지만, 정작 열여섯 살 이후로 카마엘의 집을 따로 찾아간 적은 드물었다.

카마엘이 싫어졌던 게 아니다. 그냥 내가 성녀다워져야겠단 강박에 좀 시달렸던 듯하다.

내 기준의 성녀다움에는 남몰래 성기사의 집을 찾아드는 행위란 명백히 바람직하지 못한 거였다.

"좀 더 삶을 즐길 수 있게 되길."

결국 고심 끝에 꺼낸 덕담이란 그런 것뿐이었다. 요정인 그가 즐길 만한 게 무얼진 모르겠는데, 모든 요정이 그처럼 살지는 않을 터였다.

나는 그가 내민 자그마한 은잔에 성배를 기울였다. 쪼르르 소리를 내며 잔이 거의 채워졌다.

이것도 의식의 일환이라서 기준이 있다. 넘쳐서도 안 되고 모자라서도 안 된다. 한 80퍼센트 정도 잔을 채우도록 완벽하게 따라야 한다. 연습 좀 했지!

카마엘이 잔을 들어 올려 입가에 가져갔다. 분홍빛을 띤 입술 사이로 성수가 흘러들었다. 목울대가 울리고, 완전히 잔을 비워 낸 카마엘이 나를 직시했다. 그리고 말했다.

"성년을 축하드립니다."

웃음기 없는 얼굴이지만, 묘하게 제비꽃빛 눈동자에 이채가 감도는 듯했다. 왠지, 가슴이 철렁 내려앉는 것 같았다.

"응, 고마워."

나는 빠르게 대답하곤 다음 순서로 넘어가는 걸 택했다.

얼굴이 달아오르진 않았겠지? 왜 새삼 카마엘을 의식하는 거야. 그동안 드물게 봤더니 그와 거리감이 생겨서 그런가?

고민에 잠긴 채, 나는 짧은 축언과 함께 기계적으로 사제들의 잔에 성수를 따라 주었다. 물론 그 와중에도 난 몇 번이나 성배를 다시 채워야만 했다.

수백에 달하는 사제 중 거의 대부분에게 성수를 따라 주었을 때였다. 다음 차례는, 어디 보자. 그 나이에 비해 성력이 강한 소녀였다. 기껏해서 열두세 살쯤?

반듯하게 예복을 차려입은 소녀가 날 반짝반짝한 눈으로 쳐다보고 있었다. 그래, 선망의 눈초리다. 내가 다가서자마자, 그 애가 덜컥 입을 열었다.

"그, 저 성녀님! 먼발치에서만 뵈었는데, 무한한 영광이어요. 성년을 맞이하신 걸 축하드려요!"

성녀인 내 앞에서 대사제쯤 되지 않고서야 먼저 입 여는 건 무례한 일이다. 옆에 선 사제의 얼굴이 파래졌다. 이 아이를 관리하는 보육 사제인가 보다.

아리안느한테 단단히 깨지겠는걸? 난 대수롭지 않게 대꾸했다.

"고맙구나."

"카마엘 님과 나란히 서셨을 때, 정말 잘 어울리셨어요!"

신이 난 듯 말하는데, 일순 말문이 막혔다. 응, 뭐라고?

"엘리나!"

옆에서 선 사제가 재빨리 아이의 어깨를 붙들었다. 엘리나는 이미 제 말에 빠져든 것 같았다.

"다들 언제쯤 결혼식을 올리실지 궁금해하는걸요! 이미 소문이 파다—"

우읍! 일그러진 얼굴로 엘리나의 입을 틀어막은 모 사제가 연신 무례를 사죄하는 동안, 나는 약간 혼이 빠져 있었다.

정말이지 뭐라 말할 수 없는 황망함이 밀려들었다. 웬 결혼식, 무슨 소문이 파다하다고? 나는 그런 얘기 들은 적 없는데.

슬쩍 주변을 돌아보니 대사제들이 시선을 피한다. 다들 알고 있었단 말이야? 왠지 소름이 이는데.

침착하게 되짚어 보자면 나는 카마엘과 꽤 친하게 지냈었다. 하지만 다른 남성들, 즉 대사제들과는 그런 적이 없다.

이카루스네 가게에 찾아간 건, 어디까지나 손님으로서니까 말이지. 그러니 그런 소문이 돌만도 한가……가 아니라! 나는 요새 카마엘을 찾은 적이 없다고.

내 미묘한 표정 변화를 눈치챘었는지 사제가 엘리나의 머리를 잡아 강제로 숙였다.

"송구합니다, 성녀님. 외부에서 들어온 지 얼마 안 돼 뭘 모르는 아이입니다. 하도 의식에 참여하고 싶다고 떼를 쓰기에……."

사제 한 명이 난감한 얼굴로 아이의 어깨를 잡았다. 난 나를 그리 어려워하지 않는 그 애의 태도에서 한 가지 사실을 알아냈다.

"너는, 성국 출신이 아니구나. 성력이 뛰어나 성국으로 데려오게 된 건가."

가끔 해외에 있는 월신의 신도 중에 탁월한 성력을 가지고 있어서 성국으로 데려오는 경우도 있다고 들었다. 아마 그런 케이스일 테지. 당황한듯한 엘리나가 눈을 굴렸다.

"제, 제가 뭔가 잘못했나요?"

"아니, 아무것도. 네 앞에 달빛의 가호가 있기를."

나는 이 헤프닝을 가벼이 넘기기로 했다. 비록 내가 당황스러울 만치 놀랐고, 대사제들과 따로 이야기를 나누어 봐야겠다는 생각을 하고 있더라도. 지금 여기서 문제 삼을 건 아니었다.

지난 세월 동안, 확실히 내게도 침착함이 자리 잡았다.

나는 서두르지 않는 태도로 의식을 끝낸 뒤, 좀 만만한 대사제 지브리안과 아리안느, 에이레네를 호출했다.

하지만 이게 무슨 소문이냐고 추궁하듯 묻는 내게, 들려온 것은…….

"성녀님이 내신 소문 아니었어요?"

라는 되물음이었다. 아리안느는 그다지 긍정적인 성격이 아니었지만, 그렇다고 없는 얘길 지어내서 들이미는 복잡한 성격도 아니었다. 그러니 그녀는 정말로, 그렇게 생각하고 있었단 거다.

뒷골이 당겼다.

"내가 왜 그런 소문을 내! 내가 미쳤어?"

결국 그간의 마음 수양은 어디로 갔는지 격하게 소리를 지르고야 말았다.

헉헉, 흥분을 가라앉히자, 에스텔. 이게 도대체 어떻게 된 상황인지부터 알아야겠어.

"하지만 성녀님은 카마엘 님을 좋아하시잖아요?"

옆에서 에이레네가 조심스레 묻는다. 그 태도에서 나는 극심한 배신감을 느꼈다.

설마, 에이레네도 내가 카마엘을 독차지하기 위해 그런 소문을 냈다고 생각하고 입 다물고 있었던 거야? 내가 그런 성녀로 보였어?

물론, 그렇게 보였을지도 모른다. 그 부분에는 상당히 자신이 없었다. 하지만 그게 사실이 아닌 이상 따져 묻는 건 내 권리다. 나는 최대한 냉정하게 답했다.

"그래, 나는 카마엘을 좋아하지. 여기 있는 지브리안도, 이카루스도."

"저와 카마엘 님이 동급입니까?"

지브리안이 흥미로운 듯이 물어 오니 왠지 말문이 막혔다. 난 헛기침을 하고 다시금 말을 이었다.

"아무튼 난 카마엘과 결혼을 하겠다느니 그런 소리를 한 적이…… 없는 건 아니지만, 어릴 때였다고! 진심이 아니었어. 내가 그런 소문을 내고 다닐 리가 없잖아! 게다가 대체 내가 누구를 통해서 그런 소문을 냈다는 거야?"

"카마엘 님을 자주 찾으셨잖습니까. 가끔 '내 카마엘'이라고 부르기도 했고요. 거리에 출몰하셨을 때 오해가 될 만한 언질을 해 두셨나 했지요."

"그건 사실이지만, 나는 성녀잖아. 성기사인 카마엘을 '내 카마엘'로 부르는 것쯤 어디가 어때서!"

"요는 독점욕이나, 특별한 감정을 드러내는 호칭으로 들렸단 겁니다. 그리고 다들 그렇게 생각했고요."

"결혼식은 어떻게 해야 할까 고민하고 있었는데, 정말 아니세요?"

"아니야!"

와, 정말 기가 막히다 못해 울화가 치솟는다. 근데 내가 오해의 여지를 주고 있었단 걸 알게 되었기에 말문이 막혔다.

변명을 해야 하나. 나도 모르는 곳에서 그런 게 기정사실화되다니? 카마엘이 들었으면 뭐라고 생각했겠어?

아니, 카마엘은 아무 생각 없었으려나. 그건 그 나름대로 복잡한 기분이었다.

"저희는 올해는 이르니 내년이나 내후년쯤에 식을 치르자고 생각하고 있었는데요."

"생각도 하지 말고 준비도 하지 마!"

하도 소리를 버럭 질렀더니, 목이 다 아프다. 교양 있는 성녀는 성인이 된 시작점부터 이미 훨훨 날아갔다. 갑자기 의문이 치솟았다.

"아니, 근데 왜 아무도 반대하지 않는 거야?"

카마엘은 누구나가 선망하는 성국 제일의 성기사다. 하지만 그는 요정이고, 특별히 내게 애정을 품고 있지 않다. 사실 그가 누군가에게 애착을 느낄 수 있는지도 모르겠다.

나와 카마엘이 척 보기엔 어울릴지 몰라도, 아무런 태클 없이 붙여 주기엔 어긋남 없이 들어맞는 커플도 아니었다. 연애도 아니고 결혼을 지지받다니, 세상에!

"반대할 이유가 있겠어요? 일단 카마엘 님은 월신의 신도시지요. 훌륭한 성기사시기도 하고요. 신앙도 품행도 용모도 빠짐없는 분."

아리안느가 기다렸단 듯이 줄줄 읊었다.

"성녀님께서 월신의 신도가 아닌 자와 맺어지려는 것도 아닌데 왜 반대를 할까요? 그게 카마엘 님이면 저희로서는 다행일 뿐만 아니라 최상이지 않겠어요?"

그래서 빨리 둘이 붙여 버리려고? 난 이맛살을 찌푸렸다. 그녀는 알지 못할 테지만, 그녀가 말한 전제가 내게 돌부리처럼 걸렸다.

월신의 신도가 아닌 자. 성녀인 이상, 내가 굳이 누군가와 결혼하길 원한다면 월신의 신도와 맺어져야 한단 거.

……아무튼, 난 아직 열아홉 살이란 말이야! 이쪽 세계에서 결혼을 일찍 하느니 뭐니 해도 아직 관심 없다고.

"설마 오늘 카마엘이 그렇게 차려입고 온 건……."

내 유력한 남편감이니 성년식에서 부각되도록 복장을 신경 써 준 거야? 그래? 쭉 둘러 표정을 보니 대답을 듣지 않아도 알 것 같았다. 아찔하다.

"제가 좀 신경 썼지요. 그야 저는 성녀님의 뜻이 확고하다고 생각해서……."

"이미 소문도 난 김에 진지하게 생각해 보세요."

"저도 어린 시절부터 성녀님이 카마엘 님을 유독 좋아하시기에, 그렇게 될 거라고 생각해 왔답니다."

지브리안과 아리안느에 이어서 에이레네까지 이구동성으로 입을 맞춰 온다. 그래, 그렇게 생각할 수는 있지. 근데 문제가 하나 있는데.

"카마엘의 의사는 어디로 간 거야?"

"카마엘 님도 동의하실 겁니다."

그 말은 정답이었다. 하지만 정답은 아니기도 했다. 난 허리에 손을 짚었다. 분명히 짚어 둬야겠는데.

"카마엘의 동의는 수동적인 동의지. 그는 내가 성국을 위해서 대사제들 중 아무나하고 결혼해야 한다고 하면 아스타 대사제와 결혼해야 한대도 동의할걸!"

"그건…… 그렇지요."

오묘한 얼굴로 지브리안이 고개를 끄덕였다. 아스타 대사제와 카마엘이라니 정말 말도 안 되는…… 아니, 좀 어울리는 거 같기도?

사실 카마엘은 누구 옆에 세워 놔도 그림이 된다. 성별이 모호하게 아름다운 이라.

근데 지금 그런 게 중요한 게 아니잖아! 애써 망상을 뿌리쳐낸 난 똑 부러지게 말했다.

"나는 그런 식으로 나와의 결혼을 받아들이는 남자는 필요 없어!"

성녀님이 당신을 좋아한대요, 결혼하시겠어요? 예. 너무도 깔끔하게 결론이 나오는 그 광경은 그려 내는 것만으로도 숨이 막혔다.

낭만이 부족해! 게다가 애초에 전제가 잘못되었어.

"나는 카마엘과 결혼을 현재 시점에서 전혀, 조금도, 씨앗 한 톨만큼도 바라지 않아. 알겠지? 이제 난 쉴 테니까 나가 줘."

헛소문을 수습하라고 난 도끼눈을 떠 보였다. 성녀가 열애설에 휩싸였으면 불경하다고 소문 유포자를 색출해서 일벌백계해야지 그걸 또 좋다고 호응하고 있으니, 참 잘도 돌아가는 성국이다.

"……예, 알겠습니다."

"저희가 잘 수습해 볼게요."

에이레네가 왠지 모를 아쉬움이 서린 얼굴로 날 쳐다보다가, 다른 대사제들의 뒤를 따라 방을 나섰다. 약간 휴식을 취하고 이제 거리로 나아가게 될 터였다.

내게 주어진 시간은, 고작 삼십 분 남짓에 지나지 않았다.

머리부터 발끝까지 완벽하게 짜인 예복과 베일을 벗어 내고 화관은 그대로 쓴 채로, 조금 더 비격식적인 예복과 편안한 신발로 갈아입은 난 몇몇 대사제와 성기사들과 함께 나설 예정이었다.

축제의 기운으로 가득한 성국의 대로로.

그 전에 우리는 열을 맞추어 서고 있었다.

성국은 작은 나라다. 대로를 따라 도보로 한 바퀴 둘러보며 행진하고 신전으로 돌아가는 데 아주 저질 체력이라면 모를까 큰 무리는 없었다.

당연한 이야기겠지만, 내 곁을 지키는 것은 카마엘이었다. 내 곁에 나란히 선 그를 보니, 아까보다 더 의식이 되었다. 긴장이 된다고 해야 할까.

아까까지만 해도 그런 이야기를 떠들었는데, 사람들이 죄다

지켜보는 와중에 카마엘과 함께 길을 걸어야 한다니!

성국의 아이돌 카마엘을 차지했다고 성녀인 내게 돌이 날아오는 건 아니겠지만, 부담스러웠다.

내가 언제부터 그런 걸 신경 썼나 싶긴 했는데, 새삼 신경 쓰이는걸! 일단 이 긴장감을 풀기 위해 말이라도 걸어 보자.

"카마엘, 그 예복 잘 어울려."

"감사합니다. 성녀님도, 오늘 아름다우십니다."

정말 담백한 찬사였다. 그런데 그 음성, 나를 향해 꽂힌 보랏빛 눈동자에 왠지 모르게 심장이 술렁이듯 파도쳤다. 난 가까스로 미소를 지었다.

"고마워."

설마 신성한 행렬에 대고, 아까 그 엘리나처럼 나랑 카마엘을 엮어서 뭐라고 말하는 건 아니겠지? 이런 걸 나만 모르고 있었다니!

카마엘은 알고 있었을까. 알았어도 별로 신경 안 썼겠지만. 왠지 오해를 초래한 내가 좀 미안해진다.

구설을 피하려고 성국 외곽에 거주하는 그 아닌가. 다른 이들의 애정 공세를 피하는 데는 성공했는데, 거부할 수 없이 나랑 엮여 버렸다.

"저어, 카마엘 소문 같은 건 신경 쓰지 마. 내가 알아서 할게."

"신경 쓰지 않습니다."

그도 내가 무슨 이야기를 하는지는, 알아들은 것 같았다. 다만 재깍 대답하는 게 어떤 의미인지 헷갈리는 건 있었다.

소문이 사실이 되더라도 신경 쓰지 않겠다는 건지, 소문 자체에 신경 쓰지 않는다는 건지……

카마엘의 포커페이스는 내게 항상 수수께끼를 가져다주곤 한다. 미묘하다. 예전엔 꽤 잘 맞추었던 것 같은데, 감이 떨어지는 건가?

한숨을 푹 내쉰 나는 활짝 웃으며 카마엘에게 손을 내밀었다.

"오늘, 잘 부탁해."

남들이 어떻게 보든 무슨 상관이야, 오랜만에 카마엘 호위다! 가만히 나를 들여다본 카마엘이 내 손을 받들었다.

"예, 저 역시도 잘 부탁드립니다."

곧 행렬이 출발했다.

*

거리는 북적북적하고 소란했다. 알록달록한 간판 장식이며 지붕 장식, 그리고 드물다시피 했던 일일 노점상도 눈에 띄었다. 이전의 성국에서는 찾아보기 어려운 광경이었다.

이유는 단순하다. 아무리 사람들이 축제를 좋아한다고 해도, 여긴 엄연한 성지거든.

월신의 안전에서 시끌벅적하게 즐길 수는 없잖아. 물론, 월신께서는 별 신경 안 쓴다고 하셨지만. 어떻게 아느냐고? 직접 여쭤봤지.

뭐, 오즈벨에 갔다 온 소득이기도 했다. 후에 돌아와 아쉬움을 보이는 아리안느에게 난 성국에서도 그런 축제를 열어 보면 어떻겠냐고 제안했다. 그렇게 이루어진 일이었다.

오즈벨의 축제가 내게 최악의 기억으로만 남은 건 아니니까. 끝이 안 좋았을 뿐이지, 색다르고 즐거웠는걸.

성국이 축제를 즐길 상황인지는 모르겠지만, 그간 칼리스는 퍽 잠잠했다. 게다가 칼리스가 성국을 침략한 그해를 제외하곤 매년 축제는 열렸었다.

그런고로 새로운 축제 기획은 회의에 오르게 되었고, 결국 나의 적극적인 지지하에 승인되었다.

전생의 기억을 더듬어 여러 가지 상품-솜사탕, 동물 머리띠, 뽑기 등등-이나 시스템도 도입했지. 그 덕분에 방문자들이 족족 돈을 써서 성국의 관광 수익도 매년 오르고 있다.

이런 면에서 난 제법 유능한 상재였다. 전생의 지식을 가지고 활용하기엔 성녀란 자리가 퍽 어울리지 않는다고 생각했는데, 그건 내 편견이었던 듯싶다.

사실 내가 말하는 모든 건 허투루 다뤄지지 않거든. 그래서 변화를 추구하는 일이 퍽 순조로웠다. 이게 종교 국가의 이점이지.

성녀님이 말씀하시면 따른다. 이게 뇌리에 콱 박혀 있어서, 누군가가 반대를 내세우더라도 내가 밀어붙이면 그대로 통과다. 내가 독재자가 될 만한 성격이 아닌 게 다행인 것 같아.

어쨌든 그 북적한 거리도, 우리 일행이 대로에 이르자 급속도로 차분함을 되찾았다. 이 시간쯤 행렬이 예정되어 있단 건 고

지되어 있었을 터였다.

양옆으로 쳐진 줄을 따라 질서 있게 비켜선 사람들이 울려 퍼지는 성가에 맞추어 목소리를 높였다.

축제는 한 호흡으로 즐기는 것이 중요하다. 이런 분위기에선 성가도 좀 더 밝고 덜 무거워야만 하지. 대사제들이 알아서 분위기를 고조시킬 만한 것을 잘 골랐다.

나는 카마엘 옆에 서서 미소를 띤 채 걸음을 내디뎠다.

망아지처럼 거리에 출몰한 나는 보았어도, 이처럼 잔뜩 꾸며입고 나타난 날 보는 건 그들에게 처음일 거다.

수많은 시선 세례가 쏟아졌다. 그건 내게 꽤 익숙해진 것이었다. 어린 사제들이 양옆을 지나다니며 신전에서 기른 흰 꽃잎을 흩뿌렸다.

잠시 성가가 멎었을 때, 모두가 목청껏 내게 '성년을 맞이하신 걸 축하드립니다, 성녀님!'하고 외쳤다.

이렇게 많은 사람들에게 받는 축하란, 말로 표현할 수 없이 벅찬 기분이었다. 잠시 행렬이 멈춰 선 사이, 하나둘씩 선 밖으로 손을 내밀어 자청하여 선물을 바쳤다.

사제들이 돌아다니며 부지런히 선물을 수거했다. 그때, 사람들 틈바구니에서 한 아이가 목청껏 나를 불렀다.

"성녀님, 성녀님—!"

내게 가까운 자리였다. 그뿐만 아니라, 어찌나 목청이 좋은지 소란한 와중에도 그 목소리가 고막을 파고드는 듯했다.

땡글땡글한 눈을 가진 소녀가 사람들 뒤쪽에서 폴짝폴짝 뛰었다.

다들 선물을 바친다, 날 가까이서 본다, 경쟁하듯 줄에 붙어서서 몸을 들이밀고 있었기에 좀체 이쪽으로 오지 못하는 눈치였다. 소녀의 손에 덜렁거리며 들린 물건이 보였다.

"아빠가 외국에서 사 오신 거예요. 제 선물을 받아 주세요!"

그 물건이 뭔지 인지한 순간, 나는 눈을 흡떴다. 익숙한 형태의 거울이었다. 순식간에 피어오른 기억이 뇌리를 잠식했다.

—자정에 이곳에서.

급히 지워야만 했던, 거울 속 글씨가 기억 속 어딘가에서 피어오르다가 선명해졌다. 나는 나도 모르게 입을 열었다.

"카마엘, 저 애한테서 선물을 받아와 주겠어?"

그리고 아무렇지 않은 듯이 웃었다.

"저렇게 애쓰고 있는데, 받아 줘야 할 것 같아서."

"예."

바로 답한 카마엘이 행동에 나섰다. 그가 특유의 위압감을 내보이며 가까이 다가서자 열의 사람들은 위축이 되는지 뒷걸음질 쳤다. 그 틈으로 쏙 튀어나온 여자아이가 내게 거울을 내밀었다.

"제 선물이요!"

카마엘에게 개의치 않는 그 담대함은 확실히 좀 수상쩍은 데가 있었다.

카마엘은 바로 거울을 받아들여 내려다보았다. 위험한 물건은 아닌지 잠시 기운을 느껴 보려는 듯했다.

그가 거울을 열어 볼까 봐 두려워진 나는 그를 불렀다.

"카마엘."

그가 다시 내 옆에 서며, 거울을 건네주었다. 나는 이상하게 보이지 않으려고, 최대한 자연스럽게 그걸 주머니에 밀어 넣었다.

미칠 듯이 궁금했다. 이해가 가지 않을 만큼 가슴이 뛰었다. 하지만 거울을 열어 보는 건, 신전으로 돌아가 내가 홀로 있게 되는 그때일 거다.

그때까지 나는 신경을 빼앗기지 않고, 오늘의 행사를 잘 치러내야만 했다.

행렬은 다시 시작되었고, 조금 전과 같은 일은 다시 일어나지 않았다. 신전으로 돌아오고 나서도 내게 좀처럼 자유가 주어지지 않았던 건 당연하다.

저녁 만찬을 마치고 나서야 나는 방으로 돌아와 거추장스러운 옷을 벗고 화장을 지워 낼 수 있었다.

내가 좀 쉬고 싶다고 말하자 에이레네가 웃으며, '고단하시겠어요. 어서 쉬세요.'라고 말했다. 방문이 닫히고 나서야 나는 따로 빼 두었던 거울을 끄집어내 들여다보았다.

"이 거울."

나는 바로 서랍으로 향했다. 세 번째 칸이었나. 기억을 더듬어 뒤적거리자, 손에 둥그스름한 물체가 걸렸다. 난 바로 그것을 끄집어냈다. 그리고 내게 새로 생긴 거울과 나란히 놓았다.

한 치의 어긋남도 없이, 꼭 같은 모양. 소름이 일었다. 그건 확증이나 다름없었다.

이만한 우연을 우연이라고 치부하기는 무리가 있을 테지. 난 곧 카마엘도 이 거울을 본 적이 있단 걸 깨달았다.

"그가 알아챘을까?"

하지만 카마엘이 아무리 기억력이 좋다고 쳐도, 삼 년 전 언뜻 본 손거울을 기억할지는 의문이었다. 어디서 보았던 것 같다고 생각했을지도 모르지.

만약 그가 눈치챘다면, 내게 뭐라든 말을 할 테니 당장은 그게 중요한 게 아니었다. 나는 무거운 눈으로 두 개의 거울을 응시했다.

아델. 아드라하트 블레스페미아 칼리스. 그 두 이름이 내 안에서 날카롭게 교차된다. 잊으려 했던 이름이었다. 하지만 인이 박인 듯 새겨진 기억은 내 안에서 좀체 지워지지 않았다.

이 기막히게 좋은 기억력은, 모든 고통을 안고 가라고 말하는 양 내게 망각을 허용하지 않는다.

하지만 나는 그 일을 기억 속에 묻어 버리는 데 성공했다. 기억은 살아 있으나 떠올리지 않게 된 지 오래였다. 잘 살아가고 있었다. 그럼에도—

'너는 오늘 이 순간을 후회하게 될 거야.'

그 저주 같은 마지막 말이 때때로 귓전에서 메아리쳤다. 그게 끝이 아닐 거란 건 알고 있었다. 그러니 지금 이것도, 언젠가 일어나리라 예상했던 일. 하지만 난.

망설임이 일었다. 거울 안에 뭐라고 적혀 있을지 생각하고 싶지 않았다. 그저 막연하게, 두려웠다.

나는 한참을 물끄러미 거울을 내려다봤다. ……두렵다고 피할 수만은 없겠지. 결국, 난 손을 뻗어 거울을 열었다.

달각, 작은 소리가 울려 퍼졌다. 거울 위에 하얀 상흔 같은 글씨가 도드라졌다. 날카로운 칼끝으로 새긴 듯한 글씨가.

—생일 축하해. 곧 내 선물이 뭔지 알게 될 거야.

섬뜩한 예감이 가슴에 차올랐다. 그 말이 무얼 의미하고 있는지, 짐작 가는 것은 없다. 거울에 새겨진 메시지에는 악의처럼 차갑고 비틀린 감정이 배어났다.

곧, 어떤 일이 일어날 거다. 그리고 그건 결코 좋지 않은 일일 테지.

홀로 안고 있을 문제가 아니었다. 나는 내일 날이 밝는 대로 당장, 카마엘을 찾아가 이 메시지에 대해서 말해야겠다고 다짐했다.

그러나 내 다짐은 실현되지 않았다. 불길한 기분에 잠겨 잠 못 이루다가, 자정이 지나서야 가까스로 잠에 들었을 무렵, 방문을 두드리는 소리가 있었다. 똑똑.

나는 눈을 비비며 상체를 일으켰다.

"에이레네?"

문이 열리고 에이레네가 들어섰다. 그녀가 불을 켜자 곧 방안에 환해졌다. 나는 눈을 깜빡이며 멍하니 생각했다. 아직, 새벽 아닌가. 무슨 일이지?

"성녀님. 실례지만, 지금 일어나셔야겠어요."

놀랍도록 굳어진 얼굴이었다. 이제 막 옷만 갈아입고 온 듯이 그녀에게 흐트러짐이 배어 있었다. 그건 에이레네에게 찾아보기 힘든 모습. 순식간에 잠이 달아났다.

"긴급회의입니다. 어서 옷을 갈아입으세요. 도와드릴게요."

침대맡에 있는 물수건으로 얼굴만 닦아 낸 난 금방 옷을 갈아입고 에이레네를 뒤따랐다.

회의장에 도착하니 이미 대사제들과 집행신관장 아레스, 카마엘이 자리한 것이 보였다. 내가 들어서자 그들은 내게 일제히 인사를 건넸다.

난 그들의 인사를 받으며 쭉 돌아보았다. 고단함이 배인 만큼이나, 굳은 얼굴들이었다. 나는 자리에 앉으며 물었다.

"무슨 일이야?"

답은 놀라운 내용으로 돌아왔다.

"신성교국에 적기가 내걸렸습니다."

그 말이, 조금 늦게 와닿았다. 이내 둔중한 충격으로 나를 흔들었다. 신성교국에, 적기. 적기가 뭘 뜻했더라. 적기가 걸렸다면 그 이유는…….

'적기는, 심장부까지 침투당했단 뜻인 거지.'

빛바랜 기억 속에서 어떤 목소리가 끌려 올라와 고막을 울렸다. 일순 아찔했다. 나는 마음을 다잡았다. 그리고 입을 열었다.

"신성교국이 함락당했다고?"

그렇게 할 수 있는 나라가 있다면 그것은 오로지 하나.

"칼리스가 신성교국을 점령했다고…… 아니, 그렇다면 어째서 우리 쪽에선 알아채지 못했지?"

축제 기간 동안의 방만함은 성국 내부에나 적용되는 것. 비록 칼리스의 침묵으로 장기간 침묵에 젖어 있었다곤 하나, 외부로 파견된 우리의 눈은 멀쩡하다.

우리는 여전히 긴장감을 놓지 않은 채였다. 칼리스에 대한 연합의 감시체계에도 그간 이상이 보이지 않았다.

그러니 이건, 느닷없이 대지진이 강타했단 것과 유사한, 혼란스러울 만치 충격적인 소식이었다.

아스타가 무거운 목소리로 말했다.

"사태를 파악 중입니다. 방금 긴급하게 보고된 내용이라 좀 더 체계적인 보고가 곧 전달될 겁니다."

"말이 안 되잖아. 어떻게 그럴 수가 있어?"

신성교국을 함락하는 건, 성국을 함락하는 것과 비슷한 난도를 가진 일이다. 그건 단 하루 만에 일어날 수 있는 일이 아니었으며, 칼리스가 전력을 투입한다고 한들 가능한 일도 아니었다.

신성교국의 전력은 성국보다 약하지 않다. 신의 성지인 신성교국 안에서 태양신의 신도들은 강력한 힘을 얻는다.

그 때문에 칼리스는 지난 성전에서 일방적인 피해를 받고, 성국에서 물러날 수밖에 없었던 것이다.

만약 성국이든 신성교국이든 칼리스의 공격을 받는다면, 양측은 서로를 도와 칼리스를 물리칠 수 있을 거다. 이제껏 그렇게 생각되었었다. 그건 의심할 길 없는 일이었다.

그것이 지금 이 순간, 뒤집혔다.

"보고가 잘못되었을 확률은?"

"타국과 정보를 맞춰보고 있습니다만, 중대사안이니 오인했을 확률은 낮습니다."

"……일단 연계 보고를 기다리지."

나는 손을 모았다. 심장이 두근두근 뛰었다. 거울에 쓰여 있던 글씨가 어지럽게 뇌리를 맴돌았다. 이게 네 선물이니, 아델? 도대체 지난 삼 년간 무엇을 준비했던 거야?

칼을 빼 든 지금, 칼리스가 쥐고 있는 무기가 무엇이든 상대하기 녹록하지 않을 거란 건 뻔한 사실이었다.

하지만 그 어떤 무기를 가지고 있다고 한들 하루아침에 신성교국에 적기를 내걸게 할 수 있을 것 같지 않았다. 그 불가능에 가까운 상황은 하나의 의심을 내게 안겨 주었다.

만약, 신성교국의 내부에 협조자가 있었다면. 그리고 그 협조자가 법황이라면, 가능할 수 있지 않을까?

히스칼의 펜던트. 하필 삼 년 전 맺었던 그 협약. 내걸린 적기. 히스칼은 삼 년 전에도 변하지 않았었고, 아마 지금도 변하지 않았을 것이다.

그러나 법황이 신성교국을 배반한다는 게, 말이 되는 건가. 태양신이 그걸 내버려 둬? 상식이 어그러진다. 몰이해 위에 몰이해가 덧붙여졌다.

나는 대사제들과 함께 초조함 속에서 단지 기다렸다. 다음 소식이 전해지기만을.

어느덧 날이 밝았다. 긴급상황에 축제는 취소되었고 우리는 계속해서 회의실을 지켰다. 정오에 가까워졌을 때, 뒤이은 전갈이 날아들었다.

먼저 전갈을 받아든 아스타 대사제가 입을 열었다.

"신성교국이 함락된 건 사실로 추정됩니다. 성문이 닫히고 모든 외부와의 연락이 끊긴 상황입니다. 신성교국의 사람들도 영문을 알지 못하고 있다고 합니다. 성벽에는 칼리스의 기가 내걸렸습니다."

정상적인 상황이면, 칼리스의 기를 내거는 일 따위 신성교국에서 용납할 리 없다.

"칼리스의 병력 이동 노선은 잡아냈어? 왕속 특무단만으로 신성교국을 함락하진 못했을 거 아니야."

"큰 규모의 군대는 아닙니다. 지난 며칠간, 신성교국 인근 해상에 짙은 안개가 깔렸습니다. 그 틈을 타서 소수의 부대가 연합군의 시선을 피해 인근에 상륙하여 침투한 것으로 보입니다. 다만 이해가 가지 않는 것은……."

미간을 모은 아스타 대사제가 곧 말을 이었다.

"신성교국 측의 저항이나 외부에 도움을 구하려는 시도가 발견되지 않았단 겁니다. 칼리스는 사실상 무혈입성에 가까운 방식으로 신성교국을 점령하는 데 성공했습니다."

"신성교국에서 칼리스에 대항해서 성력을 사용했다면, 우리는 자연스레 그 파동을 느낄 수 있었겠지요."

지브리안에 덧붙였다. 전쟁에 이를 만치 강력한 성력의 행사는, 더더군다나 그게 다른 신의 성력이라면 우리에게 예민하게 감지당했을 거다.

"신성교국으로부터 빠져나온 사람이 현재로서는 없습니다. 칼리스의 2차 병력이 신성교국으로 향하고 있다고 합니다. 연합국들이 파병하여 막아설 준비 중입니다."

"우리도 결단을 내려야겠군요. 연합국들이 칼리스의 2대를 막아서는 사이, 신성교국의 성벽을 넘어야겠지요."

신성교국에 적기가 내걸린 이상, 우리가 협약을 무시할 수는 없다. 우리는 신성교국이 도움을 구하지 않더라도 그들에게 파병할 수 있었다. 그것이 협약의 내용이었다.

적기가 내걸린다는 건, 허락을 받지 않고도 상대에게 병력을 투입할 수 있단 합의.

우리는 신성교국에게 병력을 보내야 한다. 그건 의무에 가까운 일이었다. 하지만 그건 다시 말해, 함정 속으로 걸어 들어가는 일이었다.

소름이 일었다. 나는 곧바로 한 가지 사실을 깨달았다. 이 모든 게 칼리스와 신성교국의 합작이라면, 우리는.

"제가 가겠어요."

아리안느가 손을 들었다. 왕속 특무단을 상대해 봤고, 전투에도 능한 그녀였다. 다른 어떤 대사제보다도 그녀가 파견되는 쪽이 나을 거다.

"신성교국이 어떻게 함락되었는지 알지 못하는 지금, 카마엘님은 성국을 비우실 수 없어요. 성녀님 곁을 지키셔야지요."

"혼자서는 안 됩니다. 이왕 병력을 보낼 거라면, 제대로 해야 합니다. 그들의 전력이 만만치 않을 테니까요."

"저와 집행신관장 아레스가 함께하면 어떻겠어요? 지브리안은…… 곤란할 테고, 아스타 대사제는 타국과의 연락과 내부대처를 총괄해야 하지요. 라자로는 방어에 능숙하고 에이레네는 전투에 적합하지 않아요. 어차피 갈 만한 사람은 몇 안 돼요."

"내가 직접, 가는 게 어때."

나는 입을 열었다. 한순간 극심한 불안에 잠길 만치 차올랐던 감정은 가라앉고, 다시 내 안의 호수는 잠잠해졌다.

서늘한 이성이 내게 생각해 보라고 속삭였다. 어떻게 하는 게 최선일까. 그리고 내가 찾아낸 답은 이것이었다.

바로 반대가 튀어나왔다.

"이건 전쟁입니다. 성녀님이 함께하시기엔 너무 위험합니다."

"그래요, 성녀님. 성국은 성녀님에 대한 위험을 감수할 수 없어요."

나는 찬찬히 그들을 둘러보았다. 염려하는 눈빛들로 나를 쳐다본다.

하지만 나는 그들의 염려만을 받으며, 모든 걸 맡긴 채 등 뒤에 숨어 있어야만 하는 어린아이가 아니었다. 나는 또박또박 말했다.

"그게 함정일 수도 있기에 하는 말이야. 법황이 칼리스와 손을 잡고 신성교국을 내줬을지도 몰라. 거긴 신성교국이야. 우리는 페널티를 안고 싸워야 하는 거라고. 만약 함정이라면 우리는 인질을 잡히거나 병력의 상당수를 그대로 잃게 되겠지. 그러면 우리는 손실을 안은 채로, 칼리스와 전면전을 해야 해. 그보다 불리한 상황이 있을까?"

"성녀님이 위험해지시는 것보다 불리한 상황은 없습니다. 히스칼 님에 대한 의심은 이해합니다. 하지만 그분이 어떤 행동을 보였건, 이미 6년이나 지난 일입니다. 그분도 마음을 잡으셨을 테고, 법황이 신성교국을 배신한단 건—"

확실히 비상식적인 일이지.

"아니야. 히스칼은 변하지 않았어."

나는 단정적으로 말했다. 그건 아델이 나를 포기하지 못하는 만큼이나, 확신할 수 있는 하나였다.

히스칼은 뱀처럼 집요하고, 오랫동안 때를 기다릴 만한 인내심도 갖췄다. 나는 이번 일이 어떻게 가능했을지 도무지 짐작 가지 않았다.

하지만 내가 본 그대로, 그가 배신했을 거라는 데 거는 것이 옳았다. 비록 나 자신도 회의하고 있더라도.

내 확신에 누구도 반박하지 못했다. 나는 성녀고, 내 판단에 도전할 수 있는 이는 없었으므로.

"아리안느, 집행신관장 아레스와 일부 병력만을 보내는 것보다 나와 카마엘이 함께하는 대규모의 병력을 꾸리는 편이 안전해. 내가 함께한다면 태양신의 신성으로부터 좀 더 버틸 수 있을 테지. 월신의 가호가 건재한 한, 방어는 남은 이들만으로도 충분할 거야."

모든 대사제가 성국을 나설 순 없다. 그건 말도 안 되는 일이다. 나는 물잔을 들어, 마른 입을 축이고 다시금 입을 열었다.

"만약에 내가, 그리고 카마엘이 함께한다면 그게 어떤 함정이든 부술 수 있겠지. 6년 전 칼리스가 야파 왕국에서 실패했듯이, 같은 실패를 그들에게 안겨 줄 수 있어. 만약 일이 잘못되더라도, 몸을 뺄 수는 있을 거야. 나는 그게 지금, 최선이라고 봐."

대사제들은 내가 위험하지 않을 선상에서 최선을 생각한다.

하지만 나는 여기서 누구보다도 강력한 전력이었다. 내가 움직임으로써 성국의 군대는 태양신의 성지에 발 들이는 패널티를 완화할 수 있고, 또 내 호위가 최우선인 성국 제일의 성기사 카마엘을 움직일 수 있다.

나를 배제하고 최선을 찾는 건 올바른 판단이라고 보기 어렵다. 하지만 여기 있는 이들로서는 어쩔 수 없는 판단이기도 했다.

나는 그들을 이해한다. 그러니 내가 위험을 감수할 수 있게 하는 건 전적으로 내 몫이었다.

"나와 카마엘, 아리안느. 셋이 좋겠어."

이것이 신성교국을 다스리는 법황의 함정이라면, 한 명이 더 있다고 해서 크게 달라지는 것도 없겠지.

우리가 변을 당할 경우도 생각해 봐야 했다. 그게 예사 함정이 아니라면, 우리가 어떻게 되더라도 성국이 무너지진 않아야만 했다.

셋이 가면 성국에는 네 명의 대사제와 한 명의 집행신관장이 남는다. 다섯이면 후일을 도모하기엔 충분하다. 결자해지는 내 몫.

삼 년 전, 협약이고 뭐고 걷어차는 편이 나았을까. 그때의 결단이 조금 아쉬웠다. 그게 얼마나 거절하기 어려운 것이든 그냥 강짜를 부려서 걷어찼었어야 했는데.

하지만 그랬더라도 우리가 신성교국을 외면할 수 있었을까. 그쪽에서 도움을 청하는 파발이라도 보내왔다면, 병력을 보낼 수밖에 없었으리라.

사실 지금도 얼마든지 신성교국 측 상황은 무시하자고 연합국들과 협의하여 결론지을 수 있었다.

하지만 법황이 수상하니 돕지 말자고 하는 건, 성국 내에서 먹힐 만한 이야기인지는 몰라도 타국을 설득할 만한 명분이 되기는 어렵다.

침략당했는데 도와주지 않는다는 게 기정사실이 되면 연합에는 균열이 일 것이다.

우선 신성교국과 우리의 양자협약은 연합에도 알려져 있으니, 성국이 협약을 어겼다는 걸 숨길 순 없다.

월신의 신도만큼이나 많은 태양신의 신도들이 각국에 퍼져 있으니 반감이 심할 거다.

그리고 만의 하나라는 게 있다. 히스칼의 생각이 어떻든 신성교국의 사람들은 칼리스를 순순히 받아들이려고 하진 않을 거다.

내부에서 어떤 식으로 저항하고 있을지 모르는데, 우리가 손

놓아 버릴 순 없는 것이다. 그건 성국의 정의가 아니었다. 그것은 이성으로 재단할 수 없는 문제다.

원래 성전聖戰이란, 그런 거니까.

"다들 신중하게 생각해 줘."

나는 충분히 의견을 피력했다. 이런 중대한 사안에 있어서, 내 판단을 일방적으로 밀어붙일 수는 없었다. 그게 가능하더라도, 그래선 안 되었다. 다수결에 따를 거다.

눈치 보지 않고 편히 의견을 개진하도록 잠시 회의실을 떠나 있겠다고 말하자, 에이레네가 얼른 나를 근처의 방으로 안내해 주었다.

"잠시 눈을 붙이고 계시겠어요? 결론 나는 대로 말씀드릴게요."

잠을 별로 못 잔 나를 배려해 주는 듯싶다. 나는 한쪽에 마련된 침대에 누워서 몸을 웅크렸다. 결과가 어떻게 내릴지 부쩍 초조해졌다.

어제만 해도 느긋하고 즐거웠는데, 갑자기 재난이 닥친 기분이다. 화산이 폭발한다면 이런 기분일까.

"아델."

나는 그의 이름을 불렀다. 그 메시지, 아델이 나를 호출하고 있는 건 명확하다. 하지만 이제껏 응해 줬던 것처럼 나는 그에게 순순히 응해 줄 수 없었다.

상황이 바뀌었고 시간이 흘렀다. 내가 말한 끝은 유효했다. 관계의 끝. 비록 언젠가 다시 그와 대면하게 될 거란 예감을 안고 있더라도.

회의는 금세 결론이 났다.

*

"정말 괜찮겠어?"

나는 그녀의 옷깃을 붙들고 물었다. 나와 한 번 고비를 넘긴 적이 있는 그녀였다. 실력도 좋고, 전투에 능한 그녀이니 어지간하면 홀로라도 몸을 빼는 일이 가능할 거다.

하지만 그런 계산으로는 안심되지 않는 것이 있었다. 그 한 번의 고비에서 이카루스는 성력을 잃었다.

그것이 목숨을 잃는 것보단 나았기에 나는 큰 타격 없이 견뎌낼 수 있었다. 나는 내 주변의 누구도 잃고 싶지 않았다.

"아리안느."

"괜찮다니까요. 저 죽으러 가는 거 아니니, 걱정하지 마세요."

아리안느가 피식 웃었다. 결국 내 의견을 수렴한 회의 끝에 내진 결론은 그거였다. 아리안느 홀로, 병력을 이끌고 신성교국으로 가는 것.

최소한의 위험부담을 짊어지면서 나를 위험하게 하지 않는 방법이란 그것뿐이었다.

나는 함정이라고 확신했지만, 어쨌든 병력은 보내야 하니 잃어도 무방할 만큼만 보낸다.

그런 결론을 이끌어낼 거라고, 어렴풋이 짐작하고 있었다. 하지만 막상 떠날 채비를 하는 아리안느를 보니, 마음이 편치 않았다.

"내가 가는 게……."

"회의에서 결론 난 사안이에요. 제가 자청했고요. 성녀님, 목숨값은 견줄 수 없는 것이라지만, 성녀님의 것과 제 것은 엄연히 무게가 달라요. 저를 그냥 편히 보내 주세요. 그렇게 울 것 같은 얼굴로 바라보시지 말고요. 어차피 누군가는 해야만 하는 일인 걸요."

아직도 어린애시네. 중얼거리며 아리안느가 내 볼을 가볍게 어루만졌다.

불경하긴! 평소라면 비난했을 텐데 나는 입술만 삐죽거리며 아무 말도 꺼내지 못했다. 지금이라도 나는 회의 결과를 뒤엎을 수 있었다.

하지만 나는 독재자가 아니다. 엄연히 회의로 내려진 결정을 뒤엎을 순 없었다. 차라리 독재자가 되는 편이 나을까. 신탁을 받았다고 해 버려?

내가 고민에 빠진 사이 아리안느는 떠날 준비를 마쳤다. 똑똑, 문 두드리는 소리가 들리고 근심 서린 얼굴의 에이레네가 방으로 들어왔다.

"떠나실 때가 되었군요."

아리안느가 에이레네를 한 번 끌어안았다.

"그동안 평안히 계시기를."

"월신께서 당신의 앞길을 비추실 거예요."

태연한 얼굴로 인사한 아리안느가 내 쪽을 보며 꾸벅 고개를 숙였다. 결연하다고 해야 할까. 무어라 표현할 수 없는 의지가 깃든 얼굴이다.

평소의 그녀는 대사제답지 않았지만, 지금 이 순간 그녀는 분명히 대사제다웠다. 나는 그녀의 이마에 축복을 불어넣어 주었다.

"잘 다녀와."

부디 무사히 돌아올 수 있기를. 나는 그녀에게 낌새가 이상하다 싶으면 내빼라고 신신당부했다.

신성교국에 입성하는 건 그녀를 비롯한 선별된 정예병들뿐이라고 치더라도 2번째 병력이 성국과 신성교국 사이에서 대기하고 있을 예정이었다. 병력을 분산하는 것이, 지금으로서는 최선.

나는 방을 떠난 그녀가 말에 올라 대사제들의 배웅을 받으며 떠나가는 모습을 창밖으로 지켜보았다.

그녀 뒤를 따르는 성기사들은 하나같이 정예였고, 카마엘이 힘써 길러 낸 이들이었다. 실력은 의심할 길이 없다. 하지만 그럼에도 나를 잠식해 오는 불안감이란…….

나는 바로 카마엘을 찾아갔다. 이번 사태에 신경이 쏠려, 그에게 차마 하지 못한 말이 있었다. 나는 아델이 보낸 메시지에 대해서 그에게 이야기해야 했다.

*

"카마엘."

소문을 의식한 탓에, 나는 다들 잠들었을 늦은 밤에야 카마엘의 집을 찾아들었다.

종종 심야 근무를 하곤 하는 그이지만, 요 근래는 회의에 참석하느라 모든 근무 일정에서 배제되었다. 아마 집에 있을 거다. 없으면 곤란한데.

나는 새삼 소문을 의식했다. 한밤중에 성녀가 카마엘의 집을 찾다니, 스캔들의 조짐이 느껴지는데?

서로에게 1그램의 사심도 없을지라도, 어쨌든 남들 보기엔 수상쩍어 보일 거다. 이거, 누구한테 걸리면 정말…….

등골이 오싹한 일이었다. 나는 좀도둑처럼 몰래 문에 다가가 콩콩 두드렸다. 청각이 비상한 카마엘이 바로 문을 열었다.

"성녀님."

차분한 반응은, '무슨 일로 저를 찾으셨습니까.' 보다는 '오실 줄 알았습니다.'에 가까운 듯이 보였다. 내가 찾아올 줄 안 건가.

그래, 나는 다른 누구에게 숨기더라도 카마엘과 쑥덕쑥덕해 왔곤 하지. 그게 하도 역사가 깊어서, 이 비밀 모의가 내겐 너무 자연스러워진 것 같다.

"그래, 카마엘. 오늘 아리안느가 떠났어."

나는 그의 집에 들어서서 소파를 차지하고 앉았다. 카마엘이 내 앞으로 다가왔다.

"칼리스에 대해서 아시는 게 있으십니까."

어쨌든 카마엘에게 가장 중대한 기치는 성국을 수호하는 것.

이전보다 날 선 듯한 분위기의 그는, 확실히 전투태세를 갖추고 있는 듯하다. 경험 많은 그에게도 그리 녹록한 상황으로 비치지는 않았다는 거다.

이젠 진실을 말해야 할 때가 왔다. 나는 훅 숨을 들이마시고, 이내 말과 함께 내뱉었다.

"아델이 나에게 메시지를 보냈어."

나는 거울을 열어 그에게 건넸다. 이번엔 손가락으로 흩어 지워 버릴 수 없게끔, 선명하게 새겨진 글씨다. 그건 흡사 저주문처럼 보였다.

카마엘의 눈썹이 미미하게 치켜 올라갔다.

"그가 성녀님을 부르는 거군요."

"아마 그렇겠지?"

신성교국을 함락하고, 나를 성국 밖으로 끌어내려고 하는 거겠지. 성국을 해하지 않겠단 이미 빛바랜 약속이야 그렇다 치고 칼리스로서도 성국을 침략하는 건, 스스로를 멸할 위험을 안고 있는 일이니까.

신성교국에선 어떻게 했는지 모르겠는데, 거기서 했던 것과 같은 일을 성국에다가도 하진 못할 거다.

"그래서 가려고 하셨던 겁니까."

"꼭 그래서는 아니지만, 조금은 그래."

적어도 내가 가면, 목숨을 위협당할 일은 없을 것 같았다. 아델은 내가 괴로워지기 바랄 거다. 내게 집착하고 있으니 내가 죽는 걸 바라진 않겠지.

근데 날 불러내서 뭘 하려는 걸까. 설마 때리려고? 탑에 가둬 놓고 밥을 굶긴다거나. 고문을 할 수도 있잖아? 상상을 떠올리자, 입맛이 뚝 떨어졌다.

"내가 아델을 설득할 수 있지 않을까 생각해 봤어."

"그럴 가능성은 낮습니다."

예컨대, 내가 내 목에 칼을 들이대고 협박한다면 아델은 어떻게 나올까.

아델은 내가 다치거나 위험해지는 것을 원치 않았다. 적어도, 3년 전까지는 그러했다.

하지만 난 곧 그 생각을 뿌리쳐 냈다. 그것은 현재 이 시점에서는 무의미한 일이다. 아델은 지금, 내가 어떻게 되더라도 상관없을 것처럼 굴고 있으니까.

"도박을 해야 할 상황이 올 수도 있잖아? 이번만큼은 모두의 의견에 따랐지만, 만약 사태가 악화된다면……."

나는 가라앉은 채 말끝을 흐렸다. 그러나 곧 고개를 들어 말했다.

"아리안느가 무사히 돌아오길 바라. 하지만 그렇게 되지 않는다면 나는 신성교국으로 갈 거야."

직접 가서, 아델과 담판을 지어야겠다. 이제껏 아델은 말이 통했었다. 그리고 내가 아는 아델은 타국을 침략하는 데 그리 열의를 품고 있지 않았다.

그와 내 사이에 어느 정도 타협안이 존재할지도 모르겠단 생각이 들었다. 말로 안 된다면, 때려서라도 정신 차리게 해 주는 수밖에.

불안한 듯 카마엘이 나를 불렀다.

"성녀님."

"그때 나를 지지해 줘."

지지하는 것뿐만 아니라, 그는 나와 함께 신성교국으로 향해야 한다. 내가 함께하더라도 태양신의 성역에서는 월신의 성기사인 그에게도 역시 제약이 따를 수밖에 없다.

나는 그에게 함께 사지로 걸어 들어가자고 말하는 거다.

물론, 카마엘은 기꺼이 따르겠지. 나는 그것을 안다. 새삼 미안하거나 고마워하는 것은 그에게 모욕일 거다. 카마엘은 성기사고, 응당 그래야 하는 존재이니까.

"그와 마주하는 건 위험을 담보로 하는 일입니다."

"아델이 노리는 건 결국 난데, 나는 어떤 식으로도 위험하게 될 거야. 더욱 불리한 상황에서 위험해지는 것보단 차라리 나을 테지."

나는 문득 손을 뻗어, 카마엘의 손을 잡았다. 엄한 의도가 있는 게 아니거든! 나는 카마엘에게 시선을 단단히 맞췄다.

"3년 전의 내 부탁이 유효하단 걸 기억해 줘."

"……기억하고 있습니다."

느리게 떨어지는 대답은, 그가 그 부탁을 내키지 않게 생각하고 있음을 방증한다. 나는 그를 향해 웃어 보였다.

"잘해 보자고."

어쨌거나 카마엘은 든든한 동지였다.

*

며칠 지나지 않아, 성국의 선발대는 신성교국의 목전에 이르는 데 성공했다. 우리는 초조하게 소식을 기다렸다.

이어 성국으로 날아든 소식은 결국, 내 불길한 예감을 현실로 만들어 주었다.

"선발대의 연락이 끊기다니요?"

나는 또다시 회의 한가운데에 있었다. 이전보다 다들 날 서 있었고, 그때보다 더욱 위기감이 짙어진 탓에 분위기는 무거웠다.

전례 없는 상황에 모두가 충격에 빠져 있었다. 나 역시도, 어느 정도 예상하고 있었음에도 충격에 사로잡힌 건 마찬가지였다.

아스타 대사제가 정리하듯 읊조렸다.

"선발대가 도착하자 성문이 열렸고, 보낸 정찰병은 성문 근처에 인적이 없음을 말해 왔다. 그들이 입성하고 얼마 지나지 않아 성문이 다시 닫혔다. 그 후로 선발대는 감감무소식……."

"마치, 신성교국에 흡수되어 사라진 것처럼 말이지요."

지브리안이 중얼거렸다. 우리 측에서도 성력의 파동은 전혀 느끼지 못했다. 그건 전투가 일어나지 않았단 뜻이다. 그런데 선발대로부터 연락이 없다니.

집행신관장 아레스가 입을 열었다.

"신성교국은 성지입니다. 칼리스에게 점령당했든 어쨌든, 태양신이 건재한 한 거기서 칼리스의 마법은 우리의 성력 만큼이나 제한됩니다."

그건 영문 모르고 마법에 당했을 가능성의 배제였다. 이어 아스타 대사제가 말했다.

"그렇다면 강력한 독연이나 약물 같은 수단에 당했을 가능성이 높겠군요. 신성교국 내부에서 성력으로 대응하긴 어려웠을 테니까요."

"하지만 대단히 조심스럽게 진입했다고 들었습니다. 성문을 지키는 병력도 남겨 뒀다는데, 아무런 조짐도 없이 당하는 게 가능한 일입니까."

그 말은, 꼭 괴담을 듣는 것처럼 섬뜩하게 들려왔다. 이상한 일이다. 하지만 거기가 신성교국이기에, 법황의 조력이 있다면…….

아니, 솔직히 잘 모르겠다. 성국에 침입자가 있다고 한들 내가 그렇게 할 수 있을까?

"연합군의 상황은 어떻지?"

"어제까지 보고된 바로는 칼리스의 2대와 대치 중입니다. 그쪽에서도 적극적으로 돌파하려는 움직임을 보이지 않아서, 일단 길을 막고만 있다고 합니다. 해상에서의 움직임도 파악하고 있으니, 칼리스의 추가 병력이 신성교국을 점령한, 규모를 알 수 없는 부대와 합류할 가능성은 낮습니다."

"신성교국을 버리고, 연합군과 합류하여 칼리스를 향해 진격한다면……."

"점령된 지 시간이 얼마 지나지 않았습니다. 신성교국의 사람들을 그대로 내버려 두는 것은……. 신성교국을 등지고 칼리스와 맞대결하는 것은 위험부담이 큽니다. 아리안느 대사제가 이끄는 병력들도 내부에서 고립되어 사투를 벌이고 있을지도 모릅니다."

"연합군이 합류를 막는 사이 우리가 뭔가를 더 해야 해."

결국, 이렇게 되는구나. 나는 회의실에 있는 이들을 똑바로 쳐다보며 말했다.

"내가 가겠어. 병력을 내어줘."

"아리안느가 실종된 지금, 성녀님이 신성교국으로 가시는 건 안 될 말입니다."

내가 이럴 것을 염두에 두었던 듯이 대사제 아스타가 딱 잘라 말했다.

"섣불리 병력을 보낸다면 아리안느와 결과가 같을지도 모르지. 하지만 내가 간다면 결과가 달라질 수 있을 거야."

"저희는 절대로 그 불확실한 가능성에 성녀님을 걸 수는 없습니다. 성녀님이 곧 성국입니다."

강경한 눈빛이었다. 입이 마른다.

"그렇다면, 나는."

한 번, 그들의 뜻에 따랐었다. 난 그들의 뜻대로 아리안느를 보내야만 했다. 꼭 그랬어야 했나? 회의감이 든다. 역시 그건 잘못된 거였다.

독재자가 되더라도 내 예감을 믿어야 했는데.

지금도 속이 타들어 간다. 그녀가 죽지는 않았을 거라고 생각하지만, 대사제인 그녀가 죽었다면 성녀인 내가 모르지는 않을 거라고 생각하지만…….

아리안느는 포로로 잡혔거나, 신성교국 내부에서 오도 가도 못하는 상황일 거다. 당장 생명이 경각에 달렸을지도 모르지. 나는 그녀를 버릴 수 없다.

그녀의 말대로 대사제인 그녀의 목숨과 내 목숨은 견줄 수 없는 것일지도 모른다.

하지만 내게는 그게 딱딱 나누어지지 않았다. 성녀의 위험을 성국인들이 보아 넘길 수 없듯이, 나 역시도 그러했다.

간단한 일이다. 그저 내가, 아델의 요구에 응하기만 하면 된다. 난 결심을 굳혔다. 명령이라고, 말할 셈이었다.

그러나 때맞춰 급하게 문을 두드리는 소리가 들렸다.

허락의 말이 떨어지자마자, 사제 한 명이 다급히 문을 열고 모습을 드러냈다.

"비보입니다!"

그리고 한 차례 파동이 회의실 안을 후려쳤다.

*

새벽, 갑자기 공격이 시작되었다. 느닷없이 닥쳐온 푸른 빛. 보초의 눈을 멀게 하고, 잠든 이를 단숨에 꿈자리에서 벗어나게 만든 그 빛이 직격한 직후, 연합군은 마비 상태에 빠졌다.

운석이 떨어진 양 누구도 피하지 못했다. 그 직후 연합군은 모조리 의식을 잃었고 칼리스에서는 유유히 연합군 내부로 병력을 들여보내 기절한 지휘관들을 죄 납치해 갔다. 그들 중엔 각 왕국의 왕족이나, 후계자들도 포함되어 있었다.

이 소식이 늦게 전해졌던 건, 연합군의 사람들이 해가 중천이 되고 나서야 의식을 차렸기 때문이었다.

자신들의 지휘관들이 사라졌단 사실을 알게 된 연합군은 혼란의 폭풍에 휩싸였다. 그리고 이어진 사건. 칼리스에서는 곧바로, 연합국에게 전갈을 보냈다.

그 전갈의 내용이란 것이…….

'우리는 전쟁을 원하지 않는다. 이 모든 일의 원인은 월신의 저주. 성녀를 신성교국으로 보낸다면 포로들을 해방하겠다. 만약 그렇게 하지 않는다면 포로들을 전원 사형에 처하겠다.'

아스타 대사제가 그답지 않게 냉정을 잃고, 서신을 책상 위로 내리쳤다. 분노 서린 눈빛이었다. 모든 대사제가 일시에 떠올린 눈빛이, 그러했다.

난 입을 가렸다. 온몸에 소름이 일었다. 아델은 나를 끌어내려고 하고 있었다. 하지만 그라면 성녀인 내가 내 멋대로 행동할 수 없단 것까지도 알고 있었을 테지.

그는 내가 응하지 않자, 내가 응할 수밖에 없도록 판을 만든 것이다. 질리는 듯한 기분이다. 무슨 애가 이렇게 철두철미하담?

포로라니. 신성교국을 외면할 수 없었던 우리가, 연합군의 포로를 외면하기는 어렵다. 다른 나라에서 나를 보내 달라고 감히 성국에 요구하지 못할지라도, 우리 쪽에서는 압박감을 느낄 수밖에 없는 거다.

게다가 그들은 연합군을 무력화시켰을 뿐, 군영을 휩쓸고 지휘관들을 납치해 가면서도 아무도 죽이지 않았다.

지나치게 반감을 사면, 협상이 어려워진다. 그들이 과연 협상 내용을 지킬지, 의심하게 될 테니까. 그것까지 염두에 둔 듯한 노림수였다.

확실히 이전의 칼리스와는 다른 행보였지만, 더욱 교활해진 것이기도 했다.

나는 의문을 품었다. 아델이 아무리 칼리스의 왕자라고 해도, 그 혼자만의 의사로 나를 노리는 게 가능한 것일까. 정말 그가 나를 노리는 게, 순전히 내가 그를 거부했기 때문일까.

오랫동안 간과해 왔던 월신의 저주. 칼리스가 애초에 성국을 이를 가는 이유는, 바로 그것이었다.

나를 통해 월신의 저주를 풀 수 있다고 생각한다면, 나를 손에 넣기 위해 이런 방식을 택해도 무리는 아니다.

칼리스의 왕으로선 제 정복욕을 충족시키는 것도 중요하겠지만, 저주를 푸는 것도 만만치 않게 중요할 테니까.

내가 저주를 풀 수 있을지는 모른다. 야파 왕의 저주를 풀었던 것처럼, 내가 뭔가를 할 수 있을 것 같기도 하다. 아델에게선 저주의 기운이 느껴지지 않았지만…….

만약 내가 저주를 풀 수 없다고 쳐도, 그들은 나를 볼모로 삼아 월신께 저주를 풀어 달라고 요구할 수는 있겠지.

어떤 경우든 결론은 같았다. 나는 신성교국으로 가야 한다. 처음부터 그렇게 주장했었고, 그럴 만한 상황이 만들어졌다.

"칼리스의 노림수에 응하는 것은 불가합니다."

"성녀님을 두고 거래할 수 있는 조건은 없습니다."

대사제들의 반대는 이어졌다. 하지만 그것은 이전처럼 강경하지 못했다. 이건 더 이상, 성국만의 문제가 아니라는 걸 다들 자각하고 있기 때문이다.

카마엘이 쐐기를 박았다.

"제가 사력을 다해 성녀님을 수호하겠습니다."

"카마엘 님."

"성녀님은 결정을 내리셨고, 우리는 그 뜻에 따라야 합니다."

카마엘의 말은 깔끔했다. 반박의 여지가 없을 만치 단호하기도 했다. 대사제들은 서로의 얼굴을 돌아보았다.

그리 길지 않은 시간이 지난 후, 마지막 회의는 결론을 맺었다. 그렇게 나의 신성교국 행이 확정되었다.

새장을 부순 새

암울한 분위기를 반영하듯 추적추적 비가 내리고 있었다. 바람은 싸늘했고, 하늘에는 구름이 잔뜩 껴 어두컴컴하다.

무엇이든 좋은 일이라곤 절대로 일어나지 않을 것 같은 날씨다.

마차에 탄 나는 창문을 슬쩍 열어 보았다가 다시 닫았다. 그리고 한숨을 푹 내쉬었다.

스멀스멀 안개가 피어오르는 늪지대로 걸어 들어가는 느낌이다. 좋을 리 없지.

회의가 끝나고 성국을 떠나오는 데는, 생각보다 오래 걸리지 않았다. 고작 몇 시간.

성국은 이미 전투태세를 갖추고 있었고, 오로지 나만이 준비가 필요했으니까.

울 듯한 얼굴의 에이레네를 뿌리치고, 나는 회의의 참석자 중 오직 카마엘만을 대동한 채 병력과 함께 성국을 나섰다.

카마엘만 데리고 나올 만한 핑계도 있었다. 유사시에 카마엘이 나를 둘러업고 도망가면 되니까.

성력을 쓰건 쓰지 않건 요정족인 카마엘의 신체적 능력은 인간의 것을 훨씬 상회했다. 그에겐 특유의 능력도 있다고 하니, 정 안되면 둘이서 몸을 빼낼 수 있을 거다. 현실적으로 내가 무사한 게 가장 중요했다.

그나저나 3년 만에 또다시 성국을 나서다니. 어쩐지 3년 주기로 해외로 나가게끔 누군가가 계획한 기분이 드는데, 착각이겠지?

고개를 갸웃한 난 후드를 고쳐 썼다. 너무 빠르지도 느리지도 않게. 점차 신성교국에 다가갈수록, 심장이 굳어가는 느낌이었다.

나는 품에 손을 넣어, 손거울을 움켜쥐었다. 아델의 메시지가 새겨진 손거울. 부적도 아닌데, 내가 왜 이걸 가져왔는진 알 수 없다.

거울 표면에 새겨진 글씨가 뇌리를 떠돌아다녔다. 살갗에 스치는 칼날처럼 날카롭고 아릿하다.

"아델."

너는 결국 나를 성국 밖으로 끌어냈구나. 네 말대로, 끝은 내가 내는 게 아니었어. 패배감이라기엔 미묘한 기분이 나를 휩쌌다.

그리고 그 기분이, 내게 다른 누군가를 떠올리게 했다.

히스칼. 정말이지, 좋아하려야 좋아할 수가 없는 녀석이다. 만약 그가 배신자인 게 확실해지고, 아리안느가 죽었다면 나는 녀석을 절대로 용서하지 못할 거다.

태양신의 법황인 녀석에게 저주를 내릴 수 있는진 모르겠지만, 월신의 저주라는 건 그런 녀석에게 내려야 하는 거 아니야?

불만스럽게 투덜댄 나는 곧 골몰하게 되었다.

히스칼은 대체 어떻게 신성교국을 무력화시킨 걸까. 그의 권속들이 저항하는 걸 어떻게 뿌리친 거지? 성녀인 나는 못 하는데.

칼리스에 신성교국을 내주는 건 미친 짓이다. 히스칼처럼 파멸까지 치닫는 정신 나간 녀석을 지지할 만한 이가 신성교국의 중심부에 있을 것 같진 않았다.

카피토 대사제도 히스칼을 따르는 듯이 보였지만, 그의 태도가 바뀌었다고 한들 의심은 언제고 다시 불거질 수 있다.

만약 뭔가를 했다면, 히스칼 홀로 했을 거다. 그런데 어떻게 한 건데? 알 듯 말 듯, 뭔가가 잡힐 듯이 잡히지 않았다.

쉽사리 답을 찾아내지 못한 이유는 간단하다. 성력을 사용하는 데 있어서, 나는 단 한 번도 그 적대적 대상이 성국이 될 것을 가정한 적이 없으니까.

카마엘은 물론이거니와, 대사제들을 상대로 성력을 쓴다는 상황을 상상도 해 본 적이 없었다.

당연하잖아. 일단 내가 그들을 공격하려면, 그들이 먼저 나를 공격하는 상황이어야 하는데. 나는 월신의 성녀고, 월신의 권속들이 가진 성력은 월신에게서 비롯한다.

나를 공격하거나 내게 거역할 만큼 신앙심이 얕은 이라면, 월신의 성력을 사용할 수도 없을 거다. 그 자체가 월신에게 반기를 드는 일이고, 불신이다. 바로 성력을 잃게 될 거라고.

그렇기에 나는 그들을 향해 성력을 쓰는 상황을 가정해 볼 필요는 없었다. 적어도 이제까지는.

그게 히스칼과 나의 차이점이었다. 히스칼은 나처럼 타고난 게 아니라 후에 법황이 된 녀석이고, 한때 그의 대사제들과 반목하는 모습도 보였으니까.

히스칼은, 태양신의 권속들을 상대하는 방법을 궁리했을 게 틀림없다.

하지만 그런 그의 속내를 적어도, 태양신은 알고 있을 만하다. 태양신은 법황인 히스칼을 그냥 반항아로 치부하기에 내버려 두는 걸까? 월신께서 나를 믿고 지지하듯이?

그렇다고 보기엔 자신의 성역을 칼리스에 내주는 걸 용납한다는 게, 말이 안 되었다. 신을 인간의 상식에서 판단할 수는 없는 거지만, 도저히 이해가 안 가는데.

고뇌 끝에 머리를 잡아 뜯을 뻔한 나는 간신히 손을 내렸다. 답답하더라도 체통은 지킬 테다.

일단 신성교국으로 입성하고, 아델을 설득해 봐야지. 그가 정말 바라는 게 월신의 저주를 푸는 것이라면, 내가 그 일을 할 수 있을지도 몰랐다.

그리고 저주를 풀어 주는 대가로 최대한 많은 걸 얻어 내야지.

*

결심을 다지고 마음을 다스리며 시간은 빠르게 흘렀다. 우리 일행은 어느덧 신성교국에 접근하고 있었다.

저 멀리서 금빛 성채가 보인다. 산 그림자가 지듯 먼 곳에 우뚝 선 성채는 백색이었다. 하지만 햇빛을 머금듯, 선명한 금빛을 둘러 본연의 색채가 가려지고 있었다.

그 금빛은, 벽의 재질에서 유래한 것이 아니었다. 초월적인 힘이 깃들어, 그 모습을 드러내고 있는 것이다.

태양신의 신성.

"어째서……."

칼리스에 점령당한 성역에 저토록 선명한 신성이 느껴질 수 있는 걸까. 보고를 받은 바 있다지만, 실제 눈앞에 드러난 모습은 그저 놀라웠다.

그 안에서, 아리안느가 이끄는 선발대는 연락이 끊겼다. 나는 그걸 잊지 않았다.

가까워질수록 피부에 저릿저릿 자극이 온다. 일방적으로 내리누르는 느낌은 아니다. 내 안의 신성력이 곤두서며 일어나 맞서고 있었다.

다른 신의 신성. 그것이 칼리스의 마법처럼 부정한 힘은 아니더라도, 상극의 속성을 띤 것만은 분명하다.

나는 내 안의 신성력이 소진되지 않게, 예민하게 방출되는 그것을 누르려고 애썼다.

아직 신성교국에 입성하지도 않았는데 벌써부터 힘을 쓰기 시작하면 곤란해. 최대한 성력을 보전해야 한다.

내가 있기에 월신의 권속들은 태양신의 성역에서도 힘의 제약을 덜 받겠지만, 반대로 나는 그 영토에 서서 존재하는 것만으로도 중력이 가중되는 듯한 압박감을 견뎌 내야만 할 거다.

"누군가가 옵니다."

신성교국 쪽 성문이 조금 열렸던 것 같다. 사람 한 명이 이쪽으로 말을 달려오는 것이 보인다. 우리는 멈춰 서서 그 사신으로 추정되는 이가 우리에게 이르기를 기다렸다.

점차 사신의 모습이 눈에 들어올수록, 설마 하는 기분이 들었다. 그러다 이내 얼굴 윤곽이 눈에 들어온 순간, 난 그가 누구인지 바로 알아챘다.

기억을 더듬을 것도 없었다. 왕속 특무단원 아지스. 그나마 칼리스인 중에서 빈번하게 본 얼굴이다. 그래 봐야 몇 년에 한 번이지만.

물론, 반가운 기분은 들지 않았다. 그를 본 순간, 나도 모르게 얼굴이 찌푸려졌다.

지적인 느낌마저 드는 반반한 낯짝과는 다르게 폭력과 살인을 유희처럼 생각하는, 잔인한 자라는 걸 기억하고 있었던 탓이다.

설마, 아리안느에게도 무슨 짓을 한 건 아니겠지? 저자라면 틀림없이 아리안느의 반항을 즐겼을 거다. 장난감 다루듯이.

그는 유유자적 말을 몰아, 우리에게로 다가왔다. 경계 상태의 우리 앞까지 다다른 그는 주저 없이 말에서 내려섰다. 적대국의 사람들 앞에서도 긴장감이 전혀 없다. 자신이 다치지 않을 걸 확신하고 있는 듯이.

"마중 나왔습니다만."

마차 창문 앞에 서서 팔을 앞에 대고 정중하게 허리를 숙이는 모습이, 비아냥거리는 것처럼 보였다. 난 눈썹을 치켜들었다. 내가 입을 열기도 전에, 카마엘이 나섰다.

"성녀님께선 혼자 들어가시지 않을 거다."

"물론, 그러시겠지요. 성국 제일의 성기사 카마엘 님. 여전히 아름다우십니다. 삼 년 전과 다름없이. 그때, 퍽 아쉬운 이별을 맞았었지요."

조롱하듯 속삭이며 아지스의 눈빛이 번뜩였다. 이전에 카마엘이 그를 궁지로 몰았던 것이 아닐까.

다른 이들이 짐처럼 느껴질 만큼 카마엘은 강했다. 나는, 나 자신보다 카마엘이 걱정이었다. 아델은 내게 바라는 게 있다. 목숨을 위협하진 않을 거다.

하지만 카마엘은? 저기에 함정이 있고, 거기엔 나만 걸어 들어가는 게 아니었다.

카마엘은 필요하다면 언제든 아델을 벨 테고, 아델 역시 그건 마찬가지이리라. 이번 기회를 틈타, 칼리스에서 없애려고 하는 한 명이 있다면 그건 카마엘일 거였다.

본인이 계획하지 않았더라도 부하들이 그걸 원한다면, 아델은 막아서지 않을 거다.

"……가시지요. 지금 오신 병력 모두 함께하셔도 좋습니다."

"네 주인이 여기에 있나?"

나는 그를 빤히 보며 말했다. 왕속 특무단은 왕의 것이다. 그러니 '왕자'인 아델의 것은 아닐 테다.

하지만 내 질문의 뜻은 왕이 이곳에 있느냐고 묻는 게 아니었다. 그걸 눈치챘는지, 아지스가 코웃음 쳤다.

"왕속 특무단의 주인은 왕이십니다만."

"하지만 네 주인은 왕이 아니지."

주인 된 이를 대한다기엔 아델에게 부쩍 불손하게 굴었던 그였다. 하지만 그의 행보는 아델의 행보와 같았고, 그는 아델의 명에 따랐다.

아지스를 여기서 보고 나니 확신이 내려졌다. 아델은, 자기가 믿을 만한 이가 아니면 이렇게 내 앞으로 보내지 않았을 거다. 아지스의 눈에 이채가 감돌았다.

"확실히, 그분은 여기에 계십니다."

확답이 필요했던 건 아니었다. 하지만 필요하기도 했었다. 나는 눈을 느리게 감았다가 떴다. 그리고 말했다.

"가자."

저 안에서 뭐가 기다리고 있든, 가야만 하는 길이었다. 그리고 어떤 준비도 충분치 않았다. 그저, 걸음을 내디뎌야 할 때.

"이상하도록 조용하군요."

근거리에서 뒤따르던 사제 한 명이 중얼거렸다. 막 성문을 넘어, 신성교국 안으로 진입한 지 십여 분가량이 흘렀을 때였다.

모두가 느끼고 있는 사실을 입 밖에 낸 것에 불과했다.

신성교국은 소국이었다. 그래도 성국보단 크기도 크고 사람도 많이 살았다. 나는 그렇게 알고 있었다.

하지만 신전까지 이어지는 대로에는 쥐새끼 한 마리 보이지 않고 바람만이 휘돌았다. 그 많은 사람이 증발이라도 한 것처럼.

어떤 힘의 작용인가. 성문으로 들어선 순간부터 감각이 마비된 듯한 느낌이 들었다. 이질적인 신성이 가득 폐부를 메우고 피부를 내리누르고 있었다.

나는 내 힘을 다스리는 데 신경을 쏟고 있었고, 나와 함께 있어서 태양신의 신성에 덜 짓눌릴 카마엘도 그리 편한 기색은 아니었다.

이게 어떻게 된 건지 나도 추측이 안 가지만, 적어도 누가 답해 줄 수 있을진 알지. 나는 마차 옆에서 조금 앞서가는 아지스의 뒤통수에 대고 물었다.

"왜 이리 거리가 조용한 거지?"

나는 이자가 꽤 수다스럽단 걸 간파한 터였다. 아마 적정 범위 내에서, 말해 줄 수 있는 건 말해 주면서 나를 약 올리려고 할 거다. 예상대로 그는 흔쾌히 대답했다.

"잠들어서 그렇습니다."

"잠들었다고?"

소름이 팔뚝을 기어올랐다. 뱃속에 서늘함이 들어찼다. 이 많은, 신성교국민들이 전부?

"예, 이곳 신성교국의 사람들은 모—두 잠들어 있습니다. 우리가 이곳에 발을 들인 첫날부터 지금까지 계속이요. 아마 건강에 큰 지장은 없을 겁니다."

"……어떻게 그게 가능한 거지?"

"차차 아시게 될 겁니다."

슬쩍 내 쪽으로 시선을 준 아지스가 빙글거리며 웃었다. 그 낯짝에 장갑이라도 던져 주고 싶었다. 나는 화를 삼키며 침착하게 물었다.

"우리보다 앞서 이곳에 들어온, 대사제 아리안느는 어떻게 되었지?"

"아, 그녀의 이름이 아리안느던가요. 난폭하긴 해도 미인이던데—"

부러 불안감을 증폭시키려는 듯 말꼬리를 늘인 그가 말을 이었다.

"곧 보실 수 있을 겁니다."

"그녀는 무사한가?"

"그야 저를 따라오시면 자연히 확인하시게 되겠지요. 다 왔습니다."

그가 말할 수 있는 건 여기까지인가. 그보다 정말로, 다 왔다. 대화를 나누는 사이 우리는 신전에 근접하고 있었다.

작열하는 듯한 금빛으로 가득한 건물 외벽이 눈부셨다. 타오르는 듯한 태양신의 신성. 신전이라 하면 성역 중의 성역. 완전히 중심부다.

짓누르는 듯한 압박감이 더 강해졌다. 이건 나만 느끼는 것은 아닐 텐데.

주문이라도 걸린 듯, 저 앞에서 신전 문이 스르륵 열렸다. 그 안에, 누군가가 서 있었다. 찬란한 금빛 관을 쓴 화려한 성복의 청년. 그 모습이 비상하게 아름답고, 눈부시기까지 했다.

그 섬세한 얼굴에 아로새겨진 미소엔 선량함이라는 단어를 그대로 구현해 낸 듯이 온화함이 감돌았다. 하지만 그에게선 어딘지 모르게 위화감이 느껴졌다.

나는 그 청년이 누구인지 알았다. 삼 년 전에 보았던 그는 이미 성인이었고, 그때에 비해 조금 성숙했을 뿐 크게 달라지지 않았으므로.

그가 그 자리에, 그토록 멀쩡하게 서 있음은 내가 확신에 가깝게 품고 있던 짐작을 확인시켜 줬다.

그가 신성교국을 이렇게 만들었다. 히스칼은, 신성교국을 배신했다.

그가 나를 보며 입꼬리를 올렸다.

"어서 와."

그 목소리와 함께, 엄청난 압력이 위로부터 우리를 짓눌렀다. 주변의 사제들이며 기사들이 무너지듯 무릎을 꿇었다. 나는 이를 악물었다.

몸 안에서 아우성치며 일어난 성력이 외부로부터 침투해오는 기운을 막아 세웠다. 그 충돌이 제법 사나워, 전신이 욱신거릴 지경이었다.

이곳은 태양신의 성역. 법황의 힘은 절대적이다. 그러니 히스칼이 날 해하기로 마음먹는다면 오래 버틸 수 없다.

하지만 정말로, 위협이 될 만한 강도는 아니었다. 그저 위협이며 인사다. 이곳은 내 영역이라는 선언.

내 앞에 선, 아지스는 태연했다. 그 힘의 영향을 받지 않는 것처럼. 히스칼이 그에게 예외를 뒀던가. 칼리스인에게. 그건 그대로 눈살 찌푸려지는 것.

"어서 안으로 들이는 게 좋겠군. 그래도 손님인데 마냥 세워둘 수는 없지."

눈웃음치듯 눈을 휘어 보인 그가 덧붙였다.

"에스델."

그 입에서 발해지는 내 이름을 듣는 건, 오싹한 기분이었다. 분명히 히스칼은 내 이름을 부를 수 있는 몇 안 되는 이였다. 하지만 썩 좋게 들리지는 않는다.

"이리로 와."

그가 재촉하듯 말했다. 곁눈질로 내 일행들을 훑으면서. 만약, 내가 그의 말을 따르지 않는다면 그들을 어떻게 할 거라고 경고하듯이.

나는 걸음을 내디디려고 했다. 하지만 카마엘이 등을 보이며 손을 펼쳐서 내 앞을 가로막았다.

"안 됩니다."

카마엘은 내가 위험에 처하는 걸 가만히 보고만 있을 수 없는 이였다. 나는 그를 향해 딱 잘라 말했다.

"이곳은 그의 영역이야."

이곳까지 온 이상, 무의미하게 대치만 할 수는 없다. 목적을 달성하려면 나는 저 신전 안으로 들어가야 했다. 어떤 위험이 도사리고 있더라도.

하지만 신전 안으로 병력을 데려가는 건 무리였다. 버티지 못할 거다. 방금 히스칼이 내린 경고가 그걸 명확하게 했다.

내 성력으로는 나 자신을 지키는 게 고작이었다. 내 존재가 힘을 주기에 그들이 이 성역 안에서도 어느 정도 자연스레 버텨내고 있는 건 사실이지만, 성역을 지배하는 법황 앞에서는 그나마도 무용했다.

"카마엘."

내가 그의 이름을 부르자, 그가 내 쪽을 돌아보았다. 굳어진 제비꽃빛 눈동자를 향해 난 속삭였다.

"여기까지 왔잖아."

돌이킬 수 없음을 알려 주듯이. 그러나 그의 얼굴에 곧 단호한 의지가 서렸다.

"제가 함께하겠습니다."

확실히, 카마엘은 다른 이들과는 달리 태양신의 성력에 영향을 덜 받는 듯 제법 멀쩡하게 서 있었다. 크게 무리가 되어 보이지도 않았다.

그가 요정이거나, 뛰어난 검사이기에 본연의 힘으로 버텨 낼 수 있는 걸까. 아무튼, 그가 따라나서는 것까지는 막을 수 없는 일이었다. 나는 고개를 끄덕였다.

"응, 그래. 그리고 다른 이들을 내보내자. 만약의 경우 카마엘이 날 데리고 뛰는 거야."

난 절대 순순히 사로잡히거나 위기에 처할 생각이 없단 것을 강조했다. 카마엘이 긍정했다.

"제 목숨이 다하더라도."

……그렇게까지 비장하진 않아도 되는데. 아니, 그렇게까지 비장해야 하는 상황인가? 생각보다 내겐 위기감이 덜했다. 아직은 어느 정도, 예상된 상황이었다.

"서두르시지요."

나와 카마엘이 교감의 눈빛을 주고받는 동안 앞쪽에서 대기하고 있었던 아지스가 기다리기 지루한 듯 입을 열었다. 내가 그쪽으로 걸음을 내디디자 카마엘이 명령을 내리는 소리가 들렸다.

"이대로 인원을 수습하여 성벽 밖에서 대기하라."

"예? 하지만 성녀님을 호위하여야……."

"명령이다."

그 짤막한 말은, 절대적이다시피 한 위력을 담고 있었다. 그리 수긍한 기색은 아니었지만, 다들 상태가 좋지 않기도 했다.

다행히 그들은 스스로가 짐이 된단 사실을 인지한 모양이었다. 걱정스러운 기색을 감추지 못하면서도 물러가는 것을 택했다.

나는 히스칼과 그들 가운데를 가로막고 서서, 그를 경계하고 있단 걸 드러내 보였다.

나를 손에 넣은 것만으로도 족하지 않아? 내가 데려온 병력까지 볼모로 잡히도록 내버려 둘 순 없었다.

"네 권속들을 퍽 아끼나 보구나?"

히스칼이 신기한 듯 물었다. 호기심을 드러내는 낯짝이 가증스러웠다. 성녀가 성국민을 아끼는 건 당연한 거 아닌가?

나는 그가 아니었다. 그리고 법황인 그가 신성교국을 배신한 게 이해가 되지도 않았다.

"너는 결국, 이런 짓까지 벌였구나."

"이런 짓이라니. 내가 무슨 짓을 했단 거지?"

태연하게 반문하는 그를 난 싸늘하게 노려봤다.

"에스델 세라피아, 너는 편협한 눈으로 나를 바라보지. 물론, 나는 네게 이해를 구할 생각이 없어. 네가 이해하지 않는다고 달라지는 것도 없겠지만."

히스칼은 싱긋 웃었다. 자신이 옳단 것을 의심치 않는 얼굴이다. 흔들림 없는 눈빛. 그에게 뭐가 있기에? 그것이 나를 혼란하게 했다. 그는 심지어…….

"궁금한 게 많을 테지. 조금은, 이야기해 줄 수 있겠지만."

그렇지 않다고 잘라 말할 수 없었다. 그래, 히스칼은 몰이해의 영역에 있었다. 내겐 그를 이해하기 위한 뭔가가 필요했다.

나는 그가 미웠지만, 그만큼 의문에 차 있기도 했다. 히스칼이 자신의 전과에 대해서 들어줄 한 명으로 나를 택했다면, 나는 거기에 응할 수밖에 없었다.

"따라와. 이쪽이야."

히스칼이 향하는 방향이 마음에 들지 않았는지, 아지스가 비딱하게 토를 달았다.

"기다리고 있는 분이 계십니다만."

"조금 더 기다리게 하지. 여긴 내 땅이야. 잊지 말라고."

아지스의 안색이 창백해졌다. 뭔가에 강타당한 듯이 숨을 들이켰다. 태양신의 신성은 유효했다. 심지어 칼리스인에게조차도.

나는 내 가정을 조금 비틀어야 했다. 아델 역시도, 성국에 별 문제 없이 발을 들였듯이 나는 칼리스에게 성력에 대처할 방법이 있을 거라고 생각했다.

아마 있을 거다. 하지만 그게 모든 칼리스인들에게 주어질 만한 건 아닐지도 몰랐다.

"보모는 남겨 둘 셈인가. 뭐 좋아."

카마엘을 일별한 히스칼이 앞서 걸어갔고, 나는 그의 등 뒤를 따랐다. 카마엘이 히스칼과 내 사이보다 가까운 간격으로 나를 따라왔다.

신전 내부는 쥐죽은 듯이 고요했다. 대사제들은 어떻게 된 걸까. 나는 몇 년 전에 보았던 태양신의 권속들을 떠올려 보았다. 그들은 신성교국이 이렇게 될 거라고 예상했을까.

"대사제들도 잠들었나?"

"글쎄, 어떻게 되었을 것 같아?"

차가운 웃음소리가 들렸다. 불길한 기분을 뿌리치며 나는 다른 질문을 꺼냈다.

"어떻게 신성교국을 통째로 잠재웠지?"

"너는 아마 알 수도 있을 거야. 너나 나나 비슷한 힘을 비슷한 방식으로 다루지. 잘 생각해 봐."

너무나도 곰곰이 잘 생각해 봤지만 도무지 이해할 수 없었던 난 불퉁하게 대꾸했다.

"너와 수수께끼 놀이를 할 생각 없어."

"착각하고 있구나."

내 말의 뭔가가 그를 건드린 모양이다. 뒤돌아선 히스칼이 단숨에 거리를 좁혀 왔다. 그가 손을 뻗어 내 목을 움켜쥐었다. 너무나도 순식간에 벌어진 일이었다.

"너는 내가 무엇을 하든 응해야 해. 그게 이 태양신의 신전에서 네가 할 수 있는 일이지. 모르고 여기로 왔다면 알아 둬."

잔혹한 빛을 띤 눈이 나를 아래위로 훑었다.

"날 거스르지 않는 게 좋아. 넌, 놀랄 만큼 예쁘게 자랐거든. 난 성녀인 네게 평생 겪어 보지 못했을 치욕을 안겨 줄 수도 있다고."

"히스칼."

나는 그의 얼음장 같은 시선을 맞받았다. 부름의 목적은 실상 당장에라도 검을 뽑아 들 것처럼 구는 카마엘을 막아서는 데 있었다.

"나는 네 그런 말 따위에 겁먹지 않아."

"확실히, 배짱은 여전하네."

다시금 가식적인 미소를 머금은 채, 그가 나를 놓아주었다. 꽉 짓눌렸던 목이 얼얼했다. 그때의 그는 망설였지만, 지금의 히스칼은 정말로 내 목을 조를 수 있었다.

하지만 그는 내게 바라는 것이 있었다. 그건 단순히 냉철한 이성으로 필요로 하는 뭔가는 아니었다. 도리어 감정적인 것에 가까웠다.

그 뭔가를 충족하기 전까진, 그는 나를 해치지 않을 거다. 물론, 해치지 않는다는 게 죽이지 않는단, 딱 그 정도겠지만.

다시금 걸음을 옮긴 그가 거대한 문 앞에 멈춰 섰다. 거한이 힘을 주어 밀어야만 열릴 것 같았던 문은 자동 감지 기능이라도 있는 건지, 히스칼이 그 앞에 선 것만으로도 매끄럽게 열렸다.

이건. 그 안의 광경을 본 나는 입을 틀어막았다.

문 안쪽으로는, 드넓은 홀이 있었다. 번쩍이는 샹들리에가 드리우고, 대리석 기둥이 조각과 함께 격조 있게 드리운 성스러운 장소였다. 고적하고 청결해야만 할.

그런데 그 중앙에, 사지가 묶인 대사제들이 공중에 매달린 채 신음을 흘리고 있었다. 거의 의식이 없는 상태로, 그저 통증에 반응하고 있는 듯한 모습.

그들 중에는 익숙한 얼굴도 보였다. 카피토, 카스라…….

"이게 무슨 짓이야?"

칭칭 드리운 쇠줄을 몸에 휘감은 그들의 손발이 시퍼 다.

피가 통하지 않는 거다. 고통스러울 게 틀림없었다.

신성교국이 점령당한 뒤, 얼마나 오랜 시간을 저렇게 매달려 있었을까. 그보다 잔인한 광경을 본 적이 없었던 건 아니다.

하지만 법황이, 제 권속들에게 그리했단 점이 유독 충격적이었다. 나는 히스칼과 나를 일부분 동일시하고 있었으므로.

"대체…… 왜 이런 짓을!"

틀림없이, 고통을 주려고 한 짓이었다. 아니라면 그저 제압하거나 묶어만 두었을 테니까.

히스칼이 웃었다. 옆모습만 보이는 단정한 입매에 선득함이 감돌았다.

"간수들에게 자비로울 죄인이 있을까."

"죄인이라고?"

"그래, 죄인이지. 내가 가진 것은 원죄."

짧게 읊조린 그가 공중에 매달린 채 의식을 잃은 대사제들을 훑었다. 그 눈에 드러난 감정. 히스칼이 이젠, 숨기지 않고 드러내는 그 감정이 뭔지, 난 알아차렸다. 그건 증오였다.

"그 펜던트, 기억해?"

"그래."

"그건 내 어머니의 유품이야. 내 어머니는 칼리스인이었어. 칼리스 왕족의 후손이었지."

"칼리스 왕족의 후손……이라고?"

"말하자면, 그녀는 칼리스와는 그리 연관 없이 자라났어. 높은 신분의 조모와 낮은 신분의 조부는 사랑의 도피를 벌였고 칼리스의 손에 죽음을 맞았지. 그녀는 그 와중에 홀로 빼돌려져 이웃에 몸을 의탁하여 살았던 거야."

이 이야기, 어디선가 들어 본 기억이 난다. 아델이, 옛날에 그가 말했었지. 칼리스의 왕족 중 사랑의 도피를 벌였던 이가 있다고.

"그러다가 우연히, 태양신의 신도와 맺어지게 되어, 아이를 가졌지."

그에게 다가서려던 걸음이 절로 멎었다. 코를 찌르는 악취가 느껴졌던 탓이다.

정결한 대사제들도, 고문당하는 상황에서는 별수 없다. 그들을 풀어 주고 싶어 손이 꿈틀거렸다.

하지만 히스칼이 허용하지 않을 거다. 상황과 괴리된 차분한 목소리가 이어졌다.

"내가 여섯 살이 되었을 때, 그들은 신성교국을 방문했어. 내게 세례를 받게 하려고 말이지. 내 아버지는 어머니의 출생에 대해서 알고 있었어. 하지만 그게 그들의 삶과 무관한 사실이라 여겼지. 내 어머니는, 칼리스에서 자란 적도 칼리스인으로 산적도 없으니까. 그러나 대사제 앞에서, 내가 세례를 받은 순간 모든 것이 변했지."

운명의 순간을 떠올리는 그의 눈에 희미한 잔영이 어렸다. 나직한 음성이 진실을 토해 냈다.

"그래, 내가 다음 대 법황이었던 거야."

잠시의 침묵 뒤, 말이 이어졌다.

"그건 정해진 순간, 돌이킬 수 없는 일이었지. 법황은 신성교국의 4대 가문에서 나기 마련이지만, 간혹 예외가 없었던 건 아니거든. 그 예외가 나였던 거지. 내가 결코, 바란 적 없는 예외!"

"히스칼."

"법황이 될 아이라고 한들, 부모를 모르지는 않아. 하지만 내 어머니의 출생이 낱낱이 파헤쳐지고, 그들은 날 놓아야 했지, 영영."

"돌아가신…… 거야?"

"제아무리 결벽증적이고 잘난 신성교국의 윗분들이라도 해도, 법황의 부모를 살해할 순 없어. 신전은 기억 속에서 나를 지우고, 그들을 신성교국 밖으로 내보냈어. 그리고 모든 기록을 소거했지. 나는 내 부모가, 누구이고 어디 사는지 살았는지 죽었는지 몰라. 지금 이 순간도 여전히. 내게 허락된 건, 내 어머니가 신성교국 어딘가에 몰래 숨겨 두고 귓가에 속삭여 남겨 준 이 펜던트뿐."

화목한 가정이었음이 틀림없다. 부모님의 손을 잡고, 세례를 받을 기대에 부풀어 신성교국으로 향했겠지.

그러나 그는 덩그러니 홀로 남았다. 여섯 살 아이에겐 전부나 다름없을 부모를 잃은 채로. 가져 봤던 이만이, 그 상실감이 얼마나 클지 알 수 있다.

"원죄라고 했지. 나는 칼리스인의 후손이면서 법황이 될 자질을 타고났지. 그게 바로 내 원죄야. 그 죄 때문에 나는 부모를 잃고, 신성교국에서 자라나야만 했어. 간수인 그들은 나를 그들

입맛에 맞게 훈육하려고 했지. 생각해 봐. 칼리스인의 후손이 법황이 되다니! 신탁을 무시할 수 없더라도, 그게 저들에게 얼마나 용납하기 어려운 일일지."

히스칼이 내 쪽을 향해, 휙 돌아섰다.

"내겐 어떤 감정이나 생각이 허락되지 않았어. 사실, 삶이 허락되지도 않았지. 내 삶은, 정해져 있었으니까. 내가 법황이 되기 전까지 뭘 어떻고 살고, 어떻게 견뎌야 했는지 넌 상상도 할 수 없을 거야. 법황은 함부로 할 수 없지만, 엄밀히 말해 법황의 후계자는 아직 법황이 아니지."

히스칼은 태연하게 말하며 웃었다. 하지만 그에게선 깊숙이 응어리진 앙금이 느껴졌다.

애정 없이, 태생부터 잘못된 아이 취급을 받으며 모든 것을 통제당하는 삶. 언어로는 쉽사리 구현할 수 있었지만, 현실감 있게 상상되지는 않았다.

훈육엔 육체적인 수단도 동반되었을 거다. 대놓고 뺨을 때리지는 않더라도, 어린아이를 괴롭힐 방법은 많다.

하지만 그런 상황에서 자라난 것치곤, 히스칼에겐 자아가 서 있었다. 피폐하고 비틀린 자아가.

그가 날 어린아이처럼 보았던 것도 이해가 갔다. 평화롭고 순탄하게, 제 삶에 만족하고 살아온 난 그의 눈에 그렇게 보일 수밖에 없었을 테니까.

"법황의 후계자를 살해하는 것은 허락되지 않아. 하지만 스스로 목숨을 끊게 유도하고 내버려 둘 수는 있지. 그러면 새 후계자가 나타날 테니까."

섬뜩한 말이었다. 히스칼은 그 이야기를, 가벼운 투로 말했다. 이미 지나간 일처럼.

"몇 번 기회가 있었어. 그럼에도, 난 끝끝내 삶을 택했지. 내가 죽어, 저들을 승리하게 하는 것이 끔찍하게 싫었거든."

내가 처음 본 히스칼은 이미 법황이었다. 그는 그 고통스러운 삶을 저항하고 버텨 낸 상태였던 거다.

"너는 온실의 꽃이고, 나는 새장 속의 새라고 말한 적이 있었지."

자줏빛 눈동자가 음울하게 물들었다. 그의 눈동자는 황혼처럼 어둡고 짙은 빛을 띠었다.

"그래, 새가 새장 밖으로 나가기 위해선 새장을 부숴야만 하는 거야."

그래서 난, 부수기로 했어. 온 공간을 짓누르듯 힘이 실린 선언이었다.

나는 그를 물끄러미 응시했다. 이해하게 되면, 미워할 수 없다고 하던가.

그는 바라지 않는 법황이 됨으로써, 모든 걸 잃었다. 하지만 난 이미 잃은 상태에서 모든 걸 얻었다. 그 대비가 내게서 비난의 의지를 앗아 갔다.

침울해진 난 물었다.

"신성교국이, 고작 네겐 새장에 불과했니? 그 모든 게 의미 없을 뿐이었어? 너의 신께서는……."

신은 자신의 권속에게 자애롭다. 월신께서는 분명히 그러했다. 하지만 태양신은 어째서, 히스칼이 여기에까지 이르도록 내버려 둔 거지?

"나는 신의 목소리를 한 번도 들어 본 적이 없어. 태양신은 오랜 세월 존재하기만 할 뿐 스스로를 드러내지 않았지. 내가 받은 것은 오직 하나, 이 힘. 태양신의 성력. 어느 순간 난 깨달았지. 태양신은, 내가 이 신성교국을 멸하더라도 무엇도 하지 않을 것임을."

"히스칼."

"무책임한 일이지. 날 법황으로 선택해 놓고, 수도 없이 대답을 구하는 내게, 단 한마디도 내려 주지 않았어. 응답 따윈 없었지. 난 벽을 쳐다보듯 대답을 기다리며 막막한 순간을 감내해야만 했지. 무수히도 긴 시간이었지."

그의 얼굴에 음울한 그림자가 졌다.

"어느 순간 난 생각했어. 당신은 과연, 내가 무슨 짓을 벌여도 침묵할까. 정말로, 그럴 수 있을까. 난 시험하고 싶었지. 그리고 그렇게 했어. 하지만 그는 내가 무슨 생각을 하는지 알았을 텐데도, 막아서려는 시도조차 하지 않았다."

하하, 비웃으며 그가 말했다.

"그들은 마땅한 대가를 치르는 거야."

"신성교국 사람들에겐 죄가 없어."

"그러면 내겐 죄가 있었나?"

나는 그 말에, 차마 대답하지 못했다. 속을 꿰뚫어 보는 듯한 자줏빛 눈동자가 나를 직시하고 있었다. 나는 조금 뒤 입을 열었다.

"네가 칼리스의 후손이라 해도, 네 조부모는 칼리스의 손에 죽음을 맞았잖아."

그러면 칼리스는 그의 원수가 되는 게 아닌가? 신성교국을 배신할 이유가 그에게 있단 건 사실이지만, 그렇다고 칼리스를 끌어들이는 건 좀.

"그랬지. 하지만 그건 나완 동떨어진 선대의 일이야. 원하는 걸 이루려면 내겐 칼리스가 필요했지. 칼리스가 내게 접촉하도록 만드는 건 꽤 순탄했지만, 그들이 나를 믿게 하기는 쉽지 않았어."

법황이 신성교국을 배신하려 한단 건, 확실히 누구라도 믿기 어려운 일이겠지. 그래서 야파 왕국에서, 칼리스와 싸울 때 그토록 모호한 태도를 보였었나. 그들에게 믿음을 주려고.

그리고 한 가지 더. 3년 전의 회담을 빙자한 호출.

"말했잖아? '나는 너를 통해서 원하는 바에 이른다'고."

그가 안쓰럽다는 듯이 혀를 찼다.

"너는 3년 전에도 위험해질 수 있었어. 그때 칼리스에서 네가 성국으로 돌아가도록 내버려 둔 건 이상한 일이지만……. 아니, 알 것도 같군."

히스칼이 뭔가를 암시하듯 날 의미심장하게 쳐다봤다.

"결국 너는 어리석게도 여기 왔지. 내가 뜻한 바대로. 그리고 칼리스가 원하는 대로."

"너밖에 생각하지 않는 너와는 달리, 나는 연연하는 게 많아서."

"그래서 여전히 나를 비난할 생각인가?"

넌지시 묻는 그를 두고, 난 깨달았다. 히스칼은 진심으로, 그의 사연에 대해서 내가 어떻게 느낄지 궁금해하고 있었다.

성녀란 특수한 존재에 대한 개인적인 호기심인지, 아니면 그를 건드렸던 내게 이해를 바라는 건지 모르겠다.

따스한 뭔가를 바란다기에 히스칼은 내게 배타적이고 차가웠다.

나는 차분히 대답했다.

"네가 어떻게 만들어졌든, 너를 만든 것은 너지. 하지만 그래, 네가 그렇게 되는데 이유가 있었단 건 인정해."

그것이 한 나라를 파국으로 몰아넣는 결과를 초래했다고 할지라도, 또 내게 불리한 일이 되었을지라도, 나는 일방적으로 히스칼이 나쁘다고 말할 수는 없었다.

악인이라고 비난하기에는 그에게도 그럴 만한 사연이 있었으니까. 그는 결코 일방의 가해자가 아니었다.

한편으로는 억울한 기분이 든다. 그래, 신성교국은 히스칼에게 잘못했을지도 모른다. 하지만 난 그에게 아무것도 안 했는데 피해를 보고, 당하고 있지.

내가 왜 그를 이해해야 하는 거야? 왜 당당하게 그를 비난할 수 없지?

하지만 확실히, 나는 히스칼이 바라는 답을 들려주었던 것 같다. 그의 눈빛이 미묘하게 변했다. 그의 안면을 스치고 지나간 수많은 감정은 이내 특유의 미소로 갈무리 되었다.

그가 뭔가를 말하고 싶다면, 그 대상이 나일 수밖에 없단 건 잘 알겠다. 동등하게, 편견 없이 그를 바라볼 수 있는 건 오로지 나뿐이므로. 그것이 그에게 내 의미인지도 모른다.

하지만 그가 내게 무슨 의미를 두고 있든 나는 더 이상 그와 엮이고 싶지 않았다. 엮여서 좋은 꼴을 본 적이 있어야지!

그의 기분이 누그러진 걸 확인한 난 고개를 똑바로 쳐들고 물었다.

"내 대사제, 아리안느는 어디 있지?"

신성교국민들이 잠들어 있단 건 알겠다. 하지만 히스칼이 법황이라 태양신의 권속들에게 뭔가를 할 수 있었던 거라면, 우리 쪽 성국민들에겐 같은 방법이 안 통하지 않았겠어?

그러면 다른 방법을 썼을 테고, 적어도 철저하게 일방적으로 무력화시키진 못했을 거다.

오면서 내내 살펴본 바로는 싸움의 흔적이 전혀 없었다. 그 말은, 아리안느가 전투를 치르지 않았단 뜻이다.

"그녀도 저기 매달까 했는데, 너는 나와는 생각이 다를 것 같아서."

인심 썼다는 듯이 히스칼이 어깨를 으쓱했다. 난 초조해졌다.

"너는 원하는 걸 손에 넣었어. 최소한의 희생만을 치를 수 있잖아?"

그 최소한의 희생엔 성국의 대사제가 포함되지 않을 거다. 히스칼은 고개를 저었다.

"아직은 아니야. 나로서도 빨리 끝내고 싶지만."

그러고 보니 안색이 조금 창백한 듯도 싶다. 휴식이 필요해 보여.

아무리 여기가 성역이라도 이토록 오래 사람들을 잠재우고, 성력을 다스리는 게 쉽진 않을 테지. 칼리스는 믿을 만한 동지가 못되니 경계를 늦출 수 없었을 거다.

그래, 그는 혼자였다. 오롯이 혼자.

이것이 홀로 만들어 낸 업적이라면, 그가 대단하단 건 부인할 수 없다.

나는 입술을 깨물었다. 내가 히스칼을 강제하거나 설득할 수 없단 건 자명하다. 그러면 난 어떻게 해야 하지?

곧 답이 떨어졌다. 히스칼의 입가에 실소가 실렸다.

"그가 왔군."

문 너머로, 들리는 무거운 발소리. 짓누르는 듯한 감각이 어깨에 실렸다. 세게 쥐어진 손끝이 손바닥을 파고들었다. 아팠다. 그리고 떨린다.

히스칼이 노래하듯 말했다.

"네 왕자님이, 기다리다 못해 달려오셨나 보군. 몸이 달았나 봐."

'네 왕자님'. 이상한 표현이었다. 설마, 나와 아델의 관계를 눈치챈 건…….

아니, 아델이 완벽한 동지도 아닌 법황에게 그런 걸 말하진 않았을 텐데. 그냥 던져 본 건가?

혼란에 휩싸인 날 두고 히스칼은 느긋하게 내 등 뒤를 향해 시선을 두었다.

그르릉. 바닥을 긁는 소리를 내며 문이 열렸다. 이 기척, 이 발소리. 놀랍도록 친숙하다. 그가 아닐 수 없었다. 온몸의 세포가 곤두서서 그가 아델이라는 걸 내게 알린다.

뒤돌아보고 싶지 않았다. 심장이 쿵쿵거리고 가슴이 떨렸다. 연쇄살인마와 조우할 예정인 것도 아닌데, 뭐가 이리 무섭지? 아델은, 내가 무서워할 만한 상대가 아닌데.

"뭐 때문에 시간을 끌지?"

나직한 음성이, 대기를 갈랐다. 짜증이 담겼다기보단, 차갑고 위압적인 투였다. 히스칼이 거리낌 없이 되받았다.

"서로 조금, 인연이 있는 편이라. 이야기를 나눴을 뿐."

그리고 내게로 흘끗 시선을 준다. 나는 흠칫 몸을 떨었다. 이제는, 피할 수 없었다. 나는 느릿하게 몸을 돌렸다.

검은 갑옷이었다. 새하얀 신전의 한구석이 까맣게 먹혀 버리는 듯한 어둠이 그에게 있었다. 등 뒤로 망토가 펄럭였다. 그의 허리엔 검이 차여져 있었다.

전보다도 훌쩍 자란 키. 고개를 꺾어 올려다보아야 할 만큼 컸다. 나는 일순, 그와 처음 만났을 때처럼 어리고 덜자란 소녀가 된 듯한 기분에 사로잡혔다.

그건 내가 그에게 위축되었기 때문이다. 나를 향해 내리꽂히는 눈빛은 광채를 띠고 짙게 푸르렀다.

나는 그보다 선명한 파란 색은 평생 본 적이 없었다. 흡사 대해를 품은 듯이. 그러나 그 대해에는 필경 폭풍우가 치고 있으리라.

아이러니하게도 여기서 가장 태양신의 증표 같은 찬란한 금발이 그의 이마 위에서 흐트러졌다. 그 빛이, 안구를 쪼는 듯했다.

수려하단 단어가 부족하게 느껴질 만치 섬세하게 새겨진 이목구비가 눈에 박혔다. 귀공자 같은 외형이나 몸에 밴 살기가 그를 날카롭고 위압적인 인상으로 보이게 했다.

더 이상 천사 같은 모습의 어린 소년이 아닌 그는 흡사 전장의 사신 같았다. 가슴이 섬뜩해진다.

"아델."

나는 혼란스러웠다. 그는 다시 마주할 때마다, 내게 낯설어져 갔다. 그래도 그는 '아델'이었었다. 하늘에서 내려 준 선물 같았던, 내 특별한 소년.

그러나 지금의 그는, 도무지 아델 같지가 않았다. 그것이 내게 혼란을 불러일으켰다.

그의 입가에 싸늘한 미소가 맺혔다.

"여전히 나를 그렇게 부르는구나."

비꼬는 투였다.

"네게 머리란 게 있다면, 내 이름을 기억할 텐데. 알려 주었잖아?"

"……그랬지."

아드라하트 블라스페미아 칼리스. 난 결코 익숙해질 수 없는 그 이름을 입술로 읊조렸다. 그 이름으로, 그를 칭할 엄두가 나지 않는 건 왜일까?

적나라한 흥미를 담은 채 나와 그를 살펴보는 시선이 느껴진다.

하지만 내가 히스칼에게 보이고 있는 건 뒷모습이었고, 그게 유일하게 다행인 점이었다. 내게로 다가선 아델이 움켜쥘 듯 손을 뻗었다. 그러나 그 손은, 바로 허공에서 멈추었다.

"성국 제일의 성기사신가. 오늘도, 함께로군."

줄곧 침묵을 지키고 있던 카마엘이 나서서 그와 내 사이를 가로막았던 것이다.

나는 나도 모르게 손을 뻗어 카마엘의 옷깃을 붙잡았다. 아델의 눈초리가 사나워진 걸 감지한 탓이다. 아델을 설득해 보려면, 그를 되도록 자극하지 말아야 했다.

아델이 내게로 향한 시선을 움직여, 카마엘을 응시했다. 그가 사납게 내뱉었다.

"지금의 내가 과거의 나와 같다고 생각한다면, 성녀는커녕 네 목도 지킬 수 없을 거다."

그토록 살의로 가득한 눈빛이라니. 카마엘 역시도 물러나지 않고 그의 시선을 맞받았다. 팽팽한 대치로 분위기가 한층 더 살벌해졌다. 나는 카마엘의 옷깃을 잡아당겼다.

"카마엘."

내 뜻을 알아들은 그가 느릿하게 옆으로 물러났다. 나는 심호흡하며 눈을 깜빡였다. 그리고 다시 내게로 시선을 향한 아델에게 물었다.

"바란 대로, 나는 여기에 왔어. 저주를 푸는 것을 원해?"

그를 거절한 나를 혼내 주고 싶단, 사적인 이유만으로 나를 불러내진 않았을 거였다. 그에게도 명분이 있겠지. 하지만 아델은 내 질문에 코웃음 쳤다.

"풀 수는 있고?"

열 살 때, 그와 저주에 대해서 이야기한 적이 있었다. 그때의 기억이 있다면, 내가 저주를 푸는 방법을 모른다는 걸 그도 알고 있을 거다.

"시도해 볼 수는 있겠지. 그 전에, 약속대로 인질들을 석방해 줘. 그게 내가 여기로 오는 조건이었잖아."

"그래, 그게 조건이었지. 인질들을 석방하는 것 말이야. 그건, 틀림없이 이뤄질 거야. 하지만 네게 타국의 이름 모를 인질들보다 더 중요한 이들이 있지 않았나?"

"성국의 선발대는, 어디에 있지?"

나는 최대한 뭉뚱그리며 물었다. 내가 대사제 아리안느의 신변에 신경 쓰고 있단 걸 들키지 않을 셈으로.

하지만 내 얄팍한 속을 꿰뚫어 봤는지 아델이 피식 웃었다.

"그건 네가 앞으로 어떻게 하냐에 따라서, 알려 줄 수도 있겠지."

"무슨 뜻이야?"

"말 그대로, 사로잡은 연합의 인질들을 풀어 주는 게 네가 여기로 오는 조건이었지만, 성국의 인질들과의 거래 조건은 우리 쪽에서 아직 제시하지 않았단 뜻이지."

뒤통수를 얻어맞은 듯했다. 가슴이 답답하다. 나는 미간을 좁혔다.

"……새로운 거래 조건이 뭔데."

나를 향한 눈길이 차가웠다. 나는 도무지 그의 속내를 읽어낼 수 없었다.

이전의 그였다면 어떻게든 날 빠져나가게 해 주려고 했을 텐데. 지금의 그는 도리어 내가 위기에 처한 걸 즐기는 느낌이다.

아니, 그가 이렇게 되도록 주도했을 터. 그리고 우리 관계를 망친 건 바로 나였다.

잠시의 침묵 뒤, 아델의 입이 열렸다. 짐승의 것처럼 안광이 이는 그 눈빛. 거기에 어린 것은 무엇이었을까. 나를 완벽하게 함정에 몰아넣은 만족감? 복수심?

"알다시피 저주에 걸린 건 우리 칼리스의 왕. 그가 여기로 올 수는 없잖아? 그러니 네가 칼리스로 와야겠어."

그가 당연한 듯이 말한 그것은 내게 결코 당연하지 않은 내용이었다. 카마엘이 나서기도 전에, 나는 단박에 잘랐다.

"그, 무슨 말도 안 되는."

"성녀인 네가 신성교국에 온 건, 말이 되는 상황인가?"

"적어도 내가 칼리스로 가는 것보다는 말이 되겠지."

어떤 성국인도, 심지어 잡혀있는 아리안느조차도 내가 칼리스에 발을 들이는 일 따윈 용납 못 할 거다.

내 부정적인 반응을 맞이한 아델이 한쪽으로 비딱하게 고개를 기울였다. 그의 화답은 지독히도 차가웠다.

"잘 생각해야 할 거야. 네겐 선택의 여지가 별로 없거든. 거절하면 성국의 인질들을 모조리 처형해서 그 시체를 이곳 성벽에 내걸 테니까."

"아델!"

내가 질겁하여 외치자, 아델이 비웃듯이 잘랐다.

"새삼 나를 그런 식으로 불러 봤자, 달라지는 건 없어."

내가 단절한 인연을 상기시키듯 그는 감정 없는 눈으로 날 봤다. 감정 없는. 가면을 쓴.

그가 나를 향해 품은 건 뜨거운 분노가 아니었다. 도리어 차디차게 굳어진, 암석과도 같은 것.

히스칼이 흥미로운 듯 턱을 괴었다.

"둘이 꽤 친한가 봐. 칼리스의 왕자와 성녀라……. 여하간."

그가 얄밉도록 환한 미소를 보였다. 정말, 한 대 후려치고 싶은 표정이다. 히스칼은 내게 항상 비슷한 감정을 유발해 왔다.

"사정상 나 역시, 저쪽에 협조해야 해서 말이지. 거절한다고 해서 네가 여기를 순순히 빠져나갈 수 있을 거라고는 생각하지 마. 내가 있는 한, 이 태양신의 성역에서 월신의 성녀인 네 힘 따윈 별 의미가 없으니까."

오만한 말이지만, 그의 말이 맞다는 건 부인할 수 없었다. 히스칼이 나를 짓누르기로 마음먹는다면 내가 얼마나 저항할 수 있을지 모르겠다.

나로선 가늠할 도리가 없지만, 히스칼이 나보단 제힘에 대해서 잘 알 거다.

그러나 여기엔 카마엘이 있었다. 물론, 그에게도 제약이 있는 건 마찬가지겠지.

불리한 상황. 그렇다고 이대로 칼리스로 따라갈 순 없다. 어떻게 해야 하지? 지금 이 위기를 평화롭게 타파할 만한 방법이라면…….

퍼뜩 스치는 생각이 있었다. 한 번 거절당했던 일. 그게 가능할진 알 수 없지만, 시도는 해 봐야겠지. 나는 아델을 똑바로 쳐다보며 물었다.

"만약 내가 이곳에서 저주를 풀 수 있다면, 나를 보내 주겠어?"

그의 표정이 미묘하게 변화한다. 이건, 예상 못 했던 소린가. 나는 빠르게 근거를 보탰다.

"내가 직접 간다고 해도 저주를 풀 수 있단 보장은 없잖아. 만약 내가 저주를 풀 방법을 알려 준다면?"

"그게 유효하단 건 어떻게 확인하지?"

"그게 진실이란 걸 월신의 이름으로 맹세하겠어."

성녀가 월신의 이름을 걸고 한 맹세를 어길 순 없다. 아무리 나라고 해도 말이다. 강제력이 따른단 말이지. 저주를 푸는 게, 그가 내건 명분이었다.

하지만 눈빛을 보건대, 그는 저주가 어쨌건 바로 나를 끌고 가고 싶어 하는 듯했다.

"여기서 네가 뭘 할 수 있는데?"

그가 어떤 대답을 하기도 전에, 히스칼이 대화를 가로챘다.

그는 재미있다는 듯이 웃고 있었다. 그가 품은 건 확신이다. 내가 무엇도 하지 못할 거란 확신.

히스칼은 아무리 여기가 신성교국이라지만, 날 일방적으로 제압할 수 있다고 생각하고 있다.

나는 그를 무시한 채, 아델을 쳐다보며 말했다.

"신탁을 받겠어."

확률은 반반. 월신께서는 더 이상 나를 도울 수 없을 거라고 말했지만, 직접 내려서 접신하는 것과 메시지 하나만 내려보내는 건 다르다.

후자라면, 대사제들에게도 가끔은 내려지는 거니 기대해 볼 만할 테지. 월신께서 싹 무시해 버리면 어쩌냐고? 그건 그때 가서 생각해 보자.

중요한 건, 지금 이 순간 뭐라도 해 보는 거니까.

"태양신의 성지에서 신탁을 받는 월신의 성녀라, 재미있겠는데?"

그것은 분명, 신성모독에 준하는 일이었다. 태양신의 권속들에게 대단한 무례다.

하지만 이곳의 사람들은 잠들어 있었고, 정작 그 일을 막아서야 할 히스칼은 태양신을 모독할 수 있다면 더욱 좋아할 거다. 그의 표정에 드러난 건 오직, 흥미뿐이었다.

아마, 그는 내가 막다른 순간, 내 신에게 외면당하는 걸 바랄지도 모르겠다.

“가능할진 모르겠지만, 어때? 왕자.”

히스칼이 아델에게 눈짓했다. 그렇게 하게끔 내버려 두라는 뜻이었다.

나는 아델과 히스칼 사이에서 흐르는 미묘한 공기를 살폈다.

칼리스의 왕자와 신성교국의 법황이라. 어떤 식으로든, 동지가 되긴 어려운 관계였다. 비뚤어진 데가 있는 둘이라면 서로에게 동질감을 느낄지도 모르겠지만, 도리어 동족 혐오를 느낄 것도 같다.

척 보기에도 둘 사이가 별로 화기애애해 보이진 않았다.

하지만 어렴풋이 느껴지는 건, 그들이 거리를 둔 채 서로에게 협력하고 있단 거다. 상대에 대한, 무시할 수 없단 것에 가까운 존중이 느껴졌다.

“나쁠 것 없잖아? 나는 그녀에게 기회를 줬으면 하는데.”

히스칼이 넌지시 권했다. 강한 의사를 실어서.

어차피 나를 끌고 가 봤자, 저주를 풀 수 있단 보장은 없다. 하지만 이 상황에서 나에게 신탁을 받도록 하여 확실한 방법을 알아낼 수 있다면, 아델에게 손해날 건 없는 일이었다.

이대로 나를 풀어 주더라도 어차피 아델이라면, 어떻게든 또 다시 나와 대면할 기회를 만들어 낼 수 있을 거다.

“……좋아, 기회를 주지. 얼마든지 발버둥 쳐 보라고.”

아델이 물러섰다. 반신반의하는 듯한 기색이었다. 나는 기회를 만들었다. 하지만 그 기회는 월신께서 내게 신탁을 내려 주셔야 유용한 기회였다.

여기는 태양신의 성지. 가능할까. 의심이 들었으나, 해야만 했다. 신탁을 말한 데는 시간을 끌기 위한 의도도 있었다.

"조용한 장소로 안내해 주겠어? 정신을 집중해야 하거든."

나는 히스칼의 안내를 받아, 바로 근처의 기도실로 안내되었다.

"빠져나갈 생각은 꿈도 꾸지 마. 이 신전의 돌조각 하나도 내 명에 따를 테니까."

위협 비슷한 소리를 남긴 채, 히스칼이 가두듯이 문을 닫았다. 대단한 소린데? 월신의 성역이라고 해서 성녀인 나라도 돌조각이 명을 따르게 할 수는 없다고.

히스칼과 내 사이에 현격한 격차가 있다는 건 슬프게도 사실인 듯싶었다.

나는 사방을 돌아보았다. 태양신의 신성이 은은하게 묻어나는 기도실 안에는 카마엘과 나만이 자리하고 있었다.

평생 와 볼 일 없을 거라 여겼던 곳에 발을 들이는 기회라니, 이건 행운일까 불행일까.

후자에 가깝다는 게 유감스럽지만. 자리를 잡고 월신을 부르기 전, 카마엘이 나를 불렀다.

"신탁을 받을 자신이 있으십니까."

아무리 신실한 그라도 태양신의 성역에서 신탁을 받겠단 초유의 상황엔 회의가 이는 듯했다. 나는 그를 향해 생긋 웃어 보였다.

"아니, 그렇진 않아. 다만 내게 시간이 좀 필요했어. 이렇게 카마엘과 대화를 나눌 수 있는 시간이."

"칼리스로 가실 생각이십니까."

"신탁을 받지 못한다면, 그리고 받더라도 그 신탁이 저주를 푸는 방법을 알려 주지 않는다면 내게 선택의 여지가 있을까?"

그가 결연하게 대꾸했다.

"제가 성녀님을 모시고 이곳을 빠져나가겠습니다."

히스칼이 이 대화를 엿듣고 있을진 모르겠다. 하지만 엿들어도 별로 달라지는 건 없었다.

"아무리 카마엘이라고 해도, 법황을 뿌리치고 여기서 탈출하는 건 쉽지 않을 거야. 그리고 그렇게 하면, 선발대와 인질의 목숨은 없는 것이 돼. 모든 걸 망칠 수 있어."

그건 도박이다. 그리고 도박은 가급적 하지 않아야 하는 거다.

그보단 내가 칼리스로 가는 도중에 도망친다거나, 아델을 잘 구슬려서 칼리스로 가더라도 내 목숨 하나 보존하는 게 가장 나은 방법일 테지. 별로 자신은 없는데…….

아델이 날 때릴까? 때리면 아프잖아! 난 아픈 게 싫다고! 키도 크고 손도 커졌어. 힘도 세졌을 테고, ……사람도 많이 죽여 봤겠지.

그가 무엇을 한대도 내가 저항하기 어려울 거다. 하지만 내 안의 어딘가에서, 그가 내게 그 무엇을 하지 않을 거란 믿음이 남아 있었다.

아델은 나를 괴롭히고 싶어 하는 듯하지만, 어린 시절부터 그를 괴롭힌 건 내 쪽이었다. 반대의 상황은 원래 이루어지기 힘든 법이다. 사람에겐 타성이란 게 있거든!

그러나 그런 내 생각을, 카마엘이 꿰뚫어 본 듯싶었다.

"성녀님, 그는 더 이상 어린 시절의 그 소년이 아닙니다."

"알아. 하지만 그때의 아델이 내게 남아 있다면, 아델에게도 그때의 내가 남아 있지 않을까?"

비록 내가 그를 버렸더라도. 그에게 칼리스를 등지고 나를 돕게 만들었던 그때의 소녀가 그에게도 조금은 남아 있지 않을까.

와, 이렇게 말하니 내가 무척 팜므파탈이었던 것 같잖아? 사실 소꿉장난하는 것만도 못한 사이였는데 말이야.

카마엘의 입가에 한숨이 고이는 듯했다. 하지만 그는 노골적으로 티 내는 무례함을 범하진 않았다.

미안, 이런 성녀를 섬기느라 고생스럽지? 나도 열심히 최선을 찾고 있단 말이야. 노력상이라도 달라고.

"만약 정 칼리스로 가셔야 한다면 제가 함께할 겁니다."

"그래선 안 돼. 저주에 대해 경계심을 품고 있는 칼리스라면, 나를 죽이는 것은 주저할 테지만, 카마엘은 경우가 다르니까."

칼리스에선 과거 성국 공략을 실패하게 한 주범이었던 그의 목을 성벽에 내거는 쪽을 원할 테지.

카마엘이야말로 무력한 포로 신세로 칼리스로 가선 안 될 단 한 사람이었다. 나는 다가서서 그의 손을 잡았다.

"우선 신탁을 받아 볼게. 그다음에 이야기하자."

그에게 나를 놓고, 혼자 가라는 걸 어떤 식으로 설득해야 할지 모르겠다. 하지만 우리에게 많은 시간이 주어지진 않은 터였다.

나는 그를 등지고 돌아서, 제단 앞으로 발을 내디뎠다.

태양신의 신성이 고인 그 자리에 서서, 난 정신을 집중했다.

월신님, 부디 제게 신탁을 내려 주세요. 딱 한 번만요. 안 도와주시겠다고 했지만, 안 도와주실 수 없는 상황이잖아요? 제가 이대로 칼리스로 끌려가게 내버려 두실 거예요?

성국에서 곱게 자란 제가 칼리스 감옥에 갇혀서 개밥 같은 걸 먹으면 한 달도 안 돼서 굶어 죽을 거라고요! 이건 좀 아니잖아요?

내가 내린 저주도 아닌데, 저주 푸는 방법이라도 진작 좀 알려 주던가. 아니, 일은 월신님이 쳤는데 왜 제가 이걸 수습하냐고요!

뒤로 갈수록 내 기도의 내용은 과감하고 불순해졌다. 응답하지 않을 수 없을 만큼. 어느 순간 벼락이 내려치듯, 머릿속이 환해졌다.

나는 머리를 움켜쥐었다. 빛으로 떠돌던 뭔가가 하나의 메시지가 되어 내리꽂혔다. 그런데 그 내용이…….

나는 믿을 수 없어, 도리질 쳤다. 하지만 변하는 건 없었다.

신탁의 내용은 명징했다. 꼭 사형선고를 받은 것 같았다. 충격이 좀 덜했다면 허공을 향해 삿대질할 뻔했다.

망연한 얼굴로 오도카니 서 있던 내게 카마엘이 다가왔다.

"성녀님."

다리에 힘이 풀려, 털썩 주저앉았다. 난 그를 울먹이는 표정으로 올려다보았다.

―칼리스의 왕족이, 성녀를 신부로 맞이한다면 저주는 풀린다.

그게 내가 받은 신탁의 내용이었다. 그리고 나는 이걸, 내 입으로 아델에게 말해야 했다. 그 대목이 제일 끔찍해!

카마엘의 보랏빛 눈동자 속에서, 내 얼굴은 창백하게 질려 있었다. 그가 손을 뻗어 날 부축했다.

"성녀님, 신탁의 내용이 어떠하기에."

그런 반응을 보이느냐고 그가 묻고 있었다. 나는 눈을 깜빡였다. 정말, 내 입으로 꺼내기 싫지만 그에겐 말해야 했다. 그래야 그를 움직일 수 있으니까!

그러나 그때―

"신탁이 내렸나."

문이 열렸다. 월신의 신성을 감지했는지, 근처에 있다가 바로 들어온 듯한 그가 우리를 보고 팔짱을 꼈다. 자줏빛 눈동자가 가늘어지고, 비웃듯 입꼬리가 들렸다.

"신탁을 받으랬더니 밀회를 즐기고 있었나. 그러고 보니 월신의 대사제들은 수발을 들다 못해 번갈아 성녀의 침실에 든다지?"

난 차갑게 반문했다.

"누가 그런 말도 안 되는 소문을 냈지?"

"내가 곧 낼 거거든. 지금 이러고 있는 걸 보니 음해랄 것도 없겠네."

나는 가까스로 화를 삭였다. 히스칼이 이런 식으로 날 모욕하는 이유는, 나를 흥분시켜 무엇이든 캐내고 싶은 거겠지.

내용은 당당하게 말하기 힘든 신탁이지만, 받은 사실 자체는 못 말할 이유가 없었다. 나는 그를 향해 당당히 내뱉었다.

"난 신탁을 받았어."

히스칼의 눈빛이 미세한 변화를 거쳤다. 나는 그의 입가에 내려앉은 비틀린 미소를 보면서 히스칼이 어떤 감정을 느끼는지 꿰뚫어 보았다. 월신께서 내게 응답을 했단 게 마음에 들지 않는 거구나.

히스칼은 제가 가지지 못한 걸 내가 얻는 것. 즉 내가 믿음에 대한 보답을 받는 것을 질투했다. 속이 뒤틀린다고 해야 하나. 딱 그런 표정이었다.

"재미있어, 어떤 신탁을 받았을지 궁금하군."

그가 문을 열었다. 나는 찌를 듯한 눈으로 날 쳐다보고 있는 히스칼을 지나쳐 조금 전까지 있었던 자리에 이르렀다.

아델이 팔짱을 낀 채 날 지켜보고 있었다. 알 수 없는 표정이었다.

그의 등 뒤에서 아지스가 빙글거리며 내게 눈인사를 해 보였다. 난 그를 무시한 채 아델을 향해 입을 열었다.

"저주를 풀 방법에 대한 신탁을 받았어."

타오르는 불길이 심겨 있는 듯한 눈빛이었다. 얼음 속의 불처럼. 테두리가 짙은 눈동자 안에 비춰진 감정의 깊이는 도무지 재어 볼 수가 없었다. 아델이 입을 달싹였다.

"말해."

답을 받으려 한다기보단 강탈하는 듯한 투였다. 나는 고개를 슬쩍 저었다.

"그 전에, 내 권속들을 보여 줘."

아리안느가 살아는 있는지, 어떤 상태인지 알아야겠다.

신탁이 내림과 동시에 내 결심도 확고해졌다. 그 결심을 말하려면 우선 아델이 나와의 약속을 여전히 지킬지 확인해야만 했다.

"데려와."

아델이 아지스를 향해 눈짓하자, 그가 문을 향해 돌아서서 얼굴을 내밀었다. 거기 있는 누군가와 대화를 나눈 그가 금세 돌아왔다.

"창밖을 보시지요."

나는 발을 움직여 조금 높은 곳에 있는 창을 향해 계단을 올랐다.

유리 표면이며 격자가 섬세하게 세공된 창에 햇빛이 비춰드는 모습은 평소라면 감탄하고도 남을 만도 했다. 하지만 내가 주목한 건 그 너머의 풍경이었다.

지독히도 인적이 드물고 고요하여, 모두가 잠든 것처럼 느껴졌던 신성교국이었다. 그러나 창밖엔 어느덧 수십에 달하는 칼리스인들이 서 있었다.

이 신성교국에 있는 칼리스의 병력은 그 이상일 테니, 이곳에 있는 건 일부에 불과할 거다. 그들이 넓게 펼쳐져 포위하고 있는 한가운데에, 내가 찾던 이들이 있었다.

성국의 선발대. 발이며 손에 족쇄가 차인 채, 힘없이 바닥에 주저앉아 있는 이들.

난 개중에서 눈에 띄는 붉은 머리를 재빨리 찾아냈다. 아리안느. 나는 그녀의 모습을 똑똑히 확인할 수 있었다.

다른 이들도 그러했지만, 그녀 역시도 기력만 다했을 뿐이지 특별히 다친 데는 없어 보였다. 하지만 성질 사나운 눈빛도 흐려지고, 뭔가에 짓눌리는 듯 지친 기색이 완연했다.

"포로답게, 인도적으로 대우해 줬지."

히스칼이 느긋하게 말했다. 나는 그들을 살피던 시선을 거두었다.

무사하단 걸 확인했으니 되었다. 그래, 되었다. 이젠 내가 말하기만 하면 된다. 내 결심을.

난 문득 카마엘을 쳐다보았다. 미루었던 이야기를 다시 할 차례였다. 나는 카마엘에게 그의 임무를 놓으라 말해야 했다. 그와 함께 칼리스로 향할 수는 없는 거니까.

나는 자그마치 성녀님인데 왜 이렇게 안 되고 해야 되는 것들이 많은 걸까.

갈등은 잠시였다. 난 계단에서 내려와 아델 앞에 섰다. 그리고 그에게 말했다.

"나를 칼리스로 데려가 줘."

그리고 엄숙하게 덧붙였다.

"그게, 저주를 풀기 위해 가장 먼저 해야 할 일이야."

아델의 눈이 흔들렸다. 내가 이런 말을 할 거라곤 전혀 예상하지 못한 듯이. 그렇겠지. 나도 예상하지 못했으니까!

세상에, 내 발로 신성교국도 모자라 칼리스로 걸어 들어가게 되다니! 그야말로 파란만장한 성년이다.

내가 이런 선택을 한 이유는 간단하다. 절대, 신탁의 내용을 순순히 말할 순 없었다. 결혼이라니! 누가 누구와?

입 밖에 내놓는 것만 상상해도 얼굴이 화끈거리는 일일뿐더러 내가 성녀로서의 직무에 충실한 것과 날 팔아넘기는 건 전혀 다른 문제였다.

월신께서는 정말로, 부르지 말라는 데 불러 댄 이 가녀린 권속을 시험하듯 나만 희생하면 되는 신탁을 던져 줬다.

근데 문제는, 내가 그 희생을 받아들일 수 없다는 거다.

남의 혼사를 멋대로 저주를 푸는 조건이랍시고 던져 주다니! 이거 사기 아니야?

성국의 사람들이 이 폭풍 속에서 다치지 않기를 바라고, 내가 바른 길을 택할 수 있기를 바랐지만, 그렇다고 성녀로서 내 인생을 저당 잡히는 건 안 될 말이었다.

조건도 모호하다. 나와 그가 맺어지지 못해서 안쓰러운 거라면 아델과 결혼하는 걸 조건으로 달면 될 텐데, ……아니, 내가 그런 걸 바란다는 건 아니고!

여하간 칼리스의 왕족과 혼인하는 조건이라니. 나한테 충분히 감정 상해 있는 아델이 완전 다 죽어 가는 늙은 친척에게 보란 듯이 날 붙여 주면 어떡하라고!

물론 칼리스의 왕족과 대충 식을 치르고 저주가 풀릴 때 탈출하는 방법도 있겠지. 하지만 그 결혼이 단순히 식을 치르는 걸로 끝날 거라고 믿는다면 내가 너무 안일한 거겠지?

짱돌을 열심히 굴려서 생각해 본 결과 난 하나의 답을 추산할 수 있었다.

이건 마치, 그런 거다. 네가 알아서 이 상황을 타파할 방법을 찾아보라는 시험.

그리고 월신께서는 어쨌든, 내가 칼리스를 방문하길 바라시는 것 같았다. 답을, 그곳에서 찾을 수 있다고 보신 걸까?

그건 확신할 수 없는 노릇. 나는 내가 할 수 있는 최선의 선택을 해야지.

일순 공기가 멎어 있었다. 정적을 깨듯, 누군가의 요란한 웃음소리가 울려 퍼졌다. 부러 소리를 내어 웃은 듯, 히스칼이 나를 보고 눈을 휘었다.

"아, 이거 대단한걸. 정말 의외야. 네가 그런 말을 할 줄은 몰랐는데. 성녀께서 순순히 칼리스로 가시겠다?"

"그것이 신탁이니."

"대단한 믿음이야. 그리고 나는 네가 부디 후회하게 되길 바라."

악담하듯 히스칼이 되뇌었다. 아무래도 히스칼은 '신의 뜻에 따르는 신실한 성녀'처럼 행동하는 날 보고 속이 꼬이는 듯했다. 별로 그런 건 아닌데. 굳이 설명해 줄 건 없겠지.

그런데 너는, 이제 어떻게 되는 거지? 그리고 신성교국은?

그러나 의문을 입 밖에 낼 새도 없이 아델이 대답했다.

"기꺼이 그러지."

읽을 수 없는, 가면처럼 그려진 미소였다. 그의 뜻대로 내가 응한다 하니, 만족감을 느낄 법도 한데 내가 순순히 따라나서는 상황을 예상하진 못했나 보다. 그의 심사는 내 생각보다 복잡해 보였다.

정말 내가 직접 가서 저주를 풀 거라고 생각하나 봐. 신탁의 내용을 알게 되면 그가 어떤 표정을 지을지 모르겠다. 그 상황을 상상하는 것은 내게도 꺼려지는 감이 있었다.

아델이 내려다보듯 거만하게 카마엘을 향해 눈길을 던졌다.

"그 전에, 네 기사를 어떻게 할 건지 정하도록."

이쪽을 묵묵히 쳐다보는 카마엘에게 나 역시 시선을 돌렸다. 그래, 그에게 말해 주어야겠지. 하지만 신탁의 내용을 말해 줄 순 없었다. 히스칼이 엿들어 버릴 수도 있으니.

나는 카마엘에게 다가가 목소리를 낮추어 속삭였다.

"나는 신탁에 따라야 해. 그걸 위해서 칼리스로 가야 하게 되었어. 하지만 카마엘이 함께할 순 없어."

"성녀님, 저는 그럴 수 없습니다."

그것이 도저히 용납되지 않는 듯한 말투였다. 나는 달래듯 카마엘에게 눈을 맞추었다.

감정이 희박한 그이지만, 그에겐 누구보다도 무거운 의무감이 있다. 그 같은 상황이 그에게 얼마나 자괴감을 불러일으킬진 상상하기 어려웠다.

내가 칼리스로 떠났다는 소식을 들을 대사제들을, 그리고 저기 잡혀 있는 아리안느가 느낄 감정을 생각하니 내 마음도 무거워졌다.

난 찬찬히 말했다.

"저주를 푸는 방법이 내게 있으니, 그들은 나를 해치지 못할 거야."

괴롭힌다고 해도 설마, 이 연약하고 사랑스러운 나를 두들겨 패진 않겠지? 밥을 굶기고 잠을 못 자게 할지는 몰라. 으악! 끔찍해라.

중세시대의 고문 도구가 먼 기억으로부터 끌어 올려져 생생하게 살아났다. 하지만 그건 상상일 뿐이다.

아델은 많이 변했지만, 내 안 깊숙한 곳 어딘가에는 여전히 그가 남아 있었다. 그리고 그건 나를 해칠 리 없는 아델이었다. 아마 그것이 내 믿음일 거다.

"여기서 남아서, 사로잡힌 저들과 함께해 줘."

나는 선발대를 데리고 돌아가 달라고, 카마엘에게 말하고 있었다. 카마엘의 분위기가 지나치게 비장한 듯하여 난 생긋 웃으며 그의 손을 잡았다.

"나를 믿는다면, 내가 안전할 거란 것도 믿어 줘."

"송구하오나 그 점은 신뢰하기 어렵습니다."

신앙심이 부족하구만! 난 비난하는 대신 눈썹을 치켜들었다.

"그렇다면 날 칼리스로부터 되찾을 방법을 생각해 줘. 나도 생각할 테지만, 도움이 필요한 순간이 올 거야."

거창하게 예언이랄 것 없는 말이었다. 내가 칼리스를 떠나 돌아가려고 한다면, 아델은 순순히 나를 보내 주지 않겠지. 어찌어찌 빠져나오더라도 도움이 필요하지 않겠어?

내 성기사님이 적절한 순간에 구원자처럼 짠 나타나 줄 거라고 믿는다.

"신성교국은 이제 어떻게 되는 거지?"

나는 카마엘을 등지고, 아델에게 다가서서 물었다. 내가 우선시 한 건 새로 사로잡힌 연합국의 인질들과 우리 성국 사람들이었다.

하지만 잠들어 있는 것으로 알려진 신성교국 사람들에게 전혀 관심이 미치지 않는 건 아니었다.

어쩌면 난 히스칼이, 신성교국을 등지더라도 이 나라의 사람들을 희생시키지 않을 거라고 믿었던 것 같다.

히스칼은 못된 녀석이었지만, 악인이라고 단언할 순 없었다. 감수할 수 있는 희생은 감수한다지만, 그것이 신성교국을 멸절시키는 건 아닐 거다.

저기 매달려 있는 대사제들은 안타깝지만, 현재로서 내가 어쩔 수는 없다. 히스칼에겐 정당한 명분이 있었다.

"그건 왜 묻지?"

나를 쳐다보는 아델의 눈은 차가웠다. 못마땅한 걸 넘어서 심기가 비틀린 눈치다. 내가 도망칠 궁리를 미리부터 하는 걸 눈치챘나?

"네가 알 바 아니잖아. 네 권속들 목숨은 챙겼으니, 그걸로 족하지 않나?"

"그 점은 네가 틀림없이 지켜 줄 거라고 믿어. 카마엘이 그들을 데리고 돌아갈 거야. 보내 줘."

잠시 미간을 찌푸린 아델이 눈짓하자 곧장 아지스가 움직였다.

아델이 턱을 쳐들었다.

"너 혼자, 칼리스로 오겠단 말이지?"

"네 왕의 저주를 풀 수 있는 중요한 손님이니 인도적으로 잘 대우해 주길 바라."

난 손님이지 인질이 아니라고. 내 뜻으로 따라가는 거란 말이야. 난 '인도적'이라는 단어를 강조했다.

사실 불안하다. 카마엘을 떠나보내는 이 순간, 홀로 남겨지게 되는 이 순간이 너무나.

하지만 피할 수 없는 일이라면, 벌벌 떠는 모습을 보이지는 않으리라. 나는 성녀니까. 언제 어느 때에도 당당한 사람이 될 테야.

"널 말에 끈으로 묶어서 칼리스까지 뛰게 만들면 어떨까 생각했는데."

아델이 싸늘한 미소를 보였다.

"그랬다가 네가 죽기라도 하면, 확실히 곤란하겠지. 네 말 따나 '중요한 손님'이니."

그 미소가, 아델의 일면을 고스란히 드러내는 듯하여 일순 심장이 쪼그라들었다. 난 애써 활짝 웃었다.

"그럼, 나는 연약하다고. 이동할 땐 특히, 유리잔 다루듯이 해야 해."

"……뭐, 좋아. 시간은 많으니까. 따라와."

카마엘이 아지스의 안내대로 나서는 걸 곁눈질한 난 등을 돌린 아델을 향해서 물었다.

"그래서 신성교국은 어떻게 할 건데?"

"우리는 할 일을 했어. 이젠 법황이 하고 싶은 대로 하겠지. 신성교국이 제 이름을 유지할 수 있을지는, 글쎄."

알쏭달쏭한 소리였다. 불길한 소리이기도 했다. 나는 뒤를 돌아봤다. 제가 매단 대사제들을 섬뜩할 만치 아련한 눈길로 올려다보던 히스칼이 시선을 느꼈는지 내 쪽을 쳐다봤다.

그가 입술을 달싹였다. 나는 그의 입 모양이 만들어 내는 말을 읽어 낼 수 있었다.

'또 봐.'

그가 이후로 무엇을 할진 짐작도 가지 않았다. 어떻게 또 보게 될지도 모르겠다.

단지 그의 입가에 맺힌 미소를 본 순간, 서늘한 기운이 심장으로 몰려들었다. 나는 그를 외면하며 치맛자락을 움켜쥐고 빠르게 아델의 뒤를 따랐다.

어느새 아델은 나보다 열 걸음 이상 앞서 있었다. 신전을 가로지르며 아델의 걸음걸이는 조금도 늦춰지지 않았다. 그건 부러 나를 배려하지 않음이 분명했다.

그와 나는 키 차이가 꽤 난다고! 그건 보폭 역시도 차이가 난다는 뜻이다. 나는 학을 따라가는 뱁새였다. 하지만 다행히 가랑이가 찢어지진 않았다.

슬슬 호흡이 가빠올 때쯤 그가 우뚝 멈춰 섰다. 앞에 몇 명의 기사가 서 있었다. 복장을 보건대, 왕속 특무단이었다.

내가 누군지 알아보았을 게 분명한데도, 흡사 인형처럼 표정에 변화가 없다. 동요를 감춰 내는 것을 훈련받은 이들이었다.

아델이 가볍게 손을 들어 보이자, 그들이 곧바로 문을 열었다. 나는 침을 꿀꺽 삼켰다.

흡사 죄수를 나르는 이동 감옥을 연상케 하는 새카만 마차가 그곳에 있었다. 아델이 나를 돌아보며 짤막하게 말했다.

"타."

"저어, 나는 명색이 성녀인데 이런 마차는 좀."

난 괜스레 핑계를 댔다. 안에 고문 기구라도 준비해 놓은 건 아니겠지?

뭔가 들어가면 후회할 것 같은 섬뜩함을 풍기는 마차였다. 화려한 호박 모양 금마차나 꽃마차는 아니더라도 적어도 색상은 밝은색으로 해 줬으면. 아델의 눈썹이 들렸다.

"내가 직접, 안아서 마차에 앉혀 주길 원해?"

비웃는 듯 입꼬리 한쪽이 치켜 올라갔다. 내가 말만 하면, 원하는 대로 실현시켜 줄 기세였다.

나는 진땀을 흘리며 말없이 마차에 발을 얹었다. 나이를 먹어서도 성녀인 내 육체는 특별히 좋은 유전자로 만들어졌는지 도통 무거워지질 않았다. 내 몸은 늘 가볍고 활력이 넘쳤다.

그 말은 즉, 내가 아델의 부축을 받지 않고서도 내 키의 반만 한 높이에서 들어서야 하는 마차에 쉽게 발을 들일 수 있었단 뜻이다.

내부는 감옥 같은 외형과는 달리 푹신한 붉은 소파가 갖추어져 고급스러웠다. 칼리스로 향하는 동안 소파에 드러누워서 한잠 잘 수도 있을 것 같았다.

내가 오도카니 서서 마차 안을 둘러보는 사이, 아델이 따라 들어왔다. 그러나 그의 손엔 뭔가가 들려 있었다.

마차에 들어서자마자 그가 단숨에 내 손목을 잡아챘다. 콱 움켜쥐는 손목엔, 힘이 실려 있었다. 내 손목은 그의 손아귀 안에 맞춘 듯이 쏙 들어갔다.

일순 그가 완연한 성인 남자로 느껴져, 낯설었다. 낯선 것도 낯선 것이지만, 흡사 압도당하는 듯한 기분이다.

나는 이전까지 그에게 하던 것처럼, 왜 함부로 남의 손목을 잡느냐면서 투덜댈 수 없었다. 투덜대려던 말이 목구멍으로 쏙 들어갔다. 나는 당황하여 그의 이름을 불렀다.

"아델."

그가 내 어깨를 힘껏 부여잡았다. 나를 마주한 눈빛이 지독히도 선명하다. 싸늘한 막 안에 휘몰아치는 폭풍이 보였다. 아델이 차갑게 깔린 음색으로 속삭였다.

"똑똑히 들어. 아드라하트 블라스페미아 칼리스, 그게 네가 불러야 할 내 이름이다."

왼쪽 손목에, 덜컥 무언가가 걸렸다. 칠흑 같은 검은 금속으로 이루어진, 팔찌처럼 보이는 수갑이었다. 표면에 세밀하게 그려진 문양이 보였다. 그 문양은, 결코 예사롭지 않았다.

이어 그가 오른쪽 손목에도 팔찌를 끼웠다. 저항할 새도 없었다.

"이, 이게 뭐야."

나는 뒤늦게야 팔찌를 잡아당겼다. 조금이라도 살이 찌면 손목을 죄어들듯이, 딱 맞는다.

그가 내 어깨를 내리눌렀다. 소파에 등을 기대게 한 채로, 내게 몸을 기울여 어떤 말을 중얼거렸다. 힘이 실린 주문. 그것은 마법이었다.

그와 동시에, 손목에 불이 붙듯 어떤 기운이 느껴졌다. 그것이 피부에 뿌리를 내리듯 불길한 손길을 뻗어 왔다. 나는 급히 숨을 들이켰다.

내가 한 번도, 겪어 본 적 없는 느낌이었다. 마치 손목이 절단당하는 듯한. 이건……!

성녀인 나를 나로 만드는 건, 내 신성력. 그러나 내 몸 안에 자리한 신성력을 팔찌가 옥죄고 있었다. 모든 것이 제어를 잃었다.

그리고 또 하나. 나는 단단하게 나와 월신님을 연결해 주던 결속이 끊겼음을 깨달았다.

허공에 대고 소리를 지르듯 메아리만 되돌아왔다. 손에서 힘이 빠졌다. 이 상황은 즉, 여기 있는 난 이제 아무 힘도 쓸 수 없는 무력한 이에 불과하다는 뜻이다.

팔찌가 파지직 거리며 마법을 완성했다. 견고하다. 아델이 내 귓가에 대고 속삭였다.

"허튼짓하지 마. 그 팔찌, 공들여 만든 거야. 섣불리 부수려다가 목숨을 잃을 수 있어."

나는 나른하게 웃는 아델을 응시했다. 가면이 사라진 얼굴에 본연의 표정이 드러나 있었다. 배부른 맹수처럼 흡족한 미소. 마치 오랫동안 계획했던 어떤 일을 이룬 듯이.

거기에 어떤 기분을 느끼기엔, 정신이 불분명했다. 온몸의 성력이 차단되자, 이상하도록 의식이 흐려졌다. 시야가 가물가물해진다. 눈꺼풀이 절로 닫혔다.

"눈을 뜨고 나면……."

그가 무언가 속삭이는 소리가 얼핏 들린 듯도 했다. 끝까지 눈을 뜨고 카마엘이, 그리고 다들 안전하게 돌아가는지 확인해야 하는데. 하지만 저항할 수 없었다.

완벽한 어둠이 시야를 점령했다. 그것이 내 의식의 끝이었다.

파란만장 포로 생활

내가 눈을 뜬 건, 뺨에 와 닿는 촉감이 너무도 간지러웠던 탓이다. 그 때문에, 나는 요란하게 재채기를 하면서 깨야만 했다.

"에취!"

아주 잠이 확 깼다. 나는 재빨리 정신을 차리고 주변을 둘러보았다. 훅 끼쳐 온 위기감은, 의식을 잃기 전 상황이 바로 떠올랐기 때문이었다. 여긴 어디지?

하늘거리는 휘장이 드리운 침대는 넓었다. 아주 폭신하고 보드라운 비단 침대. 피부에 닿는 무엇하나 까끌함이 없다.

내 뺨에 닿은 건, 살짝 열린 틈새로 흘러든 바람에 휘날린 휘장의 끝자락이었던 것 같다.

불현듯 난 시선을 내렸다. 다행히 옷은 그대로였다. 몸을 더듬어 본 내가 안도의 한숨을 내쉬기 무섭게, 저편에서 문이 열렸다.

"어머, 깨어나셨군요."

마침 잘되었단 기쁜 표정으로 낯선 얼굴의 여인이 말했다. 그녀의 등 뒤로 하나의 복식으로 단정하게 차려입은 여러 명의 여인들이 따르고 있었다.

그들은 곧장 나를 둘러싸고 이끌었다. 무엇을 말할 새도 없이, 나는 그들에게 끌려가 어딘가로 향했다. 욕탕이었다.

순식간에 옷이 훌훌 벗겨져 따끈한 욕조에 알몸을 담그게 된 난 그저 당황스러웠다. 시중을 받아 본 적이 있기에 망정이지 그렇지 않았다면, 엄청난 치욕을 당한 양 느꼈을 거다.

하지만 물은 노곤노곤해진 육신을 녹일 만큼 따뜻하고 포근했다. 향도 참 좋은데?

고문하려고 옷부터 벗기고 씻기진 않을 터였다. 불안했던 마음이 누그러진다.

여긴 어디고, 나는 지금 뭘 하고 있는 걸까. 나는 멍하니 주변을 돌아보았다. 날 삶은 소시지처럼 담가 놓고 옆에서 부지런히 뭔가를 준비하고 있는 여자들을.

깨어나자마자 목욕이라니. 그래, 내가 더럽긴 했을 테지. 얼마 동안 의식을 잃고 있었는진 모르겠지만, 머리도 기름지고 때가 꼬질꼬질 끼었을 거다.

하지만 깨어나자마자 욕탕으로 끌려온 건 또 처음이었다. 적어도, 이건 내가 칼리스에서 직면하리라고 생각했던 상황은 아니었다.

게다가 여전히 성력은, 일으킬 수 없었다. 양 손목에 굳건히 채워진 족쇄 같은 팔찌가 내게 모든 힘을 앗아 가고 있었다. 저항했어야 했을까.

의기소침해 있는 내게 여인 한 명이 친절하게 물었다.

"온도가 너무 뜨겁진 않으신지요?"

"적당해. 여긴 어디지?"

"이곳은 칼리스의 왕성이랍니다, 아가씨."

내가 누군지 알고 있나? 낯선 호칭에 그들을 쳐다보았지만, 그들의 표정에서 딱히 변화는 찾을 수 없었다. 읽어 내기 어려운 얼굴들이었다.

친절하고 정중하나, 어떤 의미로는 흡사 왕속 특무단과 같이 훈련된 이들. 나는 그들이 누군지 짐작하면서도 물었다.

"너희들은 누구지?"

"저희는 아가씨의 시중을 들게 된, 왕성의 시녀들이랍니다. 저는 시녀장 로라라고 합니다."

"내 시중을 든다고?"

"예, 앞으로 잘 부탁드립니다. 아가씨."

감옥에서 시중을 받을 리 없으니, 굳이 비관적으로 내 처지를 생각할 건 없어 보였다.

그렇지, 나는 왕의 저주를 낫게 할 중요한 손님이니까.

나는 얌전히 시녀들의 손길에 몸을 맡겼다. 도착한 이상, 이곳의 절차를 따라야 하기 마련이다. 이게 끝나는 대로 아델을 만나 볼 수 있을 터.

나는 곱게 씻겨지고 머리끝부터 손끝까지 다듬어져 하얗고 하늘하늘한 잠옷 같은 옷을 입게 되었다. 그쯤 슬슬 미묘한 기분이 일기 시작했다. 몸에서 짙고 매혹적인 꽃향기가 풍겼다.

뭔가 내 생각과 다른 상황에 기분이 이상해졌다. 설마 이건 …… 아니겠지? 아닐 거야. 마치, 포로로 잡혀 왕의 침실에 바쳐지는 듯한, 그런 느낌인데.

나는 골이 하얗게 드러날 만치 팬 가슴을 불안하게 내려다보았다. 성녀에겐 지나치게 과감한 복장이었다. 숄이나 스카프 같은 게 필요하지 않을까?

"곧 잠자리에 드실 텐데, 옷차림은 가볍게 하셔야지요."

내 시선을 의식했는지 로라가 대수롭지 않게 말했다.

그래, 잠자리. 하지만 나는 방금 잠자리에서 깨어났다. 깨어나자마자 또 향하는 잠자리는 과연 내 잠자리일까?

난 입술을 깨물었다. 비록 내가 현재 성력을 다룰 수는 없지만, 내 육체적 능력은 꽤 쓸만하다. 정 안되면 중심부라도 걷어차고……!

기우이길 바라면서, 난 시녀장의 안내를 받아 어떤 방에 발을 들이게 되었다.

"평안한 밤 되시기를."

등 뒤에서 닫히는 문소리가 그르렁거리며 날 낮게 파고들었다. 흡사 지상으로 향하는 출구를 닫아 버리는 것처럼.

나는 정면을 보았다. 아주 널찍하고 호화스러운 침대가 있었다. 침대의 네 방향을 지탱하는 부분은 모두 화려하게 세공된 보석 박힌 금기둥이었다. 갖가지 문양이 섬세하게 수놓은 이불보며 베개가 아주 눈이 부셨다.

공중에서 내려온 크리스탈 샹들리에가 무도회장의 그것처럼 반짝였다.

"여기서 자라고?"

이 드넓고 호사스러운 침실은 도저히, 어떤 부국이라도 손님에게 내줄 만한 것 같지 않았다.

나는 잠시 방 안을 돌아보았다. 그러다 무엇 하나 잘못 건들었다간 비용을 청구 당할 것 같았기에 얌전히 침대로 가서 앉기로 했다.

궁둥이를 붙이고 앉자 다시 물러간 졸음이 다시 밀려왔다. 푹신하고 아늑한 느낌의 침대다. 내가 이럴 상황은 아닌 것 같은데. 나는 고개를 갸웃거렸다.

누군가가 찾아들 거라고 보기엔, 시녀장의 말은 그저 쉬라는 뜻으로 들렸다. 나가서 그냥 대놓고 아델을 찾아볼까 생각했지만, 옷이 그야말로 잠옷 차림이라 마음에 걸린다.

언뜻 보니 바깥은 밤이었다. 굳이 씻기고 옷까지 갈아입혀 새로운 방으로 몰아넣은 이유는…….

역시나 불순한 의도이려나. 그건 기다려 보면 알게 되겠지.

나는 문 쪽을 주시한 채 오도카니 자리에 앉아 있었다. 그리고 어느 순간부터, 꾸벅꾸벅 졸기 시작했다.

내 몸이 점점 기울어 침대에 쓰러지기 전, 퍼뜩 어떤 소리가 들렸다. 내가 들어온 문이 다시 열리고 있었다.

난 화들짝 놀라 자리에서 일어섰다. 익숙한 인물이 느긋한 걸음걸이로 방 안으로 들어왔다. 그의 등 뒤로 문이 닫혔다.

안도와 불안감이 교차했다. 그가 날 보고, 조금도 놀라는 시늉을 하지 않았기 때문에. 도리어 아델의 입가는 휘어지며 올라갔다.

"이젠 좀 말끔해졌네."

그전에는 더럽기라도 했단 거야? 이 무슨 실례의 말을!

"내가 며칠이나 잠들어 있었던 거지?"

"사흘인가. 성력에 익숙해진 몸이 성력을 운용할 수 없게 된 부작용일 뿐이라고 하더군. 보아하니, 꽤 잘 먹히는 듯한데."

그의 미소가 불안했다. 나는 표정을 굳히고 말했다.

"성력을 사용할 수 없다면 저주를 풀 수도 없어."

그가 잊고 있는 것을 상기시켜 준 거다. 나를 사로잡는 것보단 저주를 푸는 게 중요하잖아. 그걸 위해서 날 데려온 거 아니었어?

"필요하다면 풀어 줄 수도 있겠지. 필요할 때가 과연 올지는 모르겠지만. 그보다 넌 뭘 좀 잘못 생각하고 있는데—"

어느덧 가까워진 그가 내게로 몸을 기울였다.

"지금 네가 처한 이 상황에 좀 더 주목해야 하지 않을까?"

그 역시, 잠자리에 들려는 차림이다. 금실로 화려한 자수를 수놓은 붉은 색의 비단 가운. 나는 애써 아무것도 모르는 척 시치미를 뗐다.

"날 보려고 온 것 아니야? 여기 내 방 아니었어?"

아델의 시선이 따갑다. 코앞에서 날 훑어보는 그의 시선이 지독하게 의식되었다. 얇은 옷차림이라 그런지 으슬으슬하게 추웠다.

"반대지. 여긴 내 방이야."

역시 아까 거기가 내 처소가 맞나 보다. 나는 그를 향해 생긋 웃었다.

"저어, 그렇다면 시녀를 불러서 나를 다른 방으로 안내해 주는 게 어떻겠어. 우리가 한방에서 자는 건 좀 그렇지 않을까. 애도 아니고."

"멍청한 건지, 눈치가 없는 건지."

비꼬듯이 말하며 그가 내 어깨를 움켜쥐었다. 단단하고, 강압적인 힘이 실린 손아귀다.

나는 그와 시선을 마주하고 있었다. 수도 없이 겪은 구도인데, 상황과 느낌이 달랐다. 광채를 품은 새파란 눈동자가 나를 꿰뚫을 듯했다.

여기 있는 아델은 권력을 쥔, 강력하고 낯선 남자 같았다.

그의 말대로 그는 칼리스의 왕자였다. 그리고 나는 성력을 쓸 수 없는 성녀고 여긴 그의 홈그라운드다. 그 사실을 정말로 아무렇지 않게 받아들일 수는 없었다.

사실 속은 쫄았다. 쫄았는데, 티를 내서는 안 된다는 건 알고 있다.

맹수는 자기보다 약한 상대를 공격한다. 그리고 나는 아델에게 약해 본 적 없는 사람이었다. 일단 자존심이 용납하지 않는다고!

내가 부러 눈매를 좁히며 째려보자 아델이 피식 웃었다.

그가 나지막하게 속삭였다.

"한때 네가 날 보고 벌벌 떠는 모습을 보고 싶었던 적이 있었지."

"아직 멀었어. 꿈도 꾸지 마!"

난 엄포를 놓듯이 말했다. 아델이 그래? 하고 중얼거렸다. 그리고 다음 순간, 난 침대 위로 쓰러졌다.

내 위로 올라탄 그가 나를 내리눌렀다. 태연한 척하던 내 표정도, 흔들렸을 거다. 그가 만족스럽게 웃었다.

"이젠 좀 마음에 드는데."

덮쳐 오듯 가까워지며 눈앞에 그늘이 확 졌다. 입술 위로 따끈한 숨결이 덮였다. 두 번째다. 나는 두 번째로 아델과 입을 맞추고 있었다. 심지어 이전과는 달랐다.

입가에 힘을 넣기도 전에, 열린 치아 사이로 말캉한 덩어리가 밀려 들어왔다.

뒷머리를 잡아 올린 그가 탐닉하듯 입안을 파고들었다. 난데없는 키스에 정신이 혼미해진다. 나는 손을 끌어올려 그의 가슴을 힘껏 밀쳤다. 하지만 그는 밀려나지 않았다.

숨 막힌다고! 모든 것이 문제였지만, 여기가 침대라는 것이 가장 큰 문제였다.

입술을 뗀 그가 고개를 조금 내렸다. 반쯤 드러난 어깨를 훑는 입술의 느낌이 오싹하다. 사지가 파르르 떨릴 만큼 놀랍고, 또 혼란스러웠다.

나는 숨을 몰아쉬며 침착해지려고 노력했다. 그러나 그가 입술을 옮겨 내 목 정 가운데 부분을 깨물었을 땐, 나도 모르게 비명이 터져 나왔다.

"꺅, 꺄아아아아아아악!"

정말 놀라서 지른 비명이긴 했는데, 정신을 차린 난 의도를 담아 더 크게 소리를 내질렀다. 어디 귀 좀 떨어져 봐라, 이 치한!

고막이 터져 나갈 듯한 내 엄청난 비명은 곧 멎을 수밖에 없었다. 그가 내 입을 틀어막았기 때문에.

"시끄러워."

눈썹을 치켜들며 비명을 자른 그가 아래 얼굴을 덮다시피 하며 힘을 주던 손을 떼어 냈다. 턱이 얼얼하다.

난 더 이상 소리를 지르지 않고 그를 노려봤다. 안 그래도 목이 아팠다. 가창력도 아니고 성량을 자랑해야 하는 상황이라니!

난 또박또박 말했다. 그가 무슨 짓을 저지르고 있는지, 확실히 알려 줄 요량으로.

"넌 지금 나를 추행하고 있는 거야!"

이게 무슨 짓이람? 손님이잖아! 아델의 표정이 어처구니없다는 듯이 일그러졌다.

"그게 어때서? 넌 아직도 내가 멋모르는 열 살 어린애로 보여? 내가 뭘 하는지 모르고 있다고 생각해?"

"내 눈은 정상이야! 너처럼 산만 한 덩치가 열 살일 리 없잖아?"

내 적나라한 비난이 가슴에 꽂혔는지, 아델이 신경질적으로 물었다.

"정말, 분위기 깨는 데 뭐가 있구나?"

무슨 분위기. 네가 막 나를 덮치는 분위기? 그는 내게 동의를 구하지 않았고, 혹시 동의를 구했대도 해 줄 생각은 없었다. 어림 반푼어치도 없는 소리!

"있잖아, 아델. 네가 피가 끓는 나이인 건 잘 알겠어. 하지만 날 이렇게 대하는 건 좋은 생각이 아닌 것 같아."

타이르듯이 말했지만, 내가 말하고자 하는 바는—

"나는 손님으로 온 거야. 손님답게 대해 주었으면 해."

경고였다. 당황스럽고, 혼란하고…… 위기감이 일어 내 안에서 멋대로 뒤섞인 와중에도 뚜렷해진 감정이 있었다.

난 조금 화가 났다. 그는 날 이렇게 함부로 대해선 안 되었다. 나는 물건이 아니고, 그가 멋대로 손댈 수 있는 하룻밤 여자는 더더욱 아니다.

그럼에도 나는 그가 여기서 그만둔다면 관대히 눈감아 주겠다고 말하는 거다.

아델이 날 가두다시피 내려다보며 물었다. 차가운 눈이다.

"그래서. 내가 널 손님 취급하기 싫다면?"

할 수 있는 게 좀 있어 보이긴 하는데. 난 말을 삼켰다. 어쨌든, 바람직한 방식은 아니었기에.

"여긴 칼리스고 널 지켜 줄 사람 하나 없어. 성력조차 쓸 수 없는 성녀인 네가 뭘 믿고 그렇게 당당한 거지?"

"나를 당당하게 하는 건 나지, 내가 가진 뭔가가 아니야."

아델이 비아냥거렸다.

"그런 말을 할 수 있는 건, 네가 고귀하신 성녀라서겠지."

"알면 좀, 고귀하신 성녀 취급 해 줄래?"

그가 손을 뻗어 내 옆얼굴을 세로로 훑었다. 나를 재단해 보려는 듯한 몸짓이었다. 하지만 내가 아델이 접하는 인간상 중 가장 특이한 축에 속한다는 건, 이미 깨닫고 있었던 바였다.

내게서 손을 떼어 낸 그가 천천히 내려왔다. 그리고 날 침대에 뉘어 놓은 채로 비켜났다.

"너는 정말."

뭔가를 말하려다가 만 듯, 애매한 끝맺음이었다. 그가 입술을 달싹였다. 하지만 어떤 소리가 되어 흘러나오진 않았다.

나는 아델의 표정이, 이 방에 들어서기 전보다 확연히 풀려 있음을 깨달았다. 기묘하게도 나와의 언쟁이 그의 기분, 혹은 충동을 누그러뜨린 것 같았다.

만약 내가 불쾌감을 드러냈다거나 격렬한 거부감을 보이며 그를 밀어냈다면. 아델은 내 거절을 용납하지 않았을지도 모른다.

내가 말똥말똥 눈을 뜨고 올려다보는 동안, 그가 움직였다. 아델은 떠나지 않았다. 그는 막힘 없이 침대 내 반대편 자리에 누웠다. 아예 푹 드러눕고 눈까지 감는다.

그 반듯한 옆얼굴을 보면서 난 미심쩍어졌다. 우회로를 택한 건가? 다 큰 남녀가 한 침대라니!

"왜 여기 눕는 거야?"

"말했을 텐데, 내 침대라고. 네가 저쪽 소파에 가서 자던가."

나는 소파 쪽을 힐끗 돌아보았다. 누워서 자도 될 만한 사이즈이긴 한데, 이 침대 너무 푹신하고 좋다. 역시 왕자가 쓰는 침대다웠다.

나는 주변을 두리번거리다가 슬며시 머리맡에 있는 쿠션 중 하나를 들어 그와 내 사이, 정중앙에 놓았다.

"여기까지가 내 자리야. 선 넘지 마."

그래도 최소한의 조치는 취해 둬야지. 남자는 다 짐승이랬어. 물론, 우리 카마엘은 짐승이 아니지만!

"내 침대라니까."

짜증이 이는 듯 아델이 미간을 찌푸렸다. 하지만 그에게 미수 전과가 있었다. 그 전과는 조금 전 생겨난 것이라 갓 구운 빵처럼 따끈따끈했다.

"나한테 방을 내줄 생각이 없는 이상, 공용이야! 세상에, 손님에게 방도 하나 안 내준담."

아까 깨어난 거기로 돌아가고 싶은데, 어딘지도 모르겠거니와 안내해 줄 것 같지도 않았다.

"내 방이 네겐 제일 안전할 텐데."

칼리스에서 내게 가장 위험한 건 너일 텐데! 내가 조금만 심약했으면 글쎄, 기절해 버리거나 눈물을 펑펑 쏟아 냈을 거다.

사실 약간 겁을 먹긴 했었다.

하지만 상대는 아델이다. 아델은 내게 좀 뭐랄까…… 다룰 방법이 있는, 상대적으로 만만한 존재였다. 그가 어떻게 변했든, 변하지 않는 것도 있기 마련이니까.

"네가 이 선을 넘으면, 이 방이 너에게 안전하지 않아질 거야."

나는 단단히 경고했다. 아델의 입꼬리가 슬쩍 들렸다. 그가 정말로 궁금하다는 투로 물었다.

"어떻게 안전하지 않아지는데?"

"시험해 봐. 성력 없는 성녀가 얼마나 위험하고 포악한 존재인지 알려 주지!"

나는 최대한 사납게 말했다. 아마 좀 무서웠나 보다. 아델의 말이 뚝 끊겼다.

그러다가 난 곧 깨달았다. 이거, 무시당하는 건가? 아델은 여전히 눈을 감고 있었다. 나는 그의 얼굴을 빤히 쳐다보았다. 아델이 인상을 썼다.

"치워."

이제는 내게 흥미가 완전히 떨어진 것 같다.

하긴 사흘 동안, 내내 마차를 타고 달렸을 테니 고단한 여정이었을 거다. 얼굴도 좀 날카로워진 듯했다.

별로 쉬지도 못한 듯한데 피곤할 거다. 피로를 녹인 그가 앞으로 내게 무슨 짓을 하려 들진 모르겠지만. 난 일단 아델이 수면을 취하게 내버려 두기로 했다.

사실 그 성질, 별로 건드리고 싶지도 않다. 가까스로 위기를 모면한 느낌이랄까.

난 얼른 고개를 돌려 천장을 바로 보고 누웠다. 이불을 푹 뒤집어쓰니 아늑하다. 언제 아델과 실랑이를 했었느냐는 듯이 안온함이 밀려왔다. 그건 내게 곧 잠을 의미했다.

아델은 내게 적대적이고, 도와줄 사람 하나 없다. 막막하기만 한 현실. 앞으로 무얼 어떻게 해야 할지 모르겠지만, 어떻게든 길이 나오겠지. 나는 최대한 긍정적으로 마음먹기로 했다.

*

잠들었다가 눈 떴을 때, 내가 볼 수 있었던 건 휑한 옆자리였다고 말할 수 있다면 좋았겠지만…….

"일어나."

나는 나를 마구 뒤흔드는 손길에 깨어났다. 그야말로 거침없이, 어깨를 흔드는 손짓이었다.

내가 성국에서 하던 대로 이불을 뒤집어쓰고 '조금만 더.'라고 하지 않은 건 그나마 현 상황에 대한 자각이 있었던 탓이다.

성녀로 태어난 이래, 내 잠을 이렇게 깨우는 경우는 처음이었다. 무례해!

"너는 도대체 몇 시간을 자는 거야?"

어처구니없단 표정의 아델이 시야에 들어왔다. 눈을 비비며 상체를 일으킨 난 반문했다.

"왜 이렇게 졸리지? 네가 나한테 뭔가를 한 거 아니야?"

그래, 내가 적진에서 퍼지게 잠들 정도로 생각 없고 태평한 사람은 아니라고! 네가 뭔가를 한 걸 거야.

"내가 뭘 했단 거야."

아델이 비딱하게 고개를 기울였다. 조금 위험해진 눈빛이다. 언제라도 내 추궁대로 내게 뭔가를 할 수 있단 듯한. 그가 짤막하게 내뱉었다.

"일어나."

나는 얼른 침대 밖으로 발을 내밀었다. 별로 쫄아서가 아니다. 오래 잤잖아! 이제 슬슬 본론으로 진입해야 할 때가 온 거겠지.

아델이 벽에 있는 줄을 잡아당기자, 종이 쨍겅쨍겅 울렸다. 문이 열리고 여인 한 명이 미끄러지는 듯이 들어왔다.

"부르셨사옵니까, 전하."

"준비시켜."

내 쪽을 힐끗 보고 내리는 명령은 위압적이었다. 여인은 무척이나 그를 어려워하는 듯이 공손한 태도로, 내게로 다가왔다.

"가시지요."

나는 아델 쪽을 돌아보았다. 그는 이미 목욕재계를 마친 듯, 옷을 갈아입고 말끔해진 채 서 있었다. 언제 일어나서 움직였는지 모를 노릇이다. 왠지 부끄러워지는데.

나는 순순히 여인의 뒤를 따랐고, 내가 안내된 곳은 근처의 한 방이었다.

욕실이 달린 거기엔 어제와 마찬가지로 수 명의 시녀들이 있었다. 어젯밤에 이미 박박 닦은 상태라 세수만 하겠다고 주장하는 나를 시녀들은 묘한 눈초리로 쳐다봤다.

"저어, 불편하지 않으시겠어요?"

"육신을 정결히 하셔야……."

뒤늦게 꺼내는 말이 무슨 소린지 알아들은 난 뺨이 확 달아올랐다. 난 이를 갈며 박력 있게 내쏘았다.

"내 육신은 아주, 정결한 상태야. 세숫물만 준비해!"

그제야 그들은 내 말뜻이 뭔지 알아들은 것 같았다. 하지만 이해할 수 없다는 듯한 표정이었다.

'다 큰 남녀가 한방에서 자고 나왔는데 아무 일도 없었다니.' 라고 의심하는 뭐 그런…….

묻고 싶은 것이 있는 얼굴들이었으나, 그들은 훈련된 대로 깍듯하게 예를 지켰다. 질문을 삼켰다는 소리다.

세안을 마친 난 드디어 이 지긋지긋하고 야릇한 잠옷에서 다른 옷으로 갈아입을 수 있게 되었다.

준비된 것은 화사한 붉은 색의 드레스였다. 칼리스의 색이다. 잠옷보단 가슴이 덜 파였고, 나름대로 옷이라고 할 만한 품새를 가지고 있었다.

상체는 딱 달라붙되 팔꿈치에서 폭이 넓어지며 치렁하게 늘어지는 레이스가 칼리스의 드레스 양식이다.

늘 입던 성녀의 옷이 아니라, 칼리스의 복장을 입는 건 내게 이상한 기분을 안겨 주었다.

성녀가 아닌 나는 상상해 본 적도 없었는데. 히스칼이 말한 것처럼 성녀가 아닌 에스텔로서의 내가 여기에 있었다. 어깨선이 고스란히 드러나는, 착 달라붙는 고혹적인 붉은 드레스.

손대지 않고 정리하여 길게 흘러내리도록 둔 머리카락은 밤처럼 검었고, 눈동자는 오묘한 금빛이었다.

거울 속의 나는 낯설고도 새로웠다. 그리고 내가 느낀 색다른 기분을, 아델도 다른 의미로 느낀 듯했다.

"저 옷은 누가 준비했지?"

함께 식사를 하려는 듯 식당으로 보이는 곳에 들어선 순간, 아델의 시선이 내게로 닿았다. 잠시 나를 살피던 그의 낯빛에 미세한 불쾌감이 스쳐 지났다.

따라 들어오던 시녀장이 얼른 몸을 숙였다. 거의 납작 엎드렸다고 될 만치 낮은 자세였다.

"송구하옵니다, 전하. 무엇이 마음에 들지 않으시는지요."

"저 옷."

왜? 이 옷이 어디가 어때서? 나는 내 옷을 내려다보았다. 아까 입었던 야시시한 잠옷보다 훨씬 낫지 않나. 물론 성녀에게 어울리는 복장은 아니지만 말이야.

"전하께서 총애하는 여인인 듯하여 준비했습니다만, 다른 드레스를 준비시킬까요?"

나야말로 인상을 찌푸릴 만한 일이었다. 그러니까 애첩인 줄 알고 이런 옷을 준비했단 거다. 어쩐지 좀 격식에 맞지 않는 옷이라고 생각했어.

근데 시녀들은 내가 누구인지 모른단 말이야? 그것도 의외로운 일이었다.

나는 성녀다. 그리고 내가 성녀라는 건 이 검은 머리와 금빛 눈동자만 봐도, 알 수 있을 텐데.

아니, 생각보다 알려지지 않은 사실인 건가. 성국과 칼리스는 무역 거래도 하지 않으니 접점이 적었다.

성녀에 관한 정보는, 칼리스에서도 소수만 알고 있는 걸지도 모른다.

"그녀는 그런 상대가 아니다. 알아들었나?"

"예, 전하. 시정하겠사옵니다."

시녀장은 미묘하게 혼란에 찬 기색이었다. 날 침실로 불러낸 건 아델인 듯하다. 그래서 애첩일 줄 알았는데 밤새 아무 일도 없었던 데다가 아델도 내가 밤 상대가 아니라고 말한다. 그러면 저 여자는?

의문이 생길 수밖에 없다. 왜 나를 성녀라 말하지 않는 걸까. 그건 나야말로 의문스러운 일이었다.

시녀장이 물러간 직후, 난 그의 앞에 다가가 앉으며 퉁명스럽게 말했다.

"난 또 이게 네 취향인 줄 알았지."

"농담하지 마. 그리고 너한테 그런 드레스는 안 어울려."

"그래? 난 꽤 잘 어울린다고 생각했는데."

평소와 좀 달라서 어색하게 보이는 거 아닐까? 난 후후 웃었다.

애첩 취급을 당한 데다가 칼리스의 드레스를 입고도 별로 맘 상하지 않는 듯 태연한 나를 아델이 빤히 바라봤다.

뭔가 괴생물을 보는 듯한 눈빛이다. 그러나 그 눈빛이, 신성교국에서 재회했을 때처럼 차갑게 느껴지지 않는다면 그건 내 착각일까.

내 앞에 수프와 샐러드가 놓이고 시녀가 물러났을 때 난 그제야 입을 열었다.

"곰곰이 생각해 봤는데 있지, 네가 성국에 있었을 때 말이야."

수저를 들던, 아니 제 앞에 놓인 수프를 검사하듯 맛보던 아델이 고개를 들었다.

"비록 그땐 네가 누군지 몰랐다지만, 내가 널 좀 험히 다뤘잖아. 그러니까 방도 안 내주고 손님 대접도 안 해 줘도 어쩔 수 없는 거라고 생각하고 있어."

아델의 눈빛이 변화했다. 기가 막힌 기색으로 그가 날 쳐다봤다.

"그래서?"

"그래서는 무슨. 그렇다는 얘기지."

이번엔 뭔가 화가 난 듯한 얼굴이 되어 아델이 심호흡했다. 그가 나직이 물었다.

"너는 내가 지금, 그때의 일을 갚는다고 생각하고 있는 거야?"

"응, 아니야?"

"……너는 되갚음이란 게 뭔지 모르나 본데. 그때를 생각하자면 네 사지를 묶어서 감옥에 가두고 사흘에 한 번만 식사를 줘도 충분치 않아."

아델의 말에선 일순 위축될 만한 분노의 잔재가 느껴졌다. 그렇게나 내가 심하게 굴었나?

아닌데! 카마엘이 억지로 음식을 묶어 두고 그런 건 있어도 나는 잘해 줬는데! 카마엘과 함께 두는 게 잘못한 거라면 또 모르겠다.

아델이 수저를 거칠게 내려놨다. 아침부터 그때 일은 언급한 까닭에 밥맛이 확 떨어진 것 같았다. 자리를 박차고 뛰어나가지 않은 것만으로 용할 만치 기분 상한 기색이다.

그게 아니라면 네 행동은 어떻게 설명할 건데. 알쏭달쏭해진다.

"그런데 나는 너를 뭐라고 부르지?"

나는 조심스레, 하지만 태연한 척 화제를 돌렸다.

"네가 아델이라고 부르지 말라고 했잖아."

차갑고 무거운 상황에서 벌어졌던 일을 나는 가볍게 언급했다.

내가 내게 벌어지는 일들을 비통하고 치욕적인 일로 받아들이면, 상황은 악화될 뿐이다. 늘 긍정적인 태도가 필요한 거라고.

다 컸는데 어릴 적에 부르던 이름으로 그를 부르는 게 싫을 수도 있겠지. 내겐 그의 뜻을 존중해 줄 의사가 있었다.

"……네 멋대로 불러."

살피는 듯이 날 보던 아델이 차갑게 잘랐다. 그리고 덧붙였다.

"아델이라고 불러도 상관없어."

짧은 시간의 태도 변화였다. 좀 누그러진 듯도 했다.

"그래? 잘됐다. 나는 아델이라고 부르는 게 입에 익어서."

내가 활짝 웃으며 말하자, 그는 도리어 이상한 듯이 날 봤다. 그래, 내가 왜 이러는지 모르겠지? 네가 생각한 반응은 아니지? 난 그 의외성으로 그를 공략해 볼 참이었다.

이건 게임이 아니라 현실 공략이다. 언제든 끝이 배드 엔딩으로 치달을 수 있는.

하지만 난 운 좋은 성녀니 해피 엔딩으로 잘 이끌고 가 봐야지. 그 해피 엔딩이라는 게 어떤 식으로 구현될진 모르겠지만.

나는 천천히 수프를 마시고 샐러드를 먹었다. 그 후로 나온 빵이며 후식도 양껏 먹고 배를 채웠다.

양 손목의 팔찌가 성력을 봉인하고 있어서 그런지, 기력이 부족했다. 많이 먹고 힘을 내야지.

식사를 마칠 무렵, 난 아델을 똑바로 쳐다보며 말했다.

"언제쯤 왕을 접견할 수 있을까?"

어쨌든 내가 이곳에 온 이유는 그거잖아. 칼리스 왕의 저주를 푸는 거. 월신께선 내가 저주를 풀 수 없단 소리는 하지 않으셨다.

비록 신탁은 칼리스의 왕족과 결혼 어쩌고 하셨어도, 내가 풀 수 있도록 해 놓으셨을지도 모른다.

일단 왕을 만나 보고, 상태를 봐야 하지 않겠어? 내가 할 수 있는 거라면 해 보고, 안 되면……. 신탁에 대해서 말해야겠지.
그 전에 아델을 최대한 다독여 놔야, 칼리스의 왕족 할아버지와 결혼하게 되는 일은 피할 수 있겠지.
그러나 나를 본 아델이 코웃음 쳤다.
"왕을 접견한다고?"
마치 있지 못할 말을 들었단 듯한 뉘앙스가 느껴져서 난 눈을 휘둥그레 떴다.
"그럼 접견도 안 하고 어떻게 저주를 풀어?"
"그놈의 저주."
혼잣말처럼 중얼거린 아델이 순식간에 차가워진 투로 내뱉었다.
"나는 잠시 나갔다 와야 하니, 얌전히 방에나 있어. 서재 정도는 이용할 수 있을 거야."
그가 벌떡 몸을 일으켰다. 난 눈을 말똥말똥 뜨고 그를 올려다보았다.
"아델?"
"괜한 생각하지 말라고. 성력을 봉인당한 네가 혼자서 이 칼리스의 왕성 밖으로 도망칠 가능성은 없으니까."
일침을 가한 아델은 어리둥절해진 나를 남기고 식당을 떠났다. 나는 음식 냄새가 가득한 방에 홀로 남겨졌다.
뭐지? 칼리스의 왕을 만나 볼 수도 없다고? 그건 내가 예상한 적 없는 상황이었다. 왕은 내가 여기 있는 걸 모르는 걸까?
아니다. 왕속 특무단이 움직였고, 신성교국까지 점령한 일이다. 모를 리 없을 텐데. 시녀들에게도 내 정체를 밝히지 않다니. 이건 마치, 아델이 나를 숨기고 있는 것 같잖아. 그가 무슨 생각을 하고 있는지 도통 모르겠다.

혼란에 빠진 날 시녀장이 방으로 인도했다. 침실이 아닌, 소파와 테이블이 놓인 응접실 같은 장소였다. 침대에 걸터앉은 내게 그녀가 말했다.

"필요한 게 있으면 말씀해 주십시오. 성심껏 섬기겠습니다."

그녀는 왕자의 애첩도 아니고 외국의 사절도 아닌 모호한 존재인 나를 그냥 극진하게 대우하기로 마음먹은 모양이었다.

나는 열심히 머리를 굴렸다. 아델이 잠시 나갔다 온다고 했지? 그 말은 곧 돌아온다는 뜻이다.

그사이 알아낼 수 있는 것이 있다면 최대한 알아 놔야 했다. 아마도 내 행동은 보고될 테지만……. 나는 깍듯한 태도를 고수하는 시녀장을 쳐다보았다.

이 시녀장은 내가 누군지 모른다. 그런즉슨 내게 도망칠 만한 이유가 있단 것도 모르는 상태라는 거다.

성력을 다룰 수 없는 나를 얕본 건지, 내가 도망치는 것에 대해선 달리 당부해 두지도 않은 듯하니. 나는 내겐 아무런 생각도 없다는 듯이 웃으며 말했고,

"당분간 여기서 거주하게 될 텐데, 주변을 돌아보고 싶어."

"그러시지요. 안내해 드리겠습니다."

그녀가 흔쾌히 승낙했다.

*

칼리스에 관한 정보는 성국에도 접수된다. 물론, 성국인이 칼리스에 발을 들이는 게 허용되지 않는 이상 거의 타국을 통해 전달된 정보다. 교차 확인하는 이상으로 사실 여부를 확인하긴 어렵다.

하지만 적어도 지금 내가 보고 있는 왕성은 그 정보와 부합하고 있었다. 나는, 칼리스에 대한 정보를 접할 수 있는 '윗분'이니까 말이다.

왕성은 거대했고, 그 안은 또 여러 개의 구역으로 나뉘고 있었다. 아델이 내게 도망칠 수 없다고 장담한 것도 이해가 갔다.

이곳은 왕자의 처소. 즉, 왕성에서도 가장 심장부에 가깝게 위치했다. 그 말은 즉 아델이 실질적으로 권력을 틀어쥔 왕자라는 소리다.

나는 칼리스에 대해선 잘 모르는 외국 귀족인 척, 시녀장에게 물었다.

"다른 왕자들은 어디에 있지?"

그녀의 얼굴이 조금 어두워졌다.

"그분들은 모두, 불의의 사고로 돌아가시거나 불구의 몸이 되어 왕성 밖에 거처하고 계십니다."

두려워하는 기색이 그녀의 낯빛에 스치고 지나갔다. 오싹한 말이었다. 나는 그 말에 함의된 사실을 추측해 낼 수 있었다.

아델이 형제들을, 제거했다. 옛날에 제 형제들에 대해서 말할 때도, 꽤 정 없고 오싹하게 말했었지. 그 누구도 형제라 생각하지 않는다고 했던가.

비난하고 싶은 기분은 들지 않았다. 내가 알지 못하는 아델의 삶에 대해서 재단할 수는 없다.

전생의 나를 살해한 게 피 섞이지 않은 형제들이듯 세상 모든 형제가 똑같은 양상으로 정답게 살아가는 건 아니니. 아델에게도 그래야 할 이유가 있었을 거다.

그가 권력을 쥐지 않았다면, 내게 찾아올 수도 없었을 테고 나를 도울 수도 없었을 테지.

"그래, 그건 참 안타까운 일이네."

나는 아무것도 모르는 척 측은한 표정을 지었다. 나의 반응을 보고, 시녀장은 나에 대해 어떤 인상을 받게 된 모양이다.

아무것도 모르는 외국 어딘가의 귀한 아가씨. 아델이 날 어떤 목적으로 잘 꼬드겨서 데려왔다고 생각하게 된 듯하다.

시녀장에게 질문을 건네고 대답을 얻으면서 나는 점점 더 그녀의 입을 열게 했다. 그야, 내가 그녀에게 답하기 곤란한 질문을 건네지 않은 것도 있지만 말이다.

"왕께서는 옥체가 편찮으셔서 모습을 드러내지 않은 지 오래십니다."

"어머, 그러면 국정은 어떻게……."

"아드라하트 왕자 전하께서 도맡고 계십니다."

이건 또 놀랄 소리였다. 왕은 드러누워 있고, 사실상 권력을 틀어쥐고 있는 건 아델이란 말이지? 난 전혀 몰랐다는 듯이 눈을 동그랗게 뜨며 입을 가렸다.

"왕자 전하께선 대단한 분이시네. 그런 중대한 임무를 맡고 계시다니……."

"예, 전하께서는 대단히 총명하고 뛰어난 분이시지요."

공포가 살짝 어린, 외경이 느껴지는 대답이었다. 내가 보지 못한 곳에서 아델은 어떤 삶을 일구어 왔던 걸까. 점점 더 궁금해졌다.

"이곳이 전하의 서재입니다."

시녀장이 안내해 준 방으로 들어선 난 주변을 쭉 돌아보았다. 방은 신전에서 쓰는 홀만큼이나 넓었다.

천장까지 빽빽하게 꽂힌 책들은 쏟아지면 능히 사람을 압사시킬 것 같다. 아마 왕자의 서재답게 귀한 저서를 다 모아두었겠지.

하지만 정작 내 눈길이 향한 곳은 다른 데였다.

"이곳을 천천히 둘러보고 싶어. 나를 혼자 있게 해 주겠어?"

시녀장은 잠시 머뭇거리는 듯했다. 하지만 이 서재는 2층이고, 나가는 문은 오로지 하나였다. 게다가 나는 곱게 자란 아가씨다. 아델이 날 감시하라는 명도 따로 내려 두지 않았다.

나는 그녀를 향해 안심하라는 듯이 생긋 웃었다.

"한 시간쯤 후에 다시 부를게. 전하께서도 잠시만 자리를 비운다고 하셨으니, 돌아오시기 전에 조용히 책을 읽어 보고 싶어. 이곳엔 정말 희귀한 서적들이 많은걸!"

나는 신난다는 듯이 쾌활하게 말했다. 그건 마치 에이레네에게 '기도실에서 기도하고 있을게.'라고 말한 다음 카마엘의 집으로 놀러 가던 그때같은 익숙한 가장이었다.

대사제조차 속인 내 연기를 시녀장은 결국 꿰뚫어 보지 못했다.

"예, 시녀 아이를 남겨 두겠습니다. 언제든 필요한 게 있으시다면 불러 주시지요."

"응, 그래."

들뜬 기색을 드러내는 내 연기에 속아 넘어간 그녀가 문을 닫고 나서자마자, 나는 바로 행동을 개시했다.

"여긴가."

바로 창가 쪽으로 다가가 선 나는 회심의 미소를 머금었다. 창문은 활짝 열려 있었다. 오전이니 환기를 시키기 위해서 열어 두었을 거다.

그새 청소했는지 깨끗한 유리창 너머로 난 슬쩍 아래를 내려다보았다.

여기는 2층. 아래로는 녹음이 짙은 정원이 펼쳐져 있었다. 무성한 나뭇가지가 창문 가까이까지 뻗었다.

감시하는 병사가 있을까 살폈지만 보이진 않았다. 여기는 괜찮은 건가. 나는 정원 쪽을 주시했다.

저긴 내게 허락되지 않는 영역이다. 내가 보장받은 자유는 어디까지나 이 처소 안까지였기에.

"움직여 볼까."

중얼거린 난 창문으로 몸을 비집어 넣었다. 성인이 통과하기엔 비좁은 창문이다. 남자라면 절대 못 넘어갈 테지.

하지만 난 뼈대가 얇은 편이었다. 가슴이 좀 끼긴 한데 어찌어찌 몸을 욱여넣자, 창문 밖으로 몸을 빼낼 순 있었다.

창문가에 다행히 발 디딜 공간이 있어서, 난 거길 딛고 몸을 바로 세웠다. 성력을 쓸 수 없다는 게 가볍고 민활한 움직임에 저해가 되진 않았다.

이보다 더 위험하고 아슬아슬한 자리에도 서 본 적 있었다. 나는 곱게 앉아 책상물림만 한 성녀가 아니라고!

난 주변을 쓱 살피고, 나무에 재빨리 올라탔다. 가지와 나뭇잎이 뭉그러지며 부스스 소리를 냈지만, 크진 않았다.

바람이 불 때를 노려서 올라탔기에 그 정도 소리는 묻힐 수 있었다. 나무에 올라타서 숨을 죽이기 무섭게, 곧 뚜벅이는 발소리가 들렸다.

나무 아래로 순찰을 도는 두 명의 병사가 지나갔다.

"어휴, 큰일 날 뻔했네."

운도 따라 주는 것 같다. 이러다가 들키면 아델이 불같이 화를 낼지도 모르겠지만, 그렇다고 가만히 있을 순 없잖아. 적어도 여기를 좀 파악해 두려는 시도는 해야지.

왕자의 처소는 대충 내부를 봐 뒀겠다, 이제 정원에서 다른 곳으로 이어지는 길을 파악해 둘 차례다.

나는 근처 나무로 다시 한번 건너 타고, 사람이 없는 걸 확인한 후에 내려섰다. 몸을 낮추고 뛰어 정원 속으로 스며들 듯이 들어갔다.

난 수풀 속에 몸을 숨기고 숨을 몰아쉬었다. 긴장한 탓에, 그리고 성력 없이 움직인 탓에 금세 숨이 찼다. 첩보 작전을 벌이는 기분이다.

아델도 성국에선 이렇게 몰래몰래 움직였겠지? 십 년 전과 상황이 반대가 되었단 게 좀 묘했다.

아델도 그때의 나처럼 내 안전을 생각해서 정체를 숨겨 주고 있는 걸까. 그러기엔 나한테 해 주는 말이 너무 없는데. 딱히 나에게 성녀라는 걸 숨기고 있으라고 하지도 않았다.

그건 어쩌면, 나를 붙잡아 둔 이후로 어떻게 할 것인지 생각해 두지 않고 방관하는 것처럼 보이기도 했다.

"걔는 대체 무슨 생각인 걸까."

난 중얼거리며 몸을 움직였다. 내게 주어진 시간은 고작 한 시간가량. 어쨌든 아델이 돌아오기 전에 탐색을 끝마치고 아무 일도 없었던 것처럼 돌아가는 게 베스트였다.

난 옷이 긁히거나 찢어지지 않도록 조심하여 발을 내디뎠다.

방향감각을 잃지 않으려고 애를 써야 할 만큼 정원은 넓고 관목이 무성했다. 저쪽에 유리로 된 관이 보이는 걸 봐선, 꽃을 두는 온실과 정원을 따로 구분하나 보다.

운이 좋은 건지, 나는 누구에게도 들키지 않고 정원의 구조를 대강 파악할 수 있었다.

본성의 탑이 보이고 병사들이 많이들 지키고 선 걸 보니, 저쪽이 왕의 처소일 테고 나가는 길은 어디 있을까.

담도 내 키의 다섯 배는 될 만치 높아서, 성력을 쓸 수 없는 지금 만월의 힘을 빌린대도 넘을 수 있을지 모르겠다.

생각보다 경비가 삼엄하진 않은 듯한데……. 이 밖은 다르려나? 시중인들이 다니는 문은 어딜까.

왕성 밖으로 나가는 방향으로 추측되는 담을 훑은 내가 정원 쪽으로 돌아 들어가던 참이었다.

"아가씨, 이런 곳으로 들어오시면 경을 치십니다!"

"조용히 해, 유모! 들키겠어!"

두 여자가 아웅다웅하는 모습을 목격한 난 나무 뒤로 몸을 숨겼다. 그리고 흥미진진한 눈으로 그들을 지켜보았다.

중년의 여성이 한 여자의 어깨를 잡으며 만류하고 있었다. 그리고 아가씨라고 불린 여자는 그 손을 뿌리치려고 애쓰며 실랑이를 벌였다.

어찌나 공방이 심한지 둘 다 얼굴이 빨갛게 달아올랐다.

"아가씨, 여긴 전하의 처소예요! 이렇게 몰래 들어오면 안 되는 곳이라고요! 아이고!"

고양이처럼 눈매가 도도한 금발의 아가씨가 당당하게 말했다.

"전하께서도 우리 집안을 봐서라도 이 정도 일에 나를 벌하시진 않을 거야."

한눈에 들어온 얼굴은 누가 봐도 인정할 만한 미인이었다. 단단히 계획을 짜고 왔는지 밑단이 길지 않은 편안한 드레스 차림이었는데, 옷이 고급스러운 태가 났다.

분명히 귀족 아가씨다. 여기서 뭐 하는 걸까?

다음 순간, 난 그녀의 목적을 알 수 있었다.

"난 그 계집 낯짝을 꼭 봐야겠어. 전하께서 여자를 들이시다니? 대체 뭐 하는 여자지?"

입술을 깨무는 얼굴이 표독스러웠다. 상대의 머리채라도 휘어잡을 듯한 표정이다. 그리고 나는 그 상대가 누군지 알고 있었다. 바로 나다.

"타국의 계집이라지? 어떻게 전하의 눈에 들어서……."

"왕자 전하께서도 첩실 하나쯤 두실 때가 되었잖아요? 굳이 이러셔야겠어요? 어차피 왕자비는 어차피 아가씨가 되실 텐데요."

나는 저도 모르게, 뒷걸음질 쳤다.

"어떻게 내가 가만히 있을 수 있지? 전하의 취향이 뭔지 똑똑히 봐 둬야 겠…… 누구냐!"

그 여자의 시선이 내 쪽으로 꽂혔다. 하필 내가 여태까지 안 하던 짓을 해 버렸던 거다. 발에 밟힌 나뭇가지가 요란한 소리를 내며 바스러졌다.

그쪽에서 나를 향해 성큼 다가왔다.

"아가씨, 거기 있는 게 누구인 줄 알고……."

잠시 도망칠까 고민했다. 하지만 도망친다면 내가 수상한 이라는 걸 알리게 된다는 뜻이다. 저 아가씨는 들켜도 상관없는 것 같으니 내가 도망친다면, 바로 경비에게 고할지도.

왠지 모르게 도망치고 싶지 않은 기분이 들기도 해서, 나는 그 자리에 서 있었다. 와 볼 테면 와 보라지!

"오호라."

먼저 내 드레스를 눈에 담은 그녀가 천천히 시선을 올렸다.

"그 드레스, 시녀장이 붉은색 드레스를 전하의 처소로 가지고 갔단 이야기를 들었지. 네가 바로 그 계집이로구나."

그러나 시선을 올려 날 바라본 그녀의 표정이 일그러졌다. '졌다'는 패배감이 그녀의 낯에 드러났다. 속내를 잘 숨기지 못하는 아가씨였다.

"네, 네가."

조금 전까지만 해도 내 머리채를 휘어잡을 것 같이 굴었던 주제에, 심지어 말까지 더듬었다. 난 평온하게 인사했다.

"안녕."

"천한 계집이 내가 누구인 줄 알고, 감히 반말을 지껄이는 거냐!"

버럭 성을 내면서도 내게 가까이 오려고 하지 않는다.

나는 그제야 알았다. 왕자로 자라난 아델이 그렇게 되었듯 성녀로 자라난 내게도 성녀 같은 분위기가 생겨났단 것을.

내가 고요히 서서 시선을 던지는 그것이 귀족 아가씨라고 하나 나에 비하자면 평범한 그녀를 위축시킨다는 것을.

"너는 내가 누구인 줄 알고 천한 계집이라고 하는 건데?"

"이국의 왕녀인가?"

내 태연한 물음에 그녀 안에서 약간 혼선이 오는 듯했다. 그러나 그녀는 곧 굳게 주먹을 틀어쥐었다.

"아니, 네가 누구든 상관없다. 감히 전하의 눈을 흐리고, 이곳에 발을 들이다니……."

마치 그녀와 아델의 사이에 내가 끼어들었단 듯한 말투였다. 하지만 말끝을 흐리는 게 약간 주저하는 기색이 느껴졌다.

자신이 없는 거다. 그리고 자신이 없단 건 즉, 그녀에겐 내게 그런 말을 할 자격이 없단 증거였다.

왕자비로 거론되는 좋은 가문의 유력한 후보쯤 되려나. 나는 상냥하게 웃어 보였다.

"네 말을 네 '전하'께 그대로 전해도 되겠어? 참, 그 전에 자기 소개부터 해야지. 나는 이국의 왕녀라고 치고, 너는 누구지?"

정보는 나를 유리하게 만든다. 내가 엿들은 약간의 정보는 마침 유용한 것이었다.

그녀는 엄연한 불법 침입자. 그렇다고 한들 몰래 도망 나온 내가 그녀 앞에서 당당할 처지는 못 되었지만, 그녀가 그걸 알겠는가.

내 태도는 어디 하나 의심할 구석 없이 당당했다. 위축되었는지 입술을 깨문 그녀가 내게 새침하게 내쏘았다.

"내가 누구인지는 알 것 없다. 언제까지 교만 떨 수 있는지 두고 보지!"

"그건 내 질문에 대한 답이 아닌데?"

심드렁하니 묻자, 얼굴이 붉어진다. 어어, 홍미로운걸. 되받아치는 것에 면역이 없나 봐. 역시 고이 받들어진 고위 귀족 아가씨인가.

그녀는 기세등등하게 날 찾았던 것치곤 다소 수그러진 태도로 애써 코웃음 치며 등을 돌렸다.

눈치만 보던 그녀의 유모가 얼른 그녀를 따라갔다. 어어, 이렇게 가? 싱거운데.

하지만 난 어쩐지, 안도의 한숨을 내쉬었다. 처음으로 들켜 버렸어!

사실 그동안 운이 좋았던 것뿐일지도 모른다. 가끔, 아무렇게나 해도 잘될 때가 있잖아?

그녀와 마주친 지금, 내 운은 다해 버렸다고 보는 게 옳다. 이젠 슬슬 돌아가야지.

그녀가 떠나간 자리를 보던 난 발소리를 죽이고 슬금슬금 걷기 시작했다.

대충 방향은 가늠하면서 왔다. 나무를 기어올라 창문으로 건너뛰는 게 가장 험난한 문제지만, 이제 들키지 않고 돌아가는 데만 성공하면!

그러나 부지런히 정원을 헤치고 걷던 난, 탁 트인 대로를 맞닥뜨리곤 깜짝 놀라 멈춰 섰다. 이런 데 길이 있었다니!

재빨리 수풀로 다시 몸을 숨겼으나, 저쪽으로부터 걸어오는 인영이 희미하게 보였다.

어쩌면 좋지? 몸을 피할까. 하지만 괜스레 움직였다간 들킬 수도 있단 조심성이 일었다. 난 수풀 속에서 몸을 낮추고 숨을 죽이는 걸 택했다.

지나가면 움직여야겠다. 그 누군가가 다가오는 발소리가 들리고, 기척이 가까워질수록 난 점점 더 긴장감에 사로잡혔다.

두 명이었다. 둘 사이엔 무언가 드문드문 대화가 오가고 있었다. 무심코 귀 기울이다가 그 목소리의 주인이 누군지 인지한 순간, 난 고개를 쳐들었다.

"이런 하찮은 일로 날 불러내다니."

아델이잖아! 짜증이 스민 음성이었다. 처소로 돌아가는 그를 만난 것도 놀랄 만한 일이었지만, 난 다른 데 더 주목했다.

그의 걸음은 꽤 빨랐다. 그가 지나간 뒤 내가 날 듯이 뛰어서 서재로 돌아가지 않으면 안 될 만큼.

으아아아! 그냥 돌아가야 했는데. 아델이라면 돌아가자마자 나를 찾을 테지. 그렇담 어서 돌아가지 않으면 들켜 버릴지도 몰라!

초조하게 숨을 죽이고 있는데 누군가가 평온하게 아델의 말을 받았다.

"국정을 돌보는 데 하찮은 일은 없는 법이지요. 오늘따라 유독 날카로우십니다. 꼭 처소에 꿀단지라도 숨겨 놓으신 것처럼 말이지요."

이건…… 아지스? 그 자인가. 난 슬쩍 눈만 들었다. 내 기억력이 그렇게까지 좋은 건 아니지만, 언뜻 보이는 상반신이 그인 듯하다.

"아지스."

경고조의 목소리가 떨어졌음에도, 아지스는 전혀 굴하지 않았다.

"간밤에 별일 없으셨다는 것 같더군요."

"닥쳐."

"언제까지 소꿉놀이를 하실 겁니까? 원하시는 바가 있을 텐데요."

은밀한 색채를 띤 속삭임이었다. 아델이 그에게 시선을 주었다.

"네가 상관할 일 아니다."

분명한 경고를 선언하는 목소리는, 위협적이었다. 아지스가 어깨를 으쓱했다.

"모든 것은 승자가 가지기 마련이지요. 전하께서는 오랜 세월을 기다려, 모든 것을 차지할 자격을 가지셨습니다. 이제 손을 뻗으시기만 하면 됩니다."

그는 뱀처럼 교묘하게 말했다. 아델을 부추기는 것 같았다. 하지만 아델은 넘어가지 않았다.

"네놈은 내 편이 아니지."

"저는 누구의 편도 아닙니다. 하지만 전하를 택했지요. 왕이 되실 분, 가장 강하고 가장 뛰어난 왕자를."

"네가 나를 택한 게, 나를 위해서는 아니지. 그러니 네 말이 나를 위한 것도 아닐 테지."

아델이 그를 향한 시선을 거두었다. 단정하나 차가운 태도였다.

"날 멋대로 재단하지도, 내 일에 나서지도 마."

"저는 전하의 욕망을 압니다. 전하를 간절하게 만드는 게 무엇인지 압니다. 무엇이 전하를 그토록 강하게 만들었는지 압니다. 줄곧 전하를 지켜봐 온 저입니다. 어찌 모르겠습니까. 망설이지 말고, 원하는 모든 것을 가지십시오."

"나는 틀림없이 그럴 거다. 내가 원하는 방식대로."

"부서트리지 않고 가진다는 것은, 허황된 일입니다. 머지않아 아시게 되겠지만요."

아지스는 의미심장한 미소를 떠올리며 말을 맺었다. 아델은 더 이상 대화를 섞지 않겠단 듯이 걸음을 재촉했다.

늘 비슷한 대화가 이루어져 왔던 것처럼, 거슬림 이상의 감정은 찾아볼 수 없다.

아델과 아지스라는 자는, 어느 정도 동등하게 대화를 나눌 수 있는 사이인 듯했다. 어쩌면 친한 것 같기도? 아닌가.

괜스레 고민해 보는데, 아지스가 중얼거렸다.

"그런데."

그런데, 뭐? 뒤이은 말을 들으려고 난 쫑긋 귀를 기울였다.

"쥐새끼가 있군요."

순간, 등골이 오싹해짐과 동시에 머리 위로 바람이 일었다.

숭덩 잘린 수풀이 공기 중에서 푸스스 흩날린다. 엄마야! 정말로 깜짝 놀라 버렸다.

"이게 무슨 짓이야!"

나는 놀란 것치곤 재빨리 표정을 수습하며 당당하게 자리에서 일어섰다.

들켰다. 들켜 버렸지만, 내 머리는 민활한 회전을 거쳐서 이 상황을 타파할 방법을 구상해 냈다.

난 머리가 시키는 대로 태연한 척했다. 다만, 그게 잘 먹히지 않았단 게 문제다.

"너, 네가 어떻게 여기에……!"

아델의 표정이 험악하게 일그러졌다. 당장 돌아가 누구 하나 조질…… 아니, 경을 칠 기세다.

"내가 왜 여기 있으면 안 되는데?"

난 도리어 눈을 동그랗게 뜨고 반문했다.

"여기도 네 처소에 속한 곳이잖아. 난 산책 나왔을 뿐이라고!"

사실 그렇게 말하기엔 죄지은 사람처럼 숨어 있었던 게 좀 걸린다. 그냥 무슨 말 하는지 엿들으려고 했다고 하면 되지, 뭐.

하지만 아델의 기세는 수그러들지 않았다.

"어떻게 여기까지 나왔지?"

"잘?"

"제대로 대답해."

어깨를 움켜쥐는 손엔 잔뜩 힘이 들어가 있었다. 난 눈을 찡그렸다.

"아프단 말이야."

아주 살짝, 그의 손에서 힘이 덜어졌다. 역시 얘한텐 '난 아무것도 몰라요' 전략이 잘 먹히는 것 같아. 난 괜히 으쓱댔다.

"창문을 열고 뛰어내렸지. 내가 낙법을 좀 배워 놔서."

사실 내가 고양이도 아니고 그 높은 데서 뛰어내렸을쏘냐. 나무를 탔다. 하지만 약간 내 능력을 과대 포장하는 것이 날 놓친 시녀장을 위해서 좋겠어.

내가 그녀의 안전을 신경 써 줄 처지는 아니었다. 그래도 나뿐 사람은 아니었으니 좀 덜 혼났으면 좋겠단 바람이 있을 뿐.

"여기 사람들은 날 연약한 귀족 아가씨로 알던데 어떻게 된 거야?"

아델이 미간을 구겼다. 옆에서 왠지 키득거리며 웃고 있는 아지스가 거슬리긴 했지만, 그는 늘 마음에 들지 않는 이였다.

"따라와."

그가 내 손목을 움켜쥐고 잡아당겼다. 난 발을 재게 놀려 가까스로 아델을 따라갔다. 목줄에 끌리는 개보다 조금 나은 형태였다.

사나운 얼굴로 제 방으로 끌고 간 아델이 날 벽 쪽으로 밀어붙였다. 그가 손바닥으로 벽을 치며 날 가둔 채 내뱉었다.

"똑똑히 들어."

어어, 박력 있어! 하지만 별로 로맨틱한 박력은 아니었다. 일단 아델에게 전혀 로맨틱한 의도가 없었으므로.

"네게 머리란 게 있다면, 함부로 나돌아다니지 마. 알았어? 여기가 어딘지 알고 네 앞마당처럼 제멋대로 나다니는 거지? 잘못 걸리면 비명횡사하는 건 너야."

"네가 내 성력을 풀어 준다면, 비명횡사 같은 건 안 당할 텐데."

나는 어디까지나 당당했다. 그래, 아무리 생각해 봐도 난 잘못한 게 없는걸.

사람은 광합성도 하고 호기심도 충족해야 산다. 그가 구체적으로 내게 닥칠 위협을 말하지 않은 상태다. 정원을 좀 나다니는 것 정도는 할 수 있는 거 아닌가.

하지만 어쨌든 현재 내 상황은 불공정한 터. 아델에게는 내 정당한 의견을 씨알만큼도 고려할 의사가 없는 듯했다.

아델의 얼굴이 가까워졌다. 비아냥거림이 나를 찔렀다.

"풀어 줄 거였으면, 애초에 봉인했을까?"

"여긴 칼리스고, 성국이 아니지. 성력을 가졌다고 한들 설마 칼리스의 심장부에서 나 하나 통제 못 하겠어?"

그래, 신성교국도 점령한 대칼리스에서 늘 보호만 받아 온 성녀 따위 어떻게 못 하겠어? 게다가 난 혼자인 몸이라고. 아델이 잘라 말했다.

"네 도발 따윈 안 먹혀."

쳇, 안 먹히나. 내 생각보다 아델은 나를 덜 과소평가하는 것 같았다. 행동만큼 무시해서 생각해 주면 편할 텐데. 나는 퉁명스레 물었다.

"내게 원하는 게 대체 뭐야."

나를 가둬 놓고, 숨기고, 왕자비 후보에게 첩을 두고 있단 오해를 사면서 너는 내게 뭘 바라는 걸까. 나를 갖는 것, 내게 복수하는 것, 그리고—

"내가 원하는 거?"

그의 얼굴이 좀 더 가까워졌다. 숨결이 닿을 만큼, 아주 코앞이다. 너무 가깝잖아. 나는 벽에 바짝 뒷머리를 붙였다. 하지만 그는 멈추지 않았다.

"그게 뭘까."

실낱같은 틈을 남기고 속삭인 그의 눈매가 초승달처럼 휘었다. 동시에 입술이 겹쳐졌다. 따뜻한 숨결이 내게로 쏟아져 들어왔다.

입안을 젖히고 들어오는 것이 이젠 아예 자연스럽다. 너무 갑작스럽게, 당연한 듯이 키스 당한 난 순간 얼이 빠졌다.

손을 쳐들기 무섭게, 바로 잡혀 벽에 밀어 붙여졌다. 악력으로 내가 그를 당해 낼 길이 없음은 자명하다.

잠시 내 입술을 탐하던 그가 언제 그랬느냐는 듯이 깔끔하게 물러났다.

"나도 모르겠는데 똑똑한 네가 잘 생각해 보지그래?"

뻔뻔하리 만치 태연한 얼굴로 내쏘는 한쪽 입꼬리가 비뚜름하게 올라가 있었다. 이, 이게 무슨 짓이야!

난 꼭 붕어가 된 것 같았다. 뻐끔뻐끔 숨만 쉬면서, 머릿속은 백지장이었다.

"네 얼굴, 꼴 보기 좋은데."

그 말이 자존심을 건드려, 나는 가까스로 정신줄을 챙길 수 있었다.

"너, 너……!"

뭐라도 말을 내뱉으려던 내 시도는, 그가 다시 얼굴을 가까이 붙이자 금방 사그라졌다. 피식하는 소리가 그에게서 흘러나왔다.

"무슨 말을 하고 싶은데?"

뻔뻔스러울 만치 여유롭고 당당한 태도. 그건 내가 아델에게 곧잘 보이던 것과 닮아 있었다. 즉 아델은 지금 내 태도를 흉내 내어 받아치고 있는 거다. 구도는 완벽하게 반대였다.

아델이 패턴을 바꾸다니! 전혀 예측지 못한 상황에 난 좀체 적응하기 어려웠다. 난 재빨리 손을 들어 우선 입을 가렸다.

"허락 없이 이런 짓 하는 거 아니야!"

"허락할 생각은 있고?"

그런 게 있겠니? 나는 성녀고, 자고로 성녀란 고고해야 하는 법이다. 아니, 그런 걸 다 떠나서 우린 이런 걸 할 사이가 아니거든!

내가 없다고 부인하려는 순간, 아델이 입을 가린 내 손등에 입술을 가져다 붙였다.

손등에 키스는 경애를 담는 거라고 한다. 하지만 전혀 정중하지 않은, 오히려 방어적으로 구는 날 놀리는 듯한 동작이었다. 그가 즐거운 듯이 말했다.

"그거 알아? 너, 내가 이렇게 바짝 얼굴을 붙이면. 안절부절못한다는 거. 그게 네가 날 의식한단 증거야."

그럼 의식하지. 당연한 거 아니야? 자꾸만 네가 멋대로 입을 맞추니까 그렇지!

"아델."

"네가 날 그 이름으로 부르는 게 정말 짜증 났는데……. 널 손에 넣고 나니, 이상하게 싫지가 않아."

아델의 입가에 떠오른 건, 놀랄 만치 산뜻한 미소였다. 다시 만난 순간부터 위압적인 분위기를 풍기던 그였다. 가볍고 들뜬 듯한 그 미소 앞에서 나는 일순 말을 잃었다.

그의 파란 눈은 냉정하게 이지를 다지고 있으면서도, 묘하게 반짝였다. 기분이 좋은 듯도, 나쁜 듯도 해 보여서 종잡을 수 없다.

그러나 아델은 꼭 소년이 된 것 같았다. 애늙은이 같던, 어린 시절의 그조차 아닌 완전히 다른, 내가 본 적 없는 모습. 심장이 파르르 울렸다. 낯선 감각이었다.

"날 어떻게 할 거야?"

나는 혼란을 추스르며 조금 질문을 바꾸었다. 그가 내게 뭘 바라는지, 조금 더 분명해졌다.

하지만 그건 내가 줄 수 없는 것이었다. 줘선 안 되는 거였다. 그가 칼리스의 왕자고 내가 성녀인 이상은.

아델이 미간을 찌푸렸다.

"그건 나도 고민 중인데."

"내가 알려 줄게."

나는 빠르게 말을 이었다. 이상스레 마음이 조급했다. 그와 맞부딪히는 이 상황이 어딘지 모르게 나를 마모시켰다. 나는 그가 나를 변하게 할까 봐 두려운 거다.

"성력을 풀어 주고 날 왕에게로 데려가. 그리고 그의 저주를 풀게 해. 그게 네가 할 일이야."

아델은 칼리스의 왕자였다. 그것이 그가 응당 해야 할 일이었다. 날 붙잡고, 가두어 둔 채 이런 일들을 반복할 게 아니라.

하지만 아델은 칼같이 잘랐다.

"웃기는 소리 하지 마."

"아델!"

"그건 내가 원하는 게 아니야."

웃음기가 싹 가신 얼굴로 그는 쉽사리 내게서 떨어져 등을 돌렸다.

"정원을 산책하고 싶다면, 거기까진 허용해 주지. 하지만 혼자선 안 돼."

그 말만을 남긴 채 그는 방을 나섰다. 나는 차마 그를 잡지 못했다. 퍼뜩, 내가 여전히 입을 가리고 있단 걸 깨달았다.

손등에 남겨진 입술의 감촉이 생생했다. 나는 질끈 눈을 감으며 중얼거렸다.

"어떡하지……."

정말로, 뭘 어떻게 해야 할지 모르겠다. 내 평생 처음 경험하는 종류의 난관이었다.

난 벽에 기대고 주저앉아 한동안 골몰했다. 하지만 흑단 같은 머리가 온통 흐트러지도록 쥐어뜯어도 혼란이 가라앉질 않았다.

한숨이 푹푹 새어 나온다. 아델은 성력을 돌려줄 마음이 없고, 나 혼자선 이 상황을 타파할 방법이 없다.

결국 아델을 설득해야 하는데, 아델은 한층 더 고단수가 되어서 내 말 따윈 아랑곳하지 않고 있었다!

그간 내게 약하게 굴던 아델을 좀 만만히 보았던 터라 타격이 컸다. 의외의 일격을 당한 기분이라고!

아델은 나를 흔들고 있었다. 별로 좋지 않은 의미로. 거기에 난 다소 무력했다.

난 곧 마음을 굳게 다졌다.

"길은 없는 듯해도 있는 법이지!"

내가 어떻게 해야 할지, 아직은 모르겠지만 하나 분명한 건 있었다.

적을 알고 나를 알면 백전백승이라지. 좋아, 해 보자고!

지금의 아델이 내가 알던 아델과 다르다는 것, 즉 머리가 좀 컸다는 걸 인정해야 할 때가 온 것 같다.

그러니 지금의 아델을 좀, 파악해 볼 필요가 있겠지. 다른 이들에게 정보를 캐내는 건 한계가 있을 거다.

아델의 입을 좀 열어 봐야겠어. 그 머리통 속에 도대체 무슨 생각이 깃들어 있는지 알려면.

굳게 주먹을 쥐며 의지를 다지는데 문득 문을 두드리는 소리가 들렸다. 똑똑. 난 성국에서 하던 것처럼 습관적으로 내뱉었다.

"들어와."

아델이 자리를 비운 건, 내 감시를 소홀히 한 시녀장을 벌하기 위해서였나 보다. 노크와 함께 방에 들어선 시녀장은 이전과 다른 인물이었다.

"앞으로 귀하신 분을 섬기게 된 시녀장 헤렌이라고 합니다."

이전의 시녀장에 비해, 더 정중해지고 격의를 둔 태도였다. 딱딱하게 굳은 얼굴이 아델에게 단단히 경고를 듣고 왔음을 짐작하게 했다.

"로라는?"

"맡은 임무가 바뀌었습니다."

죽진 않았단 소리라 난 가슴을 쓸어내렸다.

"목욕하실 준비를 해 두었습니다. 저를 따르시지요."

정원을 돌아다닌 탓에, 내가 좀 꾀죄죄해져 있다는 데 생각이 닿았다. 나는 고개를 끄덕여 그녀의 뒤를 따랐다.

한 시간쯤 지났을 때, 나는 반짝반짝 윤이 날만치 깨끗하고 뽀얘져 있었다.

또한 아델이 어울리지 않는다고 평했던 붉은 드레스가 아닌, 순백색의 드레스를 입고 있었다. 성복과 형태는 다르지만 색은 유사하다.

채비를 마치고, 어떤 방으로 밀어 넣어졌을 때, 서류를 들여다보고 있던 아델이 고개를 들었다. 날 관찰하듯 훑은 그가 단박에 평했다.

"이젠 좀 봐 줄 만하네."

"날 가지고 인형 놀이를 하는 건 아니겠지?"

"그런 정신 나간 취미는 계집애들 거지."

정신 나간 취미라니! 인형 놀이가 얼마나 재밌는데!

하긴 아델은 나와 놀기 전까지 소꿉놀이를 해 본 적도 없었다. 그러니 그런 걸 이해할 만한 감성 따윈 가지고 있지 않겠지.

내 안쓰러운 시선을 감지했는지 그의 눈빛이 차가워졌다.

"거슬리게 굴지 말고 앉아."

어디서 명령조야! 건방지게. 하지만 난 순순히 그가 눈짓으로 지시하는 의자로 가서 앉았다.

"조금만 기다려. 이것만 처리하고 곧 상대해 줄 테니."

말 한마디 한마디가 어떻게 저렇게 거만할 수 있는지, 연구대상이다. 아델을 관찰하기로 한 마음가짐이 좀 위안이 되어 주긴 했지만, 왠지 부들부들했다.

나도 떠받들어졌으면 떠받들어졌지, 이렇게 무시를 당하고 살아온 몸은 아니라고!

하지만 지금은 참아야 할 때였다. 참아야 하느니라, 에스텔! 나는 참을 인 자를 반복적으로 새겨 넣었다.

가까스로 마음을 가라앉힌 난 주변을 쓱 둘러보았다.

여긴 집무실인가? 책이 빽빽하게 꽂힌 책장이 가득한 건 서재와 같았다. 책장에 둘러싸인 중앙에 책상이 놓여 있고 누군가를 맞이할 만한 탁자와 의자도 입구 쪽에 가깝게 있었다.

아델은 그 책상에 앉아서 잔뜩 쌓인 서류를 들여다보는 중이었다. 서류를 집는 모양새는 매우 건성인 듯한데, 내용을 훑는 태도는 신중했다.

결재자가 그인지, 그는 서류 한 장을 넘길 때마다 도장을 빠르게 찍었다. 일하는 아델이라니! 좀 신기한 기분이다.

그런데 그의 손에 들린 도장의 모양이 좀 예사롭지 않았다. 검은색 수정으로 만든 인장이라…….

금빛으로 새겨진 오망성 무늬. 그건 칼리스의 상징인데. 난 슬며시 말을 꺼내 보았다.

"저, 아델. 그 인장 말이야."

"이거? 옥쇄야."

대수롭지 않게 대꾸한 아델이 내 쪽을 쳐다보지도 않고 도장을 다시 쾅 찍었다.

"왜 옥쇄를 네가 가지고 있어?"

"이젠 좀 내가 궁금해지나."

비꼬듯이 말하며 아델이 시선을 들었다. 왠지 모르게 어색했다. 나는 우물거리면서 질문을 고수했다.

"왕이 네게 옥쇄를 인도한 거니?"

"인도할 수밖에 없었다고 보는 게 맞겠지? 그 늙은이는 병 때문에 쓰러져서 거동도 못 하니까."

늙은이라니. 아버지를 말하는 것치곤 아주 부정적인 단어 선택이다. 역시 부자간 사이가 좋지 않나 봐.

"그럼…… 상태가 심각한 거 아니야?"

"네가 신경 쓸 것 없잖아? 그가 죽든 살든. 아니…… 네 입장에선 죽는 편이 낫겠지."

제 아버지에 대해서 하는 말치곤, 정이 없다 못해 살벌하기 짝이 없다. 기가 질리면서도 고개가 좀 갸웃거려진다.

내가 알기로 아델은 늦둥이가 아니다. 아델의 나잇대를 보건대 왕의 나이가 60을 넘었을 것 같진 않은데. 그가 벌써 생사를 오락가락한다는 건 예사롭게 들리지 않는 소리였다.

난 묻지 않을 수 없었다.

"그가 그렇게 된 건, 저주 탓인가."

아델의 표정이 미세하게 변했다. 대화가 오가는 중에도 연신 도장을 내리찍는 소리가 들렸다. 멀티태스킹이 제법 잘 되는 듯싶다. 가라앉은 음성이 들려왔다.

"네가 저주를 풀 수 있을지도 모르지. 하지만 저주가 풀린다고 한들 내게 이로울 건 없어."

"다음 차례가 네가 될 수 있는데도?"

그게 문제였다. 저주를 물려받는 건, 칼리스의 왕이다. 다음 대 칼리스의 왕은 아델이다. 그렇다면 아델은 필연적으로 저주의 다음 희생자가 되고 말 거다. 그는 그게 신경 쓰이지 않는 건가.

당장 두려워하진 않을지라도, 월신의 저주는 강력하니 경계심이 드는 게 당연할 텐데. 거기다 아델은 나로서는 알지 못하는 그 후유증을 보아 오지 않았겠어?

"그는 저주를 '죽을 때까지' 받아 내다가 죽을 테고, 그 이후에는 네가 있지."

나는 눈썹을 치켜들었다. 마치, 그가 저주로 고통받으면 내가 뭔가를 할 거라고 확신하는 듯한 말이었다.

나를 믿는 건지, 나를 움직일 수 있다고 믿는 건지……. 헷갈린다. 물론, 그가 고통받는다면 내가 외면할 수만은 없을 것 같다. 하지만 내가 꼭 무언가를 할 수 있단 보장도 없다.

반대로 날 사로잡아 계속 곁에 두면, 유일하게 유효한 수단인 저주로 월신이 그를 해칠 수 있다고, 생각해 본 적은 없는 건가.

"네게 저주가 닥쳐 오기 전에, 저주를 푸는 게 나아."

나는 설득을 시도했다. 아델에게 저주가 닥쳐 올 거란 게 불안했다. 왕이 죽을 그 언젠가까지 내가 여기 묶여 있는 것도 안 될 일이고.

그가 죽을 동 살 동하면서 십 년을 버티면 내가 십 년 동안 칼리스에 사로잡힌 채 있어야 한단 말이야? 세상에!

"단언컨대, 왕 앞에 너를 데려간다면 저주를 풀더라도 그는 너를 죽일 거야. 그걸 바라?"

"네가 막아 주면 되잖아."

"에스델."

그가 나직이 내 이름을 불렀다. 위협적으로 낮아진 음성이었다.

"내가 언제까지 널 돌봐 줄 거라고 생각하는 거지? 날 보모 취급하지 마."

화가 난 듯한, 순식간에 온도가 낮아져 싸늘해진 눈이었다. 일순 날 움찔하게 할 만큼. 내가 그를 만만하게 본단 걸 아델도 알고는 있었던 것 같다.

"아버지……잖아. 그가 죽어도 전혀, 아무렇지 않을 수 있겠어?"

아델이 가족에게 티끌만 한 애정도 없단 걸 난 안다. 그게 정말로 아델의 현실이었을까.

눈앞의 아델은 놀랍도록 비정해 보였고, 그건 그가 내게 보였던 애정과 매치되지 않는 것이었다. 지독한 낯섦이 사무쳐 왔다.

아델은 무표정한 얼굴로 읊조렸다.

"너는 내가 어떤 삶을 살았는지 몰라. 나를 이 자리에 있게 한 것은 나야. 내가 조금이라도 약하고 모자랐다면, 패배하고 내쳐져 살해당했겠지."

마치 일러 주듯이 천천히 섬뜩한 말소리가 흘러들었다.

"내 형제들을 죽이고, 사지를 자르면서 이 자리에 오기까지 내 아비는, 단 한 번도 나를 보살핀 적이 없어. 그러니 그의 죽음을 내가 구제하려고 하지 않는 것도, 정당한 일이지."

이윽고 그의 입가에 웃음기가 어렸다. 명백히 비웃는 듯한 표정이었다.

"에스델, 네 가상의 착하고 말 잘 듣는 소년에 대한 환상은 이제 버려. 내겐 너만이 예외였을 뿐이야. 난 처음부터, 네가 생각한 그런 녀석이었던 적이 없다고."

내가 유일하게, 네게 애정을 보였기에 예외가 된 걸까. 하지만 내가 딱히 널 좋게 생각한 건 아니라고.

그럼에도 내 애정이 콩깍지를 씌워서, 그를 조금 더 좋은 인상으로 보았나 보다. 그의 말이 이렇게 충격이 느껴지는 걸 보면.

나는 곧 마음을 가라앉히며 차분하게 말했다.

"하지만 아델, 내가 여기 있단 걸 언제까지 숨길 수 있겠어?"

내가 여기 있단 게 알려지면 칼리스에선 가만히 있지 않을 거다. 나를 처형하자고 하거나, 어떻게든 들고 일어날 텐데 그조차 찍어 누를 자신이 있는 건가.

"아아, 그건 걱정할 것 없어. 네가 여기 있단 건 타국에서 알지 못하는 일이니. 내가 통제하는데, 칼리스에 알려질 가능성은 낮지."

"무슨 소리야? 성국에선 알고 있는데!"

카마엘이 알고, 내가 돌아가지 않았으므로 성국에서도 알 것이다. 그럼 연합에도 알려졌을 텐데?

설마, 카마엘을 어떻게 한 건가? 내게 썼던 것과 같은 방법을 그에겐 쓰기 어려울 텐데. 아니야, 그럴 수 있을 리 없어. 불안감이 피어올랐다.

"성국에선 자신들의 성녀가 사로잡혔단 걸 알리지 않을 테지. 그게 알려지는 건 그들에게도 유리할 것 없는 일이니까. 알겠어? 연합의 군영을 완벽하게 무력화시킨 이후 모두들 우리 칼리스를 두려워하고 있지. 널 계기로 삼아 들고 일어나긴커녕, 뒷걸음질만 칠걸."

아델의 말투는 느긋했다.

"신성교국의 함락에 이어 성녀마저 잡혀갔단 건 공포감을 배가시킬 뿐 지금 상황에서 아무런 도움도 되지 않아. 나는 그 사실을 네 성기사와 성국에 알려 주었지. 약간의 경고를 섞어서."

눈을 내리깐 그가 거만하게 내쏘았다.

"뭐, 뒤로는 무슨 짓을 벌이건 그건 상관없어. 어차피 너는 내 손안에 있으니까."

그 사실이, 대단히 흡족하다는 듯한 말투였다. 소름이 일었다. 언제부터 아델이 이렇게 주도면밀해진 걸까. 아니, 원래부터 그런 구석이 있었지.

“이건 얘기가 다르잖아.”

“너는 저주를 풀러 온 거고, 저주를 풀지 못하는 이상 칼리스를 떠날 수 없지. 간단한 거야.”

“아델!”

그 저주를 풀 시도를 하게 해 줘야 할 것 아니야! 화가 나고, 어처구니가 없다. 아델이 날 보면서 느꼈던 기분을 내가 한 번에 몰아받는 것 같다.

어쨌든 지금 상황에서 주도권을 가진 건 그였다. 하지만 꽃다운 나이에 기약 없는 포로 신세가 된 난 머리가 아찔했다. 횡포 정도로 표현하기엔 약하다.

“이제 궁금한 건 좀 풀렸어? 이걸 처리해야 하니 좀 조용히 있어. 내가 직접, 네 입을 막는 걸 바라지 않는다면.”

넌지시 의미심장한 눈짓을 보내는 게, 그 방법이 뭔지 알 것 같았다. 그리고 그건 내게 아주 유효한 협박이었다.

난 서럽고 억울해져서 입을 꾹 닫고 자리에 앉았다. 감금에 협박에, 이게 대체 뭐람! 서걱서걱 서류가 빠르게 넘어가는 소리가 들렸다.

한동안 날 병풍처럼 앉혀 둔 채로 끝끝내 서류를 처리한 아델이 책상 위를 툭 두드렸다.

“식사할까.”

난 대꾸하지 않았다. 그래, 난 몹시 토라져 있었다. 싱숭생숭하면서도 아델을 때려 주고 싶었다. 그건 확실하다.

나는 애완 성녀가 아니라고! 먹이를 주고 가끔 놀아 주면 된다고 생각하는 거야?

"대답 한 번 안 할 때마다 한 번, 어때?"

"뭐가 한 번이라는 거야?"

불길한 예감이 내 입을 열었다. 아델이 느긋하게 반문했다.

"뭐가 한 번일지, 궁금하면 시험해 보지?"

"싫어!"

긍정적인 태도를 보이자고 마음먹었지만, 도저히 긍정적일 수가 없었다.

나는 새끼 고양인 줄 알고 애정을 주어 돌봤는데, 알고 보니 맹수라 다 커서 덮쳐 든단 현실을 맞이한 것 같달까. 암담하기만 하다.

곧 새로운 시녀장이 우리를 식사 자리로 안내했다.

내어진 식사는 성국의 것과 크게 다르지 않았다. 간간한 간도 그렇고, 크림을 섞은 부드러운 고기 스튜나 잘게 슬라이스 된 오리 냉채 같은 것이 색다르고 맛있었다.

"음식은 입에 맞나?"

안 맞는다고 해 버리고 싶었지만, 정원을 한참 돌아다닌 탓에 배가 고팠다. 너무나 잘 먹고 있었기에, 부정하기도 좀 그랬다.

"응."

대답만 하면 된다 이거지? 그의 경고를 유념해 두어야 한단 게 신경질 났지만, 지금으로서 내가 뭘 어쩔 수 있겠는가.

우습다는 듯이 날 쳐다본 아델이 손을 뻗었다.

"이것도 먹어 봐."

그가 내 앞으로 밀어 놓은 음식은, 달콤하고 포실해 보이는 푸딩이었다. 바나나를 넣었나. 슬쩍 수저로 떠서 입에 넣어보니 달짝지근하면서도 농밀한 맛이 혀끝에서 사르르 녹아들었다. 난 순식간에 행복해졌다.

그러나 행복은 잠시, 다시 수저를 가져다 대기도 전에 그가 내 앞에서 접시를 가로채 버렸다.

"뭐 하는 거야!"

"아아, 네가 좋아하는 얼굴을 보니 왠지 좀 짜증이 나서."

그러면서 내가 한입밖에 못 먹은 디저트를 제가 퍼서 날름 삼켜 버린다. 정말 부들부들 떨 만한 일이다. 난 바로 정색하며 따지고 들었다.

"이런 식으로 사람을 괴롭히면 재밌어?"

"이런 정도로 괴롭힘당한다고 생각하는 건 너무 수준 낮지 않나?"

"네가 수준 낮은 짓을 하고 있잖아!"

"더 수준 낮은 짓도 할 수 있는데, 보여 줄까."

그의 눈빛이 위험해졌다. 나는 씩씩거리면서도 입을 싹 다물었다. 이게 포로의 신세다. 절대 을의 신세라고!

성녀로 살아온 덕에 이런 상황을 긴 시간 겪어 본 적 없는 난 면역력이 떨어진 상태였다.

즉 아델이 날 자극하려고 부러 그런단 걸 알면서도 성녀답게 성숙하고 차분한 모습을 보일 수가 없었다.

분하다고, 화가 난다고! 그를 노려보는 날 아델이 우습다는 듯이 응시했다. 턱을 비스듬히 기울여 내리깐 파란 눈으로 날 쳐다보는 게 아주 거만한 왕자님의 표본 같다.

불현듯 그가 손을 뻗어 내 머리칼을 움켜쥐었다.

"확실히 에스델, 네가 고분고분한 건 재미가 없어."

머리칼을 움켜쥔 손이 조금 움직여, 턱 끝을 잡아 올렸다. 시선을 맞추는 그 동작이 심히 거슬렸다. 이 손을 물어뜯으면 좀 재미있어지겠네?

그가 나른하게 눈을 휘었다.

"널 손에 넣기까지, 정말로 오래 인내했어. 날 좀 더 즐겁게 해 보라고."

인내 운운하는 그의 말은 내 인내를 바닥으로 떨어뜨렸다. 정말 물어뜯어야겠단 마음이 이성을 지배한 참이었다.

"두 분, 한참 분위기 좋은데 방해해서 죄송합니다만, 전하."

나직한 음성이 들려왔다. 나는 그가 누구인지 단숨에 알아챘다. 아지스.

"하찮은 일로 날 불러내지 말라 했을 텐데."

"하찮은 일이 아니니 부른 겁니다."

아지스는 불손하다시피 당당하기 그지없었다. 일순 아델의 눈빛에서 불꽃이 튀듯 격한 짜증이 스치고 지나갔다. 내가 감정적이 된 것처럼, 그도 좀 감정적이 되어 가는 것 같았다.

아델은 결국 나를 붙잡은 손을 떼어 냈다.

"……좋아, 가지."

낮게 깔린 음성으로 내뱉은 그가 일어서며 내 쪽에 다시 시선을 주었다. 그리고 경고조로 말했다.

"얌전히 있어."

꼭 얌전히 있지 않는다면 응분의 대가를 치르게 해 주겠단 말처럼 들리는데. 아델은 다시 나를 만난 이후로 제 경고를 꽤 잘 실현하고 있었다.

나는 삐죽이며 입을 닫았고, 난 곧 내가 그에게 대답을 하지 않았단 걸 깨달았다. 에이, 설마 이런 것까지 새겠어? 마음이 불안해졌다.

하지만 아델은 떠났고 이미 끝난 일이었다.

*

떠나간 아델은, 한밤중이 되도록 돌아오지 않았다.

공사다망하신 왕자님이니 그럴 만도 하다 싶지만, 내가 퍽 지루하고 할 거 없는 하루를 보낸 게 문제다. 그새 내가 서재에서 탈출했단 걸 알아냈는지 서재조차도 내겐 허락되지 않았거든. 내 귀중한 하루를 이렇게 버리다니!

대충 그의 처소며 방이며 이곳저곳을 돌아보긴 했지만, 무엇 하나 뚜렷이 알아낸 건 없었다. 바뀐 시녀장은 지독히도 말을 아꼈고 내가 다른 누군가와 대화를 나누도록 내버려 두지도 않았다.

내가 알 수 있었던 건 그저 아델의 쿨시크하다 못해 냉정하기

그지없는, 취미 하나도 제대로 없는 성격뿐.

수집품도 없고, 서재는 일 처리하는 용도. 이 처소가 그가 들어오기 전에도 이 상태였다는 데 난 전 재산을 걸 수 있다.

도저히 생활 공간 같지가 않은, 아델의 색이 묻어나지 않는 방들. 그저 일을 처리하고, 쉬고, 자고 일어날 뿐인 목적만을 위한 세계.

그것이 나를 좀 가라앉게 했다. 너는 이런 곳에서 도대체 어떤 즐거움을 누릴 수 있었으며, 무엇을 위해 살아올 수 있었던 걸까. 그게 네가 내게 집착하게 만든 걸까.

그러게, 내가 권할 때 성국으로 오면 좋았잖아? 결론적으로 투덜대며 난 침대 위에 벌렁 드러누웠다.

손목에 찬 족쇄의 감촉이 새삼 서늘하다. 난 족쇄를 손끝으로 어루만져 보았다.

단순한 형태이지만, 크로와상처럼 마법진이 그려진 금속을 수없이 겹쳐서 구현된 마법이 성력을 봉쇄하고 있었다. 지독히도 공들인, 견고한 물건이다. 합금이니 단단하고.

그 때문에 몇 번 부수려고 시도해 보았지만, 내 손만 아팠다. 손목을 자르기 전엔 족쇄에서 벗어나긴 어려울 거다.

카마엘이 있다면, 성검으로 순수히 금속만을 잘라 낼 시도를 해 볼 수도 있을 텐데.

하지만 여긴 카마엘이 없었다. 다들 걱정할 텐데, 뭔가 해야 하는데, 탈출할 길이 도무지 보이지 않는다.

몸을 단련하고 기회를 봐서 누군가를 때려눕히고 탈출하는 건, 현실적으로 가능한 일일까?

나는 고민에 빠져서 머리를 굴렸다. 그러다가 벌떡 일어나 앉았다. 가슴이 답답하다 못해 잠이 오질 않았다. 드문 현상이다. 내가 얼마나 스트레스를 받고 있는지 알 것 같지?

복도라도 걸어 볼 참으로, 침실을 빠져나와 마냥 걸었다. 시녀장이 근거리에서 나를 따랐다. 생각에 잠긴 채로 느릿하게 바깥으로부터 별빛이 비쳐드는 긴 복도를 따라 걷고 있었다.

만월이 되면, 족쇄를 부숴 볼 만하지 않을까. 쇠붙이를 구해서라도.

왠지 모를 초조함 속에서 거기까지 떠올린 찰나였다. 섬뜩한 예감이 스쳤다.

쨍! 날카로운 소리와 함께 난 신속하게 몸을 숙였다. 순전히 암살에 대비해서 훈련받은 게 있었던 덕분이었다. 바닥에 단단히 꽂힌 화살이 부르르 떨렸다.

"경비병!"

시녀장이 목소리를 높여 소리를 질렀다. 이건, 암살? 나는 주변에 몸을 숨길 데가 있나 살폈다. 그리고 얼른 근처에 있는 장식장 옆으로 몸을 숨겼다.

처음 그건 신호에 불과했던 듯이, 화살은 그치지 않았다. 안전지대에 발들이기 무섭게, 내가 있던 자리에 화살 서너 대가 퍽퍽 꽂혔다.

"이, 이리로 피하십시오!"

시녀장이 저쪽 방문을 열고 손짓했다. 하지만 거기로 가려면 화살 세례를 감수해야만 한다.

나를 숨겼다면서? 이들은 뭐지. 누구길래 내 목숨을 노리는 거지?

문득 정원에서 마주쳤던 그 아가씨에 가닥이 닿았다. 그녀가 나를 제거하려고 드는 건가? 그렇게까지?

하지만 다른 데 짚이는 구석도 없다. 내가 누구인지 두 눈으로 확인하겠다며 왕자의 처소로 잠입하려던 그녀니 이 정도 적극성은 보일 수 있겠지.

노려지는 상황에 새삼 두려움이 일었던 건, 내겐 성력이 없었던 탓이었다. 그리고 내겐 카마엘도 없었다.

이게 다 아델 때문이야! 저쪽에서 쨍그랑하는 소리가 들렸다. 아예 유리를 깨고 뛰어든 모양이다. 더 이상 여기 숨어 있을 수만은 없었다. 세상에, 맙소사. 암살이라니!

확실히 나는 노려질 만한 신분과 지위를 가지고 있었다. 하지만 실제로 나를 향해 누군가가 암살을 시도하는 일은 없었다.

칼리스조차도 나를 사로잡길 원했지, 죽이고 싶어하진 않았으므로. 그런데 이건 뭐람?

마음껏 공황에 빠질 여유는 없었다. 나는 불시에 후다닥 뛰었다. 내 가벼운 몸뚱이는 극한의 생존위기에 직면한 탓에 너무나도 내 의도에 잘 따라주었다.

나는 거의 육상선수의 순발력에 준하는 속도로 그 자리를 박차고 튀어 나갔다.

"이쪽입니다!"

시녀장이 문을 활짝 열어젖히자, 나는 그리로 단숨에 뛰어들었다. 화살이 날아듦과 동시에 문이 닫혔다. 파랗게 질린 얼굴로 시녀장이 문을 단아걸었다.

퍽, 퍽, 화살 꽂히는 소리가 소름 끼치게 울려 퍼졌다. 온 사방에서 비명이 터져 나왔다.

"아아, 이런 일이."

"여기서 가장 안전한 곳은 어디지?"

살 떨리는 상황이었지만, 이상하게도 난 침착했다. 생사가 경각에 달리면 머리가 더 냉정해지는 것 같다. 시녀장 역시도 빠르게 답을 내놓았다.

"전하의 서재! 거기서 문을 걸어 잠그면 한동안 버틸 수 있을 겁니다!"

"그리로 가지."

우리는 굳이 출발 신호를 줄 것도 없이 그저 달렸다. 나를 버리고 도망가지 않은 것만으로도 이 시녀장, 직업의식이 투철하다. 오들오들 떠는 복도의 시녀들을 돌볼 겨를이 없었다.

어쩐지 경비병이 안 보인다 싶더니, 진입하는 암살자들이 병사들을 해치우는지 뒤편에서 신음이 울려 퍼졌다.

서재에 이르자, 시녀장이 품에서 열쇠 더미를 꺼내어 떨리는 손으로 열쇠를 골랐다.

"이, 이것도 아니고……."

열댓 개쯤 꿰어 놓은 열쇠 중 하나를 골라내기까지, 내 인내심은 빠르게 닳아 없어졌다. 그녀가 기어코 열쇠를 찾아내 문을 연 순간, 드디어 우리는 따라잡혔다.

그걸 어떻게 알았느냐면, 내가 서재로 몸을 던져 넣기 무섭게, 화살 하나가 날아와 문짝에 맞부딪혔기 때문이다. 화살은 하나가 아니었다. 외마디 비명이 터졌다.

"아악!"

시녀장이 다리를 붙들고 나동그라졌다. 맙소사! 검은 복면을 쓴 암살자들이 짓쳐 들어오고 있는 상황이었다. 나는 손을 뻗어 그녀를 끌어당기려고 했다.

하지만 이어 날아든 화살이, 또 한 번 그녀의 몸을 꿰뚫었다. 퍽! 혈액이 비산하고 낯에 뜨끈한 액체가 튀었다.

시녀장의 눈이 새빨갛게 물들었다. 충격에 신경이 마비되는 듯한 느낌이었다. 내 눈앞에서 여인이 화살을 맞고 죽어가고 있었다. 그건 내가 칼리스와의 지난 전투에서도 겪어 본 적 없는 상황이었다.

그리고 나는, 그녀에게 아무것도 할 수 없었다. 왜냐하면 내 성력은 봉인당했으니까!

"아, 안으로……."

시녀장이 입을 달싹여 소리를 토해 냈다. 반쯤 닫힌 문틈에 몸을 숨긴 채 손만 내밀어 그녀를 끌어당기려던 난, 어느덧 내 발치에 던져져 있는 열쇠를 보았다.

이대로 문을 닫아걸면, 나는 한동안 안전해진다. 하지만 시녀장은.

나는 망설였다. 나는 성녀다. 내 목숨은 다른 이들의 것보다

중하다. 게다가 그녀는 내 권속이 아닌 칼리스인이었고, 이미 가망 없는 상태였다.

그러나 나는 그 냉정한 판단에 즉각 응할 수 없었다. 나는 보호받아야 하는 이였으나, 항상 다른 이들을 지켜왔다.

어쩔 수 없는 상황이라도 외면하고 뒤돌아서는 결단력 같은 건, 내게 없었다. 미칠 듯이 속이 타들어 간다. 성력, 내게 성력이 있기만 하다면.

어느새 쇄도한 복면인이 문을 가로막은 시녀장을 걷어찼다. 퍽! 눈앞에서 그녀의 육신이 맥없이 나가떨어졌다.

어떻게 반응할 새도 없이 그가 나를 향해 검을 겨누었다. 문을 닫아도 잠그기엔 시간이 부족했다.

이미 늦었다. 그의 검이 나를 향해 꿰뚫듯이 날아오는 것을, 난 똑바로 쳐다보았다. 목전까지 당도한 죽음이었다. 아마 단숨에 목숨을 빼앗길 테니, 고통은, 없으리라.

하지만 생존 본능이 발동했던 걸까. 나는 가까스로 몸을 굴려, 암살자의 검을 피해 냈다.

쩌컹! 바닥에 부딪힌 검을 집어 올린 암살자가 나를 향해 다시 검을 쳐들었다. 충격 때문인지 조금이지만 동작이 느려졌다.

난 재빨리 옆쪽 테이블 위를 더듬었다. 검이 내게 쇄도해오는 것과 동시에, 나는 주워 든 꽃병을 힘껏 암살자를 향해 내던졌다.

콰창! 물과 조각이 튀며, 시야를 가렸다. 하지만 정면으로 꽃병의 파편을 맞은 그보단 내 쪽이 더 회복이 빨랐다.

나는 이번엔, 옆쪽에서 뭔지 모를 묵직한 돌덩이 같은 것을 주워들어 정확히 머리를 노리고 힘껏 던졌다.

가격했다기보단, 뭔가 으깨지는 듯한 이상한 소리가 들렸던 것 같다. 초인적인 힘이라도 발동했는지 내게 머리를 얻어맞은 암살자가 스르륵 무너져 내렸다. 심히 눈 뜨고 보기 어려운 몰골이었다.

"헤렌……."

나는 저편에 있는, 시녀장의 이름을 중얼거렸다. 하지만 그녀에게선 생명의 기운이 느껴지지 않았다. 죽었구나.

무력함이 이내 슬픔으로 모습을 바꾸었다. 하지만 깊게 감상에 잠길 새가 없었다.

뒤이어 다른 암살자들이 나타났다. 쓰러진 제 동료를 보고, 다짜고짜 나를 향해 표창을 날렸다.

그 짧은 사이 특훈을 받은 듯 한층 기민해진 몸놀림으로 난 테이블 뒤에 숨어 표창을 피해 냈다. 완전히 궁지에 몰렸다.

이미 한 명을 쓰러트렸지만 내가 그들을 상대해 낼 수 있단 생각은 들지 않았다. 방심한 틈을 잘 노린 것에 불과하다.

누군가, 누군가가 좀 나타났으면……!

폴짝폴짝 서재를 뛰어다니며 암살자들의 공세를 피하는 그 절체절명의 순간. 기이하게도 내 뇌리에 떠오른 사람은 카마엘이 아니었다. 그가 있었다면, 내가 결코 이런 꼴을 당하는 일 따윈 없었을 건데도.

아마도 그건 분노 때문이었던 것 같다. 아델, 개자식아! 이럴 거면 내 성력을 돌려 달란 말이야!

구석에 몰려 칼날을 피해 보려고 몸을 웅크리는 찰나였다.

"커헉!"

내 앞에 선 암살자가 피를 쏟으며 무너져내렸다. 가슴을 꿰뚫은 검 끝이 이내 몸속으로 사라졌다가 다시 허공에 모습을 보였다. 피로 물든 은빛 칼날이 소름 돋게 번쩍였다.

상대의 모습을 목격한 난 무너지듯 주저앉았다.

"아델."

"거기 있어."

단연코, 나는 아델의 그런 표정을 본 적이 없었다. 무섭도록 굳어져서 날 선 얼굴. 분노로 번뜩이는 눈빛.

제 검만큼이나 날카로운 창광을 품은 채, 아델은 순식간에 서재에 있는 암살자들을 도륙해 냈다. 그야말로, 무자비한 검놀림이었다.

마지막 암살자의 숨통을 끊어 놓은 뒤에야, 그는 내게로 다가섰다. 나는 그 구석에 앉은 채로, 그를 쳐다만 보고 있었다.

서재는 온통 피로 흥건했고, 아델의 얼굴은 차가웠다. 모든 감정이 빠져나가고 칼날 같은 예리함만이 남아 있는 낮.

그러나 나를 보는 눈이 기이하게 일렁였다. 나는 그의 눈 속에서 떠다니는 어떤 감정을 발견해 냈다. 분노와 더불어, 아찔한 공포였다.

"괜찮아?"

그가 다가와 내게로 손을 내밀었다. 온 힘을 다한 채 앉아 있던 난, 그의 손을 붙잡았다. 난 단숨에 끌어 올려져 일어섰다.

아델이 나를 와락 끌어안았다. 그의 팔이 내 등을 단단히 감싸 안았다.

나는 아델의 숨이 거칠어져 있음을 느꼈다. 그의 체온도 어느덧 달아올라 있었다. 그 뜨거운 품에 이상하게 마음이 놓였다.

난 울컥하는 기분에 입술을 깨물었다. 안도감 반, 서러움 반이었다.

내가 왜 이런 꼴을 당하게 했느냐고, 비난하고 싶으면서도 그가 나를 구해 주었단 것에 깊은 안도가 내려앉았다.

긴장이 묻어나는 땀내에 섞여 피비린내가 풍겼다. 그의 옷깃은 온통 피로 젖어 있었다. 그건 나 역시도 마찬가지였다.

아델이 물어 왔다.

"다친 곳은."

"없어."

다리 근육이 놀라서 욱신거리긴 한데, 그 외에 검이 스쳤던 적도 없다. 정말, 내가 다치지 않은 건 기적이라고 말해야 했다.

절벽 위의 줄다리를 건너듯 나는 내 몸을 건사하는 데 온 힘을 기울였고, 그 때문에 가까스로 살아남을 수 있었다. 하지만 애초부터 이런 상황이 내게 닥친 건, 옳지 못했다.

아델이 입을 달싹였다.

"네가…… 죽었을까 봐, 나는."

그가 느꼈을 감정이 고스란히 담긴 음성이었다. 이번 습격에 나보다 그가 더 충격을 받은 듯싶었다. 나는 되도록 차분하게 말했다.
"난 괜찮아."
이렇게 산 것도 내 운이겠지. 성력을 쓸 수 없는 이 시점에서, 월신의 가호 덕이라고 말하기는 좀 그렇다.
하지만 살았으면 됐지 뭐. 진짜 황천길 가는 줄 알았다고.
그러나 나름대로 긍정적으로 충격을 완화해 보는 나와 그는 달랐다. 내가 등을 살짝 토닥이기 무섭게 심지에 불붙듯 아델의 기세가 변화했다.
잠시 가라앉아 있던 그 주변의 공기가 순식간에 화산이 폭발한 듯이 일어섰다. 그가 나를 조금 놓아주며 어깨를 꽉 붙들었다.
"죽여 버리겠어."
섬뜩하리만치 분노로 물든 눈빛이었다. 여기는 그의 처소였고, 그의 처소에서 내가 공격받은 것은 분명히 아델로서는 용납할 수 없는 일일 거다.
그가 와서 안도했고, 또 그 얼굴을 보며 누그러지는 마음도 있었다. 하지만 그 틈을 비집고 나로선, '네가 뭔데 성을 내?' 하고 묻고 싶은 부분이 있었다.
사실, 나도 좀 화가 났었다. 내가 화가 난 건 지극히 당연한 일이었다.
"구해 준 거 고마워."
일단 서두를 좋게 시작한 나는 냉큼 덧붙였다.
"하지만 정말로, 위험했어. 이젠 내 성력을 풀어 줘."

이 시점에서 아주 정당한 요구 아닌가. 나는 성녀였고, 그 때문에 실상 무력해 본 적 없는 몸이었다.

그런데 아델은 나를 다른 이의 희생을 밟아야만 하는 무력한 이로 만들었다. 나를 위하는 것도 아니면서, 나를 잡아두고 힘을 제약한다. 그 결과로 나는 위험해졌다.

아델이 내 안전을 조금이라도 생각한다면, 이래서는 안 되잖아?

"나는 내 스스로를 지키고 싶어."

아델을 못 믿는 건 아니다. 그렇게 전력을 다해 달려왔음이 역력한 얼굴로, 그런 눈빛으로 나를 보는데 그의 진심을 의심할 길이 없다. 아델은 내가 죽도록 내버려 두지 않을 거다.

하지만 여기는 칼리스. 항상 변수는 생기고, 그로선 그의 능력 밖에서 내가 위험해질 수 있단 걸 인정해야만 했다.

그러나—

"그건 안 돼."

찰나도 머뭇거림이 묻어나지 않는 음성이었다. 고집처럼 들렸다.

나는 차분하게 말했다.

"아델, 나는 말이야. 아무것도 할 수 없었어. 만약 그들이 날린 화살을 맞았다면, 네가 도착하기 전에 난 죽었을 거야."

"에스델."

어깨를 부여잡은 손에 힘이 들어갔다.

"두 번 다시 이런 일이 일어나지 않게 할 거야."

아델의 새파란 눈이, 일순 순식간에 반전되어 그만치나 진한 핏빛으로 물든 듯한 환각이 엿보였다.

어쩐지 불길했다. 이 이상의 피가 세상을 물들일 듯한 느낌. 나는 도리질 쳤다.

"아델, 나를 칼리스에서 가둬 둔다는 건 애초에 무리였어. 얼마나 더 나를 숨길 수 있을 거라고 생각해?"

함께할 수 없는 관계라는 걸, 너는 왜 인정하지 못하는 걸까.

차라리 네가 내게 적대적이라, 나를 괴롭히려고 잡아 두는 거라면 내 마음이라도 편했을 텐데. 그렇지 않다는 걸 아니까 안타까움만 더해진다.

이미 찢어진 인연, 억지로 이어 붙였다간 어그러질 수밖에 없는 거다.

"내게 성력을 돌려줘."

"안 된다고 말했어."

"아델!"

자꾸 안 된다니까 성질이 났다. 무슨 제대로 된 이유라도 있으면 모르겠는데, 아델은 아이처럼 고집을 부리고 있었다.

흡사, 내게 성력을 돌려주는 것이 내가 죽는 것보다 더 두려운 것처럼.

거기까지 떠올리자 왠지 소름이 일었다. 아델이 나를 지그시 바라보며 말을 이었다.

"내가 성력을 돌려주면, 넌 도망가려고 하겠지."

……그야 당연한 거 아니야? 꼭 그렇게 하겠단 건 아니지만,

안 그러겠단 말은 못 하겠다. 네가 날 붙잡아 왔잖아!

칼리스는 내게 위험한 동네고, 이상한 신탁을 받고 순탄하지 않은 과정을 거치고 있다. 이대로라면 기회를 봐서 도망치는 게 나를 위해선 제일 나은 선택 같은데?

난 눈썹을 추켜올리며 단도직입적으로 물었다.

"내가 죽길 바라?"

"아니."

그러나 이어진 말이 단숨에 내 입을 틀어막았다.

"그런데, 네가 도망가는 걸 보느니 차라리 네가 죽는 게 낫다고도 생각해."

그러니까, 어이없고 섬뜩해서 입을 다물었단 소리다.

아델의 눈빛은 동요란 찾아볼 수 없이 짙었다. 그는 어디까지나 진지했다. 너무 순도 100퍼센트의 진심이라서 뭐라고 말하기 어려웠다.

무논리도 본인이 어쩔 수 없는 진리라는 걸 피력하면 논리가 될 수 있다. '말이 통하지 않으니 이길 자신이 없다!' 나는 그 말을 현실에서 실감하고 있었다.

"그, 그래도 내가 살아 있으면 나중에 또 볼 수 있지 않을까?"

"난 더는 못 기다려."

짤막하게 말을 토해 내는 동시에, 그가 내 입술을 덮쳐 왔다. 따뜻한 숨이 얼굴에 훅 끼쳤다.

또야! 이젠 아예 제 물건인 양 제멋대로 물고 핥고 난리가 났다.

하지만 날 틀어쥔 손은, 떨림을 머금고 있었다. 마치 여기 있는 내 존재를 확인하듯이 간절한 동작에 나는 차마, 그를 밀쳐낼 수 없었다.

애틋하고 아릿하다. 원망스럽고 분한 와중에도…… 상반되는 마음이 내 안에서 혼란하게 뒤섞였다.

정말 이기적이고, 제멋대로인 녀석이다. 하지만 뭐랄까. 아델은 그의 말로 표현할 수 없는 마음을 어떤 식으로든 내게 어필하고 있었다.

나는 그의 감정을 무시하기 어려웠다. 인정할 수는 없으나 이해하곤 있는 묘한 상황이었다.

문득 뒤쪽에서 어떤 음성이 들려왔다. 몹시, 어이없다는 듯한.

"상봉의 기쁨을 누리는 건 좋습니다만……."

맙소사, 이걸 누구한테 보였어! 난 화들짝 놀라서 아델에게서 떨어져 나가려고 했다. 하지만 그가 용납지 않았다.

입술을 떼어 낸 아델이 날 꼭 끌어안아 품에 넣었다.

"장소가 좀 그렇지 않습니까."

"정리해라. 이 일에 대해서 알아봐야겠어. 어디서 새어 나갔는지."

"미심쩍은 부분이 좀 있습니다만, 성녀님께도 여쭈어봐야 할 것이 있습니다. 대화를 허락해 주시겠는지요."

아델의 품으로 채워진 시야가 돌아왔다. 난 비로소 혼자 설 수 있었다. 눈에 보이는 상황이 퍽 끔찍했다. 내가 이걸 보지 않게 하려고, 시야를 가렸던 걸까.

생각보다 충격적이진 않았다. 그보다 충격적인 건 누군가 앞에서 키스씬을 선보인 거였다. 얼굴이 홧홧하다.

능청스럽게 다가온 아지스가 내게 조금 고개를 숙이고 시선을 맞추었다.

“혹시 아시는 게 있습니까? 어제, 산책을 나가셨다가 누군가와 만나신 적이 있는지요.”

마치 그것 외엔 내가 여기 있단 사실이 들켰을 리 없단 확신이 깃든 음성이었다. 아니, 자기들 보안이 그렇게 철저할 거라고 믿는 건가?

여하간 찔리는 게 있었으므로, 난 순순히 답하기로 했다. 이건 내 안전이 걸린 문제라고!

“어제, 산책을 나갔다가 어떤 여자를 만났어.”

“인상착의나 신상에 대해서 아시는 것은?”

이것만큼은 무엇보다도 명확하게 말할 수 있었다.

“아델의 약혼녀라던데.”

“……누군지 짐작이 가는군요.”

아지스가 고개를 끄덕였다. 그는 내게 그녀의 인상착의에 대해서 조금 더 캐물었고, 나는 최대한 상세하게 대답했다.

옆쪽에서 아델이 혀를 찼다.

“하필 만나도.”

그러나 아델은 설명하지 않았고, 그것이 나를 찜찜하게 했다. 심지어 나를 노린 게 누구든 당장에라도 쳐 죽이려고 했던 조금 전과는 다르게, 그는 기묘하게 침착해져 있었다.

네 약혼녀라서 질책할 수 없다는 거야? 왠지 맘속이 배배 꼬였다.

아지스가 상황을 정리했다.

"우선 주변을 수색하라 시켰습니다. 이곳도 정리해 두라고 할 테니, 옷을 갈아입고 쉬시지요. 안내하겠습니다."

그가 손짓하자, 무표정한 얼굴의 왕속 특무단으로 보이는 이들 둘이 앞으로 나왔다. 나는 아델과 함께 그들을 따랐다.

이런 상황에서 나를 멀리 둘 생각이 없었는지, 내가 곧이어 시녀들의 안내를 받아 간 곳은, 아델이 들어선 곳의 바로 옆방이었다.

나는 가볍게 몸을 씻고 옷을 갈아입은 채 아델과 다시 마주할 수 있었다.

진이 빠지고, 온몸에 근육통이 남아서 욱신거리는 상황이었다. 하지만 고단하다고 해서 잠들어 버릴 순 없었다. 조금 전의 긴장감과 충격이 다 잊히지도 않았거니와, 내겐 해소되지 못한 부글거림이 남아 있었다.

"네 약혼녀가 나를 죽이려고 한 거야?"

만약 아지스의 확신대로, 내가 여기 있는 걸 누구도 몰랐다면 그녀가 나를 노렸단 게 확실해진다.

아델이 내 앞에 앉으며 말했다.

"아마도. 너를 평범한 여자로 본 듯하니 쉽게 제거할 수 있다고 생각했겠지."

성력이 없는 나는 평범한 여자와 크게 다르진 않으나, 내 반격은 확실히 그들에게 타격을 주었다. 운이 따랐다고밖에 할 수 없는 상황이다.

나는 아델의 차분함이 마음에 걸렸다. 내가 '약혼녀'라고 말한 것도 그는 부인하지 않았다. 약혼녀도 있는 주제에 날 뭐로 보고!

하지만 왠지 이걸 따지고 드는 게 좀 켕겼다. 나는 조금 더 침착하게 캐보기로 했다.

"보통 연적이라고 해서 죽이려고 하진 않잖아?"

"나는 가능하다면 없앨 건데."

아델은 평온하게 말했다. 난 그 말에 섬뜩하면서도 어이가 없어졌다.

"그, 그게 무슨."

"네가 말한 그녀도, 나와 같은 유형의 사람이란 소리지. 핏줄의 힘인가."

"같은 가문이란 거야?"

"내가, 예전에 말한 것 기억해? 내 외조부에 대해서."

그리 말하며 아델이 내게 지그시 시선을 주었다. 옛날 옛적에 말한 건데 어떻게 기억해! 하지만 막상 기억을 더듬어 보니 어렴풋이 떠오르는 것이 있었다.

아델이, 그의 어머니에 대해서 이야기한 적이 있었지. 어머니가 외조부의 욕심 때문에 왕과 결혼하게 되었다고 했던가.

아마 그의 외가가 상당히 유력한 가문이었던 듯싶었다.

"그녀는 내 사촌이야. 나의 왕위 계승이 유력해지면서, 내 약혼녀로 내정되었지. 딱히 약혼식을 올린 적도 없고 제멋대로 약혼녀라고 말하고 다니지만, 다들 그렇게 믿으니까."

그딴 건 아무래도 상관없다는 투였다.

"외가 사람이라면, 걸리적거리는 장애물 치우려고 암살자 보내는 것 정도는 일도 아니지."

"그 애는 너를 좋아하는 것 같았어."

내가 왜 이런 소리를 입 밖에 냈는진 모르겠다.

하지만 그 만만해 보이던 소녀가 잔인한 성품을 가졌더라도, 나를 단순한 장애물 정도로 본 건 아닐 테다. 질투에 눈멀어서 앞뒤 안 가리는 거라면 모를까.

"신경 쓰여?"

아델이 피식 웃었다. 그러나 묘하게도 웃음기 없는 얼굴이었다. 대단한 난제를 앞에 둔 듯이.

상대에 대한 분노보단, 그가 처한 이 상황을 어떻게 타파할 건지 신경 쓰는 기색이다. 아무래도 외조부의 가문과 부딪히는 일이니.

당연히 신경 쓰이지! 난 불륜녀가 되고 싶지 않단 말이야! 아직 식을 올린 것도 아니고 제멋대로 약혼녀라고 말한다고는 하지만…….

뭔가 꺼림칙하게 느껴지는 게 있었다. 나는 아델이 전혀 사랑받지 못하고, 그를 이용해 먹으려는 사람들 속에서 자라났다고 생각했다. 그래서 성격이 저래진 거라고.

하지만 한 명쯤은 그를 좋아하는 사람이 있는 거잖아. 길거리에서 꾀죄죄한 몰골로 구걸하길래 집도 절도 없는 노숙자인 줄 알았는데. 알고 보니 따신 집도 있고 개도 키우고 그랬단 배신감일까.

"너를 좋아하는 사람이 있는데, 너는 왜……."

너를 위하는 사람이, 내가 유일한 것처럼 행동했을까. 왜 내게 특별한 의미를 둔 거지?

나는 말을 삼켰다. 아델은 훤하니 잘생겼고, 저래 봬도 왕자다. 그녀만이 아니라 그를 흠모하는 이들이 제법 있을 법도 하다.

하지만 아델은 웃기는 소리를 들었단 듯이 코웃음 쳤다. 그의 입에서 튀어나온 소리는 지독히도 냉정했다.

"나를 좋아하는 사람은 셀 수 없이 많지. 내가 가진 강함, 권세, 재력, 그 모든 걸 탐하는 이들."

자조하는 것 같진 않으나, 그의 입가에 맺힌 미소가 비웃듯이 싸늘했다.

"칼리스인들은 강자에게 끌리지. 그것이 계승권 전쟁에서 승리한 왕자라면 더욱."

뭐야, 이 나라는 도대체 왜 이렇게 살벌한 거람. 알면 알수록 기가 질렸다.

"순진한 연모 따위가 아니란 거지. 내가 나약하고 비루해진다면 바로 내 살점을 뜯어먹을 자들이라고. 그녀도 똑같아."

아델의 새파란 눈이 도드라지게 짙어졌다. 종종 나를 숨 막히게 하는 눈빛이었다.

"넌 유일하게 바라는 게 없이, 내 곁에 있었지."

아니, 난 네게 바라는 게 있었다. 내가 이뤄 줄 수 없는 것을 네가 갖고 행복해지기를 바랐다. 하지만 아델은 이제 와서 그걸 나를 통해서 손에 넣으려고 하고 있었다. 나만이 줄 수 있는 것처럼 말하면서.

아이러니한 일이다. 뭔가 무덤을 판 것 같달까. '비뚤어진 아이에게 함부로 친절을 베풀면 안 돼요'를 입증하는 느낌.

"난 오랫동안 그녀가 기고만장하도록 내버려 두었지. 나를 지지하는 외조부의 사람에게 좀 더 기우는 듯이 보여도, 내게 나쁠 게 없었거든. 하지만 그래, 도가 지나쳤어."

도가 지나쳤다고 읊조리는 그의 눈빛이 위험하게 빛났다.

"하필, 내가 건드리기 까다로운 상대라. 조금만 더 기다려. 외조부를 상대로는 침착해져야 하니까. 그는 교활하고 노련한 자이니."

상황을 정리하고 보복을 해 주겠다고? 그러니까 좀 참으란 뜻이야? 내가 참지 못하는 게 뭔데.

"아델, 그녀가 날 노리는 것보다 더 큰 문제는 네가 나를 붙잡고 있단 거거든?"

제발 내가 내 할 일을 하게 놔두지 않겠어? 아델이 단칼에 잘랐다.

"그건 안 들은 걸로 하지."

들어, 이 먹통아! 좀 들으란 말이야! 멱살을 잡고 짤짤이를 하고 싶었으나, 마침 문을 두드리는 소리가 들려 난 부글거리는 속을 가라앉혀야 했다.

창백한 낯빛의 시녀 한 명이 들어서서 나와 아델의 사이에 있는 테이블에 찻잔을 내려놓았다.

부드럽고 달콤한 향이 방 안에 은은히 퍼져 나갔다. 향을 맡는 것만으로도 마음이 진정되는 기분이 든다.

"마음을 진정시키는 차야. 들어."

아까 전 일의 여파가 남아 있었기에 난 그가 권하는 대로, 찻잔을 향해 손을 뻗었다.

그러나 나도 잊고 있었던 건, 내가 아까 모든 기력을 다 써 버렸단 거였다. 덜덜 떠는 손끝이 찻잔을 놓쳤다.

찻물이 허벅지 위로 쏟아지려는 찰나, 그가 팔을 뻗어 찻잔을 쳐 냈다. 허벅지로는 한 방울도 쏟아지지 않았지만, 김이 오르는 찻물이 그의 팔을 적셨다.

난 화들짝 놀랐다.

"아델, 어서 옷을! 저기 찬물을 가져와!"

시녀가 헐레벌떡 달려간 사이, 나는 재빨리 그의 팔에서 찻물을 털어 내고 옷을 걷어붙였다.

"옷을 갈아입어야겠어."

시녀 한 명을 더 시켜서 상의를 가져오라고 한 뒤, 나는 다른 시녀가 가져온 찬물을 그의 팔에 부었다.

아델은 잔뜩 당황하여 그를 살피는 날, 기이한 것을 보듯 시선으로 훑었다. 그는 순순히 내 말에 따랐다.

쓰라릴 거다. 치료가 시급했다. 윗옷 정도는 벗어도 되겠지? 그가 상의를 벗어 내자 난 왠지 쑥스러워져서 시선을 내렸다.

성력을 쓰지 못한다곤 해도 간단한 치료법 정도는 익혀 두었다. 난 바로 찬물로 화상 부위를 식히고 시녀가 가져온 약을 발랐다.

울상이 된 내게 아델이 대수롭지 않다는 듯이 말했다.

"금방 나을 텐데."

"그치만, 아플 거잖아."

다행히 아주 펄펄 끓는 물은 아니었지만, 꽤 뜨거운 물이었다. 팔에 벌겋게 자국이 남았다.

시녀가 새로 준비한 상의를 아델의 팔에 꿰어 주었다. 무심코 시선을 든 나는, 공기 중에 드러난 그의 상체를 보곤 굳어 버렸다.

"아, 아델. 너, 그 상처……."

근육 잡힌 몸에 새겨진 자잘하고 깊은 무수한 상처들. 누군가 등골을 확 할퀴어 내리는 듯했다.

이제는 하얗게 되어 버린 것도 있지만, 그리 오래되지 않은 듯한 상처도 있었다. 그대로 살갗에 남을 정도면, 그 모두가 원래는 피가 철철 흐를 만치 심한 상처였을 거다.

나는 급히 성력을 끌어올리려고 했다. 하지만 내 시도는 벽에 가로막힌 듯이 무용했다.

만약 성력이 있었대도, 나는 칼리스의 왕족인 그의 상처를 치료할 수 없다. 난 얼어붙은 듯이 그의 몸을 바라봤다.

"왜 몸이 그렇게 상처투성이인 거야."

사람의 몸이 그렇게 될 수도 있단 걸, 난 태어나서 처음 보았다. 무수한 전투를 거쳐, 온몸에 상흔이 남은 역전의 용사처럼.

하지만 아델은……. 아델은 고작 열아홉 살에 불과한데. 나와 같은 나이. 내 원래 세계였으면 막 대학생이 되었을 나이인데.

시녀를 물린 아델이 상의를 마저 입고 내 시야에서 상처를 가렸다.

"험난하게 살았다고 말 안 했었나? 보기 싫으면 볼 것 없어."

나는 도리질 쳤다. 보기 싫은 게 아니다. 그의 몸에 고스란히 새겨진 흔적들이, 그가 살아온 삶이 어떠했는지 입증하는 듯하여 마음이 쓰라렸다.

암살자에게 습격당한 아까와는 다른, 아까보다 더한 충격이 나를 강타했다. 그것이 기어코 내 눈에서 눈물을 뽑아 냈다.

울컥하는 심정을 이기지 못하고 난 훌쩍거리며 울었다. 조금 당황한 듯, 날 쳐다보던 아델이 어이없는 투로 물었다.

"대체 왜 우는 거야?"

"내가 널 다치게 했잖아. 넌 안 그래도 많이 아팠었는데."

아델이 손을 뻗어 내 머리를 눌렀다. 울지 말란 뜻인 것 같다. 하지만 한 번 터진 눈물은 그치지 않고 줄줄 흘렀다.

아델 앞에서 우는 모습을 보이긴 싫었는데. 내 알량한 자존심은 이미 흔적도 없이 사라져 버렸다.

"난 회복력이 좋아서 자고 일어나면 나아. 이 정도는 별거 아니거든?"

나름 위로해 주려고 하는 말 같은데, 별로 위로가 안 된다는 게 문제다.

"나는 널 치료해 줄 수가 없단 말이야. 네가 내 성력을 봉인해 버려서. 아니, 성력이 있어도……."

결국 답이 없다고 느꼈는지, 아델이 손을 뻗어 나를 잡아당겼다. 그의 품에 안기니, 눈물이 조금 멎어 드는 듯했다. 어어, 효과가 있었네.

아델이 내 눈가를 어루만지며 뇌까렸다.

"네가 이해가 안 가."

진짜 이해가 안 간다는 눈빛이다. 누굴 별종 취급하는 거야? 나는 입을 삐죽거렸다.

"나도 네가 이해가 안 가."

네가 날 납치하기 전에, 내가 널 납치해서 성국에 붙들어 두는 게 옳았던 걸까. 새삼 후회가 된다.

이왕 이렇게 될 거 칼리스와 전쟁을 벌이는 한이 있더라도, 너를 보내지 말았어야 하는 건데.

그때 네 의사 따윈 묻지 말 걸 그랬다. 강경하게 너를 붙잡아 성국인으로 만들 걸 그랬다.

그랬다면, 네가 살았어야 했던 삶보다 더 나은 삶을 누리게 해 줄 수 있었을 텐데. 적어도, 이렇게 상처 입지 않아도 되는 삶을 살게 해 줄 수는 있었을 텐데.

"잘 살 줄 알았는데, 이게 뭐야. 엉망이잖아."

아델이 내 뺨을 쓸었다. 그의 입술이 눈물 자국이 선명히 남은 뺨에 닿았다. 마치, 눈물을 맛보듯이. 그런 건 왜 맛보는 거야? 짜기만 할 텐데.

아델이 나를 안은 채 속삭였다.

"넌 여전히 멍청하구나."

"내가 왜 멍청하다는 거야?"

어떤 상황에서도, 내가 멍청하다는 비난은 참아 주기 어려운 것이었다. 난 부은 눈을 부릅뜨고 그를 노려봤다.

"나는 최선으로 나아가고 있어. 나는 살아남은 왕자가 되었고, 널 여기다 데려다 놨지. 그거면 충분해."

너야 긍정왕이라 그렇게 생각될지 몰라도, 나로서는 이 상황을 엉망이라고 표현하지 않기는 어려운데?

아델의 손에 힘이 들어갔다. 그는 내 뺨을 꽉 붙들고 어쩐지 차갑게 들리는 어조로 말했다.

"내가 널 붙잡는 게 싫었으면, 넌 그런 눈으로 나를 바라보지 말아야 했어."

꼭 구명조끼를 던져 줬더니 배까지 내놓으라는 격이다.

"포로로 잡힌 칼리스인에게 어설픈 박애 따윈 베풀어선 안 됐다고."

"하지만 너는 어린아이였어. 나는 누구에게라도 그렇게 했을 거야."

"어린아이건 성인이건 적이야. 그런 걸 따지는 게 네 안일함이지. 그 대가로 너는 이 꼴이잖아. 칼리스로 끌려와 아무 힘도 없는 채로, 사로잡혀 있지."

비웃음 같은 것을 머금은 아델이 내게 냉담하게 충고했다.

"이것 봐, 너는 지금도 나를 위해서 울고 있잖아."

나는 당당하게 반박했다.

"나는, 나를 위해서 우는 거야."

안타깝고 슬픈 내 마음을 위해서.

아델이 내 손을 끌어올려, 그의 심장 위에 댔다. 온몸의 혈액을 돌게 하는 심장이 그 안에서 쿵쿵 울리며 존재를 알렸다. 지독하게 열정적인 울림이었다.

어쩐지 낯에 열이 오른다. 나는 손을 빼려고 힘을 주었다. 하지만 꽉 쥔 손아귀가 나를 놓아주지 않았다. 나는 자그맣게 물었다.

"왜, 이러는 거야."

나는 물었다. 알면서도 모를 그의 행동에 대해서. 거기에 깃든 감정이 뭔지는 안다. 하지만 사람은 감정대로 살 수 없는 법이다.

그가 어떤 미래를 그리고, 무얼 목표하고 있는지 내게 선명히 와 닿는 건 없었다. 그건 내가 그와 함께하는 미래를 그려본 적이 없기 때문일지도 모르지만…….

"네 눈빛이, 네 표정이, 네가 주는 이 감각이 날 미치게 만들어. 나는 이걸 위해 살아왔어. 그거면 설명이 돼?"

그의 새파란 눈에 비친 물기에 젖은 금빛 눈동자는 어두운 밤, 발밑에 내리는 달빛처럼 환하고 아름다웠다.

또한 놀랍도록 따스했다. 온몸에 포근한 기운이 감도는 듯이.

아델의 눈엔 내가 이렇게 보였던 걸까. 누군가의 눈에 내가 이렇게 보일 수 있다는 게 상상이 되지 않았다.

나를 저런 눈을 바라보는 상대가 있다면, 나라면 그 상대를 바라지 않을 수 있을까? 나는 그 질문에 단박에 '아니오.'라고 부인하지 못했다.

나는 퉁명스럽게 중얼거렸다.

"네 눈에 뭔가 씐 게 틀림없어."

에스델 전용 시각 필터를 끼는 게 틀림없다. 나를 숭배하는 성국 사람들도 나를 그렇게 바라보진 않을 거다. 안구 세척이 필요한 상황이라고!

"난 네가 생각하는 그런 사람이 못 돼."

"난 널 딱히 현실보다 낫게 생각해 본 적 없어."

뭐라고? 감동적인 순간에도 성질을 돋우는 거도 참 재주다. 뾰족하게 쳐다보는 내게 아랑곳하지 않고 아델은 냉담함을 고수했다.

"나약하고, 겁쟁이지. 그래서 넌 내게서 돌아섰어. 내게 끌리면서도."

'누가 너한테 끌린단 거야!'라고 외치고 싶었지만, 덜컥 목에서 걸리는 뭔가가 있었다.

그의 말대로 나는 나약하고 겁쟁이지만, 그래도 거짓말쟁이는 아니었다. 그의 말이 맞았다. 부인할 수 없었다.

"지난 삼 년 동안, 내가 어떤 생각을 하고, 어떤 기분으로 살았는지 넌 모를 거야."

"……앞으로도 안 알면 안 될까?"

별로 알고 싶지 않은데. 확실히 긍정적인 생각은 아닐 것 같아. 아델이 피식 웃었다. 왠지 위험해 보이는 웃음이었다.

"그건 너 하는 거 봐서."

"내가 뭘 하길 바라는데?"

그래서 나한테 뭘 원하느냐고. 네가 구체적으로 좀 말해 봐. 이왕 솔직해진 김에, 다 터놓자고.

그러나 정작 아델이 꺼낸 말에, 말문이 턱 막혔다.

"내가 바뀔 순 없어. 그러니 네가 생각을 바꿔."

너무도 당당하게 요구한다. 그렇게 말하며 내려다보듯 날 응시하는 그는 실로 왕자다웠다. 오만한 확신과 힘에 차 있다.

나 자신을 바꾸는 것보단 남을 바꾸는 쪽이 배는 어렵다. 하지만 그는 그 어려운 걸 내게 시도하고 있었다.

그리고 그 시도가, 어느 정도 먹히고 있단 게 문제였다.

"나는……."

그의 말에 무수한 기억의 파편이 끌려 올라와 뇌리를 스쳤다. 그와 처음 만나고 열여섯 살에 울면서 헤어졌던 때까지 그 모든 순간들이…….

그때, 내가 어떤 생각을 했었더라. 하루하루 나이를 먹어가면서, 이어진 칼리스와의 대립 상황에 성녀라는 단어의 무게가 차츰 무겁게 느껴졌던 것 같다.

불현듯 알 것 같았다. 아델은 내가 그토록 쉽게 그를 포기했단 것에, 화가 났던 거다. 내가 그와 함께하겠단 노력조차 하지 않고 나약하게 그를 놔 버렸으므로.

성녀씩이나 되면서도 그와 함께하는 게 마냥 불가능하다고 생각했으니까. 둘 다 가지려는 시도도 하지 않고 그를 쳐 내어 그저 성녀이길 택해 버렸으니까.

그게 나쁘거나 하지 못할 선택이었던 건 아니다. 하지만 그건 편한 길이었다. 동시에 내 마음을, 그와 내 인연을, 그리고 아델을 배신하는 길이기도 했다.

"최선을 택했었어."

그렇게 믿었었다. 내가 아델을 내팽개치는 건, 누구도 비난할 일이 아니었다. 그건 모두가 고개를 끄덕일 만한 일이었다. 성녀다운.

하지만 그건 성녀다운 일이 아니기도 했다. 나는 오로지 나를 위해서 그렇게 했다. 현실과 맞부딪칠 용기가 없었기에.

아델은 절박한 눈을 하고 있었다. 언제부터 그의 마음이 그렇게 깊어졌는지는 모른다.

나는 그 마음을 외면할 수 없었다. 내가 좋아하는 한 사람도 구원하지 못한다면, 나는 성녀일까.

한계라는 걸 인정해야 한다고 생각했지만, 사실 난 한계가 어딘지 제대로 보지도 않고 선 그어 버렸던 건 아닐까.

어쩌면 내가 할 수 있는 일이, 아직은 남아 있는 것 같다.

그래, 나는……. 일어난 일을 없는 것으로 만들 순 없어도, 돌이킬 수는 있었다. 그게 내가 해야 할 일임을, 비로소 깨달은 것 같았다.

"근데, 그게 최선이 아닐 수도 있었다는 생각이 들어."

나의 시인에, 아델의 표정이 미세하게 바뀌었다. 하지만 그는 여전히 긴장을 늦추지 않았다. 의심도 많지!

"네가 날 놓았다면, 지금보다 상황이 더 나빠졌을 수도 있겠지."

아마 칼리스는 정복 전쟁을 계속 진행했을 테고, 신성교국에서처럼 목표를 달성했다고 그대로 물러나지도 않았을 거다.

아델은 최대한 피를 보지 않는 방식으로 날 여기로 이끌어 왔다. 그건 과신일지도 모르겠지만 내 영향이겠지.

엇갈렸던 그와 나의 운명을 이어붙인 건 아델이 한 일. 그렇다면 성녀로서의 내 사명은, 이 칼리스에서 무언가를 하는 데 있는 게 아닐까.

"하지만 이대로는 안 돼, 너도 알고 있잖아."

내 힘을 봉인하여 날 가둬 두고, 이런 것으로 언제까지 함께할 수 있을까. 어쩌면 수년이든, 수십 년이든 끌 수 있을지도 모르지.

후자는 내 입장에서 생각만 해도 소름 돋았다. 수십 년 동안 칼리스에 갇혀 있어야 하다니! 그건 결국엔 파멸로 치달을 길이었다.

아델이 왕자라지만, 그가 칼리스의 모든 걸 지배하고 있는 건 아니다. 모든 건 언제든 뒤집힐 수 있었다.

나는 재촉했다.

"왕을 만나게 해 줘."

비록 칼리스에서 먼저 성국을 침공한 일로 시작된 일이나, 저주는 너무도 오랜 세월 이어져 왔다. 그것이 칼리스와 성국 사이에 깊이 팬 골을 만들었다.

내가 그 저주를 해소할 수 있을지를 우선 알아야 했다.

아델의 행동을 보아하니, 왕에게 대항할 만한 권력을 갖춘 듯한데. 왕이 적의에 차 나를 죽이려고 들어도 아델이 막아 주겠지, 아마?

만약 내가 저주를 풀지 못한다면 장기간 저주에 시달린 왕의 분노란 알만한 것이다.

"그건 안 돼."

내 예상과는 달리, 아델은 단박에 잘랐다.

"네가 모르는 게 있어."

가라앉은 눈빛. 왜? 또 무슨 문제가 있기에.

"이번 일을 처리하고…… 이야기하지. 만나 봐야 할 자가 있어."

아델은 나를 놓고 등을 돌렸다. 마치 벽을 치는 듯했다.

그가 내게 말하지 않은 뭔가가 있단 게 느껴진다. 왕과 아델 사이에 무슨 일이 있는 걸까. 아델이 아무리 왕자라곤 하지만 왕도 내에서 독단적으로 성녀를 감추는 게 가능한 일이야?

야파에서 있었던 일이 불현듯 겹쳐졌다. 왕은 쓰러져 모습을 보이지 않고, 왕자들이 정사를 돌봤었지. 칼리스의 상황과는 좀 다르겠지만, 그때의 상황과 너무도 겹치는 것이 묘했다.

난 세상 무엇에서도 나를 지킬 듯한 기세였던 주제에 금방 자리를 떠나려는 아델의 옷깃을 재빨리 붙잡았다.

"헤렌의 시신은 잘 수습해 줘."

시녀장 헤렌. 나를 지키다가 죽었다. 적어도 그녀는 제 소임을 다했으니. 가는 길, 축복이라도 내려 주고 싶었지만, 칼리스인으로서 월신의 축복 따윈 바라지 않을 거다.

아델이 느릿하게 고개를 끄덕였다.

뭔가 생각난 듯이, 급히 자리를 떠나면서도 아델은 나를 혼자 남겨 두지 않았다.

하지만 아델이 남긴 감시자는, 하필 내게 달갑지 않은 인물이었다.

"왜 하필 너인 거지?"

신경이 날카로워진 탓에, 본심이 마구 튀어나온다. 하지만 상대는 내 불만을 능숙하게 받아넘겼다.

"아름다우신 성녀님을 모시게 되어, 한없는 영광입니다."

아지스가 허리를 숙여 흔쾌히 예를 표했다. 그에게 칭찬을 듣는다고 해서 마음이 누그러지는 건 아니었다.

하지만 어쩐지 삐죽하게 구는 내가 어린아이처럼 느껴졌다. 왠지 서먹해진 난 최대한 차분한 투로 물었다.

"아델은 어디로 간 거지?"

"암살자들을 보낸 걸로 추측되는 배후에게 가셨겠지요."

"그의 외조부 말이야?"

"예."

아지스의 낯빛에 스친 기색이 묘했다. 그가 일부러 내보였는지는 알 수 없으나, 그것을 발견한 내게 어떤 생각이 퍼뜩 찾아들었다.

"아델의 외조부는, 나에 대해서 알아?"

"무엇에 대해서 아느냐고 물으시는 겁니까?"

싱긋 웃는 얼굴이 알아들었으면서도 부러 못 알아듣는 척하는 것 같다. 난 눈썹을 치켜들었다.

"그 여자가 만일, 내 외모에 대해서 설명했다면……."

"그랬다면 왕자 전하께서 처소에 성녀님을 숨겨 두고 계신다는 걸 눈치챘겠지요."

아지스는 그 사실을, 너무도 가볍게 말했다. 한숨이 입에 고였다. 내가 섣불리 행동해서, 아델을 곤란하게 한 건가?

……아니, 아니지! 내가 무슨 생각을. 지금 아델이 나를 곤란하게 하고 있는 거잖아? 곤란한 정도가 아니다. 이건 엄연히 범죄행위였다. 내가 성녀라서가 아니라 멀쩡한 사람을 가둬 두고 있는 거라고! 납치 감금이다.

"그녀의 단독 소행일 수도 있으니, 너무 심려 마십시오. 왕자 전하께서 알아서 하실 겁니다. 시간이 좀 걸릴 테지만요. 아마, 늦게야 돌아오시겠지요."

나는 태평하게 말하는 아지스를 난 뚫어지게 주시했다. 느물거리면서 넘기고, 어찌 보면 경박하게 보이기도 하는 남자다.

하지만 그는 내가 알기로는 얼음처럼 냉정한 자였다. 적어도 나는 그에게서, 아델이 이미 일부분 상실한 듯이 보이는 이성을 기대할 수 있었다.

"아지스, 당신은."

"성녀님께서 제 이름을 불러 주시다니, 또 한 번 영광이로군요."

지나치게 정중하여, 놀리는 듯이 보이는 동작으로 그가 다시 허리를 굽혔다.

"말씀하시지요."

……왠지 이 자와 말을 섞고 싶지가 않은데, 어쨌든 아쉬운 건 내 쪽이니.

"아델의 행동에 대해서 어떻게 생각해? 그러니까, 나를 여기로 데려와서 가둔 것에 대해서 말이야."

"제가 어떻게 감히 전하의 결정에 대해서 평가할 수 있단 말입니까."

"당신이, 아델을 택했다고 했잖아."

"……귀가 밝으시군요?"

아지스의 등이 곧게 바로 섰다. 묘하게 뻣뻣해진 자세다. 나는 그의 태도 변화에도 굴하지 않고 말했다.

"아델을 택했다면, 그가 잘못되길 바라지 않을 테지. 하지만 아델은 잘못된 길을 가고 있어. 그렇지?"

"저로서는 그분의 길을 옳다 그르다 평할 수 없지만, 위험한 길로 들어선 것만은 사실이지요."

"내가 여기 있단 게 온 칼리스에 소문난다면, 그래도 아델은 나를 여기에 숨겨 둘 수 있을까?"

"글쎄요."

"아델은, 제 외조부와 척을 질지도 몰라. 그리고 그보다 더 많은 이들과 척을 질 수도 있겠지. 그게 아델이 이제껏 칼리스에서 쌓아 왔던 걸 모조리 망쳐 버린다면……."

"무수히 많은 위험한 고비를 넘어, 이 자리까지 이르신 분입니다. 왕자 전하를 지나치게 약하고 불완전한 존재로 바라보시는군요."

"나에 한해서, 아델이 이성적으로 사고하고 있단 생각이 들지 않아."

아지스가 한 손을 끌어올려 턱을 괴었다. 그는 무례하다시피 한 태도로 날 흘끗 보며 말했다.

"분명히 말씀드리건대, 저를 설득하여 도망친다는 건 꿈도 꾸지 마십시오."

무표정해진 얼굴이나 태도완 달리, 흥미가 도는 듯한 투였다.

"애초에 왕속 특무단이 내 말에 넘어갈 만한 자들인가? 그런 건 바라지 않아. 난 단지……."

나는 침을 꿀꺽 삼키며, 입을 열었다.

"왕을 만나고 싶어."

아지스의 입꼬리가 휘어져 올라갔다. 재밌는 농담을 들었단 얼굴이었다. 나는 농담이 아니란 걸 주지시켜 주기 위해서 차분히 말을 쏟아 냈다.

"내가 왕의 저주를 풀 수 있을지도 몰라. 애초에, 나는 저주를 풀기 위해서 온 거였잖아."

"풀 수 있을지도 모른다는 건, 받으신 신탁의 내용이 성녀님이 저주를 풀 수 있다는 보장은 아니었다는 거군요."

"……맞아."

허를 찔린 기분이다. 아지스는 퍽 날카로웠다. 그가 고개를 갸웃하며 물었다.

"왕자 전하께서 당신을 왕께 인도하지 않는 이유에 대해서 생각해 보신 적 있습니까?"

"나를…… 숨기려는 게 아닌가?"

"물론 그렇습니다만, 또 하나 이유가 있지요."

그가 간단하다는 듯이 답했다.

"왕의 저주를 푸는 것이, 왕자 전하께 유리하지 않기 때문입니다."

허를 찔린 기분이었다. 그래, 어쩌면 아니 틀림없이……. 아델이 단순히 사이가 좋지 않다는 이유로 왕의 병환을 방관하지는 않았을 거다.

"왕의 병환이 깊어져 전하께선 좀 더 손쉽게 칼리스의 통치권을 획득하실 수 있었지요. 이 상태에서 왕이 쾌유한다면 사태가 복잡해질 겁니다."

"왕이 죽으면, 저주는 어차피 아델에게로 옮겨져. 틀림없이 그렇겠지."

난 중얼거렸다. 왕에게 건 저주를 풀지 못한다면, 아델에게 건 저주를 풀지 못하는 것도 마찬가지다. 하지만 그건 해결 방법이 있기는 했다.

머릿속이 어지럽다. 어떻게 해야 할까? 왕의 저주를 풀면 상황이 복잡해진다라.

그래, 나라고 해서 칼리스의 왕이 저주에서 꼭 해방되길 바라는 건 아니다. 성녀답지 않은 생각일지도 모르지만, 저주에 걸려서 죽는다고 해도…….

아델이 전권을 틀어쥐고 있는 쪽이 내겐 나았다. 나를 붙잡고 있는 건 아델이지만, 최소한 아델은 나를 죽이려고 하진 않을 것이므로.

난 결론을 냈다. 이전과 다르지 않은 결론을.

"그래도, 나는 왕을 만나야겠어."

아델이 외조부를 만나러 갔다면, 모든 이목은 그쪽에 쏠릴 터였다. 시간이 오래 걸린다는 건, 이때가 기회라는 뜻이었다.

나는 이 기회를 잡아야 했다. 왕과 만나서 아무것도 달라지지 않더라도, 적어도 저주를 살펴볼 수 있으니.

"당신이, 나를 왕에게 인도해 줘."

아지스가 헛웃음을 지었다.

"전하께서 제게 당신을 지키라 한 건, 제가 가장 믿음직스러운 부하이기 때문입니다. 그런 제게, 그분의 명을 어기라고 말씀하시는 겁니까?"

"당신은 분명히, 아델에게 실력으로 믿을 만한 존재겠지. 하지만 아델이 당신을 순수하게 믿을 거라고 생각지는 않아. 그러니 새삼 배신이라고 말할 일도 아닐 거야. 간단해."

난 당당하게 손가락을 쳐들었다.

"아델이 자리를 비운 새, 빨리 갔다 오면 돼. 지금도 시간은 지나고 있어. 어서 갔다 오면 두 시간 안엔 제자리로 돌아올 수 있을 거고 남몰래 갔다 온다면 아델도 내가 왕을 만났단 사실을 알지 못할 거야."

그리고 넌지시 덧붙였다.

"만약 들켜도, 당신에겐 수습할 만한 방법이 있겠지."

아델에게 외조부가 필요했었듯이, 아지스는 아델에게 필요한 자인 것 같았다. 아마 쉽게 내치진 않을 거다.

그에게도 한 번의 잘못을 덮을 만큼 자신의 효용 가치를 내세우는 요령쯤은 있겠지, 뭐.

아지스가 팔짱을 꼈다.

"그렇다 한들, 제가 왜 그래야 합니까? 전하의 명을 거역하여 처벌당할 위험을 감수하면서, 제게 당신의 말을 따라야 할 이유가 있습니까?"

나는 생긋 웃었다.

"그렇지 않으면, 곤란해질 테니까."

암암, 곤란해지고말고. 누군가를 엄청나게 곤란하게 만드는 일에, 난 꽤 자신이 있거든. 아주 신선하고 좋은 발상이 떠올랐다. 난 눈을 휘며 그를 향해 보란 듯이 환하게 웃었다.

"날 도와주지 않으면, 난 돌아온 아델한테 매달려서 울면서 소리칠 거야. 당신이 날 추행하고 덮치려고 했다고."

"……예?"

예상하지 못했는지, 삐끗한 음성을 냈다. 아지스가 큼큼, 목을 가다듬었다. 난 빠르게 말을 이었다.

"당신보단 내가 이런 걸로 거짓말하지 않을 인상일걸? 더군다나 내가 월신의 이름으로 맹세한다면, 아델은 내 말을 믿을 수밖에 없겠지. 말 그대로, 실력밖에 믿을 게 없는 의뭉스러운 당신보다는 성녀인 내 말을 더."

나는 의기양양하게 허리에 손을 짚었다.

"아델은 나를 좋아해. 그러니 정말로 화를 낼 거야. 당신을 죽이려고 할지도 모르지. 어차피 당신은, 농담으로라도 날 어떻게 하려고 시도해 볼 만한 인물로 보였을 테니까."

"그러니까, 이건. 협박인 거군요."

아지스가 헛웃음을 지었다.

"성녀님이 월신을 걸고 거짓말을 하셔도 되는 겁니까?"

"나는 힘을 봉인 당한 채 사로잡힌 어린 양에 불과한걸. 월신께서도 내 피치 못할 사정을 이해해 주실 거야."

월신님이 딱히 나한테 정직해지라거나 말을 잘 들으라고 적극적으로 인성 교육을 펼치시는 분도 아니었다.

애초에 나를 대하는 데 엄격함을 별로 드러내지 않는 분이다.

"자, 빨리 선택해 주겠어? 당신도 아델에게서 바라는 게 있는 이상, 그와 틀어지는 걸 원치 않잖아?"

칼자루를 그의 앞에 들이밀었다. 아니, 칼날이라고 해야 하나.

난 정말로 어떻게 하면 매소드 연기를 펼쳐서, 이 아지스란

자가 날 겁탈하려고 했단 걸 납득시키나 고민 중이었다.

"……하는 수 없군요."

이윽고 그의 입에서 흘러나온 말은 그것이었다. 아지스가 고개를 설레설레 저었다. 그가 의미심장한 미소를 안면에 띄운 채 나를 쳐다본다.

"성녀님이 이기셨습니다. 왕께 안내해 드리지요."

놀랄 만큼 순순한 태도였다. 살짝 미심쩍을 만큼.

그는 왕속 특무단에서도 현재 권력을 쥐고 있는 왕자인 아델의 직속 수하다. 그 말은 즉, 그가 아주 많은 권한을 성내에서 가지고 있단 뜻이었다.

그 때문에, 방을 빠져나오는 일은 생각보다 순조로웠다.

아지스는 뭘 어떻게 했는지 몰라도, 나를 데리고 방을 빠져나왔다. 그리고 사람이 잘 다니지 않는 길을 택하여 어딘가로 향했다.

정원에 난 샛길을 걸으면서 난 도리어 함정에 빠져드는 기분마저 느꼈다.

반쯤은 실패할 걸 예감하고 있었거든. 난 내가 아지스를 설득할 수 있다고 스스로를 믿고 있지 않았던 것이다!

세상에, 내게 나에 대한 믿음이 부족했던 거였어. 에스델, 너는 네 생각보다 대단한 존재야!

불끈 주먹을 쥐면서 걸음을 내디디는데 아지스의 목소리가 귓전에 울렸다.

"……다시 말씀드리지만, 왕의 저주를, 설혹 해소할 수 있다고 해도 그래선 안 된단 겁니다."

"나도 당장 저주를 풀 생각은 없어."

왕이 저주를 풀고 나서 내게 손대지 않는다고 맹세한다면 모를까. 저주는 내가 칼리스에 붙들려 있는 원인이나 동시에 내 목숨줄이 끊기지 않게 해 줬다.

아델의 외조부도 저주를 풀기 위해선 성녀가 죽어선 안 된다는 거 정도는 이해할 텐데.

뒤늦게 생각건대 암살자들을 그런 식으로 보낸 건, 그가 정말로 나에 대해서 아는 게 없었기 때문 아닐까. 아는 게 있더라도 내가 성력을 쓰지 못한다는 걸 모르기에 확인해 볼 목적이 아니었을까.

암살자 중에 살아 돌아간 자는 아마 없었을 테고, 그렇기에 누출된 정보도 없다.

그러고 보니 정보 하면…….

나는 앞서 걸어가는 아지스의 뒤통수를 응시했다. 그는 언제부터인지 모를 옛날부터 아델의 최측근에서, 왕속 특무단으로 존재해왔던 남자였다.

그건 그만큼 많은 사항에 대해서 알고 있다는 이야기다. 내가 모르는 아델이나 칼리스에 대해서도.

안개처럼 흐릿하게 굴고, 어쩐지 진지함이 없다. 거짓말을 밥 먹듯이 할 것 같은 이미지지만, 아지스에게는 묘하게도 내게 진실을 말해 줄 것 같단 인상이 있었다.

아델조차도 그의 입을 막을 수 없는 데다가 독단적인 구석이 있는 남자이니. 내가 예기치 못하게 그를 설득해 냈듯이 더 뭔가를 끌어낼 수 있지 않을까. 뭐, 설득이 아니라 협박이긴 했지만.

"묻고 싶은 게 있어."

살살 운을 띄우자 그가 날 돌아봤다.

"무엇을 말씀이십니까."

"이 족쇄. 그리고 신성교국을 점령한 것. 어떻게 한 거지? 연합 진영을 휘젓고 다닌 거야 칼리스의 마법으로 이제껏 불가능하지 않았던 일이니 물을 것도 없겠지만, 법황의 도움이 있었다고 한들 이상한 부분이 있어. 칼리스는 마법으로 성력을 봉쇄할 방법을 기어코 찾아낸 건가? 마법이 그렇게 대단한 힘인가?"

이 족쇄. 어떻게 이토록 견고하게, 성력을 묶어 둘 족쇄를 만들었을 수 있지?

나는 평범한 신의 권속도 아닌, 자그마치 성녀다. 내가 가진 성력이 엄청난데, 이 두 개의 팔찌는 힘겨운 기색도 없이 내 성력을 꽁꽁 틀어막고 있었다.

내가 칼리스의 마법을 얕보았던 건 아니다. 조짐은 있었다. 그러니까, 그 옛날 열 살의 아델이 성국을 비밀리에 침투해 왔던 그 시점에서 이미.

칼리스는 두 신성한 나라, 성국과 신성교국의 벽에 가로막혀 정복의 야욕을 품었음에도 오랜 세월 그것을 드러내지 못했다. 그건 칼리스에 마법이 있듯이 성국과 신성교국에는 신의 가호가 있었기 때문이다.

마법은 성력에 비해서 천하고 악한 힘이라고 여겨졌다. 즉 신의 축복을 받지 못한 인간들이 가져다 쓰는 하등하고 조악한 힘이라는 인식.

칼리스가 마법을 전쟁에서 운용했기에, 더욱 그런 인상은 강해졌다. 하지만 일련의 일들은, 이제까지의 인상을 뒤엎고 있었다.

마치 원시적인 주술 같은 건 줄 알았더니 난데없이 재발견된 대단하고도 새로운 힘 같은 느낌이랄까.

아지스가 뭔가 생각하는 듯하더니 피식 웃었다.

"그렇군요, 하긴. 성녀님은 성국에서, 성국인들이 하는 이야기만을 듣고 자라셨지요. 그렇기에 사실, 칼리스와 마법에 대해서 알게 되신다면 깊이 생각해 보실 일들이 있을 겁니다."

그게 쉽지 않을 거란 듯한 말투였다.

확실히 난 일종의 편향된 교육을 받으며 자라났다. 하지만 내겐 전생이 있었다. 사실 초현실적인 힘이라는 면에서 마법이나 성력은 내 입장에서 크게 다를 바 없다.

이런 거 말하고 돌아다녔다간 성녀인 나라도 잡혀가서 혼날 것 같지만!

"난 깊이 생각할 준비가 되어 있는데. 말해 봐. 내가 모르는 게 뭐지?"

"……말씀드리자면 이런 겁니다. 태양신의 신성과 월신의 신성은 서로 상충합니다. 그 두 개는 섞일 수 없는 힘이지요. 물론 물과 기름을 섞을 수 있듯 매개가 존재하지 않는 것은 아니니 절대적으로 불가하다고 말하진 않겠습니다. 하지만 태양신의 사제가 부상을 당했다고 해서 월신의 사제가 성력을 써서 그 상처를 낫게 할 수는 없습니다. 맞습니까?"

"응, 맞아."

"그런데 두 신성의 이 관계, 비슷하지 않습니까? 두 신성과 칼리스의 마법은 서로 상충하지요. 힘의 행사방식은 퍽 다르고, 배분 방식도 상이하나 더 높은 곳에서 내려다본다면 어떨까요. 두 신성을 유독 존귀한 힘이라 숭앙하는 시각을 내려놓고 본다면 인간에게 한계 이상의, 초월적인 힘을 가져다준다는 면에서 마법과 두 신성에 무슨 차이가 있을까요."

아지스가 말하고자 하는 건……. 나는 침중하게 중얼거렸다.

"그러니 당신은 지금, 태양과 달의 신성과 칼리스의 마법 사이에 본질적인 차이가 없다고 말하는 건가."

둔중한 충격이 머리를 내려친 것 같았다. 조금 전 편견에 사로잡히지 않았다고 자신했던 것과는 달리, 내게도 편견이 자리하고 있었던 듯하다. 그의 말을 부인하고 싶어졌던 것이다.

하지만 고개를 끄덕거리게 되기도 했다.

"그 말은, 내가 과하게 해석한 걸지도 모르지만, 어떻게 들으면 칼리스에도 신이 있다는 소리처럼 들리는데."

나를 돌아본 아지스의 눈이, 헤아릴 수 없이 깊었다. 마치 그는 이제까지의 경박한 이미지를 벗고 다른 사람이 된 것 같았다.

잠시 발걸음을 멈추고 날 관조하듯 쳐다보던 그가 다시 돌아서서 걸음을 옮기기 시작했다.

이상스러운 긴장감 속에서 아지스가 말을 시작했다.

"칼리스에는 신이 없습니다. 하지만, 그래요. 칼리스에 마법이 존재한다면 그 마법의 근원이 있겠지요. 월신이 자신의 신도들에게 명하여 성국을 세우고, 태양신이 신성교국을 세웠듯이 말입니다. 칼리스는 마법을 쓰는 이들의 집단에서 시작된 나라입니다. 그들은 아주 조심스럽게 시작했지요. 왜냐하면, 그때는 이미 두 개의 신성이 대륙에 단단히 자리 잡고 있었거든요. 그런 때에 등장한 제3의 힘은 배척을 부릅니다."

나는 고개를 끄덕이며 그의 뒤를 종종 따랐다. 열 살의 아델은 내가 뭔가를 잘 모른다는 듯이 말했었다. 나는 그가 성국에 대해서 편견에 가득 차 있다고 결론 내렸다.

하지만 편견이 있는 건 나 역시도 마찬가지였다. 아델은 그 이상 성녀인 내게 자신의 생각에 대해서 말하거나 날 설득하려고 하지 않았지만…….

먼 기억 속으로 묻어 두었던 의문을 풀 기회가 지금 왔다. 난 귀를 기울였다.

"칼리스와 성국, 그리고 신성교국이 대립하게 된 역사는 생각보다 길지 않습니다. 두 신성은 체계화된 힘입니다. 특정한 사고와 믿음을 가진 집단만이 가질 수 있고, 교육을 받으며 강화되지요. 두 명의 신들은 힘의 자격을 부여하는 데 있어서 유일무이한 권한을 갖습니다. 직접 나라를 통치하진 않더라도 그들은 신성의 자격을 통해서 절대적인 영향력을 발휘합니다. 그렇기에 두 나라가 특별한 힘을 가졌다고 해서 타국을 정복하거나 세상에 해가 되는 쪽으로 흘러가지 않았던 것일 테지요."

묘하게 긍정적인 소리였다. 칼리스인들은 무조건 성국이나 신성교국에 대해서 자기들만 배만 불리는 위선자들이라고 욕하고 다닐 줄 알았는데. 적어도 아지스는 그리 생각하는 것 같지 않다.

아니, 어쩌면 그렇게 생각하긴 하는데 내 앞에서 티를 내지 않는 것일지도.

"마법은 자유로운 시작점을 가졌지요. 그 때문에 나라를 형성하게 되는 시기가 늦었습니다. 처음엔 쉬쉬하는, 작고 초라한 이단의 힘에 불과했죠. 그러나 마법이 점차 퍼져 나가는 어떤 시점부터는, 강대한 세력을 이룹니다. 그것이 칼리스입니다. 사실 마법을 배우는 데는 특별한 자격이 필요하지 않습니다. 재능은 필요하지만요."

"우리에게도 날 때부터 많은 성력을 가지고 태어난 이들이 있어."

"성국에서는 그것을 축복이라고 부르겠지요. 우리는 그것을 재능이라고 부릅니다. 그런 재능을 가진 이들이, 월신이나 태양신에게 신앙심을 품게 되면 그때부터 그 힘이 성력이라는 속성을 띠게 되는 게 아닌가, 우리는 그렇게 생각하고 있습니다. 즉 어떤 사람이 품고 있는 특별한 힘은 처음에는 무속성에 가깝고, 그것이 신앙심이든 쌓는 방식이든 영향을 받아서 세 분류 중 하나로 갈리게 된다는 것이지요."

태양신, 월신, 그리고 칼리스의 마법……. 가장 마지막 것은 불경하고 사악한 것이라고 여겨지는 힘이었다.

마법이 그저 갈림길 중 하나로 놓인다는 것이 놀랍도록 낯설었다. 그 낯섦은 대개의 신도들에게 지독한 불쾌감을 안겨 줄 만한 것이기도 했다.

그렇기에 오랫동안 서로 다름을 알면서도 대화가 이뤄지지 않았던 거다.

나는 무수한 세월이 지난 이 시점에서 그 대화라는 걸 해볼 용의가 있는 희귀한 사람이었다. 사실 어쩌다가 여기까지 이야기가 흘러왔는진 모르겠지만.

"다시 돌아가자면, 갈등은 아주 오랜 옛날부터 시작되었습니다. 어떤 중대한 문제에 대한 생각의 차이 때문에요. 그리고 생각의 차이는, 전쟁마저도 부를 수 있는 무시무시한 갈등을 불러일으킵니다. 그것이 이어져 내려와 지금이 상황을 만들었지요."

"칼리스가 전쟁을 불러일으키지 않았다면, 칼리스와 다른 나라들 간의 사이도 이보단 괜찮지 않았을까. 단순히 서로 생각이 달라서 그랬던 것처럼 말하기엔 좀 문제가 있지."

한 짓이 있는데, 마치 자연스러운 흐름이었던 것처럼 말하는 것도 안 될 말이다. 암암, 나는 공정하다고!

아지스가 소리 내어 웃었다.

"물론 그렇기도 합니다만. 칼리스가 정복 전쟁을 추구하는 것은, 뿌리까지 따지자면 그 갈등과도 연관이 있습니다."

나는 선뜻 물었다.

“그 갈등이 뭔데?”

“힘의 자격, 그것이 문제였지요. 두 신성의 신들은, 힘을 검증받은 사람들만 써야 한다고 생각했습니다. 도덕적이거나 특정한 기준을 통과한 이들이 그 힘을 세상을 위해, 이롭게 써야 한다고요.”

그게 왜 문제라는 걸까. 좋은 기준 같은데. 나는 고개를 갸웃거렸다.

“신성교국과 성국이 자신들의 선택받은 신도들과 성도를 통해서, 세상에 이바지한 일이 없다고 말하진 않겠습니다. 의의가 있었고, 성과를 보았지요. 그 때문에 두 신성은 인간 세계에서 확고히 자리매김하며 엄청난 영향력을 행사하게 되었습니다. 비록 그들이 모든 문제는 해결할 수 없었고, 모든 문제를 해결한다는 것 자체가 불가능한 일이더라도요.”

“마법의 시초는, 힘의 자격에 대해서 다르게 생각했단 건가?”

“예, 마법의 시초. 가진바 힘으로 따지자면 신과 다름없는 그자는 소수의 누군가에게 힘을 주고, 목적에 맞게 힘을 쓰게끔 하는 것은 인간이 가진 가능성을 제한하는 일이라고 여겼습니다. 그가 그리던 것은 두 신과 전혀 다른 상이었습니다. 혼란과 파괴가 잇따르더라도, 욕망하고 욕망을 이루면서 끊임없이 진보하는 인간 말입니다.”

그건 내 이전 세계에서는 먹혔을 만한 소리였다.

가슴이 섬뜩하고, 이 이야기를 듣는 것만으로도 나쁜 짓을 하는 죄책감이 들었다. 그럼에도 홀린 듯이 그의 이야기에 빠져드는 내가 있었다.

아지스는 내게 철저히 차단되었던 종류의 이야기를 하고 있었다.

"어차피 성력이든 마법이든, 재능을 근간으로 합니다. 신앙심이 깊으면, 강한 마음은 강한 힘을 부르니 타고난 자질을 넘어서 더욱 강한 성력을 가지게 될 수 있지요. 하지만 성력을 가진 이들은, 그들 신의 뜻대로 그 말씀을 실현하며 살아야 합니다. 그들은 한계를 지고 태어나 한계 속에서 죽어 갑니다."

아지스가 고조된 투로 말을 이었다.

"하지만 마법은 그런 한계를 두지 않았습니다. 재능은 필요하지요. 더 많은 소망, 욕망, 갈망. 강렬한 의지를 가지고 있는 이들은 빠르게 강해지고 발전합니다. 마법의 시초에게서 비롯되었으나 이미 그의 손을 떠난 힘. 그들은 틀에 갇힌 운명이 아니라 자신들의 길을 만들어 뻗어 갑니다."

난 불현듯 중얼거렸다.

"마법의 시초가 중요하게 생각했던 건, '자유의지'구나."

뜻하는 바대로 살고, 강해지고, 그리고 목적한 바를 이루는 거. 삶의 욕구만큼이나 강력한, 그 어떤 동물도 가지지 못한, 인간을 비롯한 유사 종족만의 것.

"하지만 현실을 봐. 칼리스는 전쟁을 불렀고, 대륙을 분란 속으로 빠뜨렸어. 칼리스의 정복욕이 평화를 해치고 수많은 사람들을 불행으로 몰아넣었다고."

"그것은 과정입니다. 세상에는 많은 동물들이 약육강식의 삶 속에서 태어나서 치열하게 살다가 죽어가지요. 왜 인간의 삶은 달라야 합니까? 그 모두가 거시적인 관점에서 보자면, 감수할 만한 희생이라고도 볼 수 있겠지요. 그러한 과정은, 세상을 변화시키고 진보하게 합니다."

"그러다가 멸망의 길로 이를 수도 있겠지."

"그건 초래될 수 있는 나쁜 결과입니다. 그렇게 흘러가지 않을 수도 있겠고, 더 나아질 가능성도 충분합니다. 굳이 말하자면 그렇게 되지 않도록 하는 것이 신의 존재겠지요."

두 신에게 세상은 잘 가꾸어진 정원이고, 신도들은 지시에 따르는 정원사다.

하지만 정원사가 있다고 해도 정원에는 끊임없이 벌레가 나타난다. 때로는 태풍이 불어와 정원을 파괴하기도 한다…….

"이제껏 세상은 두 신의 뜻대로 정체된 상태에서 머물렀습니다. 그건 앞에 닥친 문제를 해결하기에 급급한, 더 좋아질 수도 나빠질 수 없는 그저 고여 있는 물과 다를 바 없지요. 두 신의 신성 아래 세상은 분명히 나빠지진 않았습니다. 하지만 더 나아졌느냐면, 글쎄요. 태양신은 아무래도, 마음을 바꾼 모양입니다만……. 월신의 의중은 알 수 없습니다."

그건 나도 모르겠어. 왜 잠수를 타신 거야? 왜 나한테 칼리스의 왕족과 결혼하면 저주가 풀린다느니 하는 해괴한 신탁을 내리신 거고.

모든 짐을 떠맡고 이런 대화까지 나누게 된 마음은 무겁기만

하다. 마침 궁금해하던 문제가 나와서 난 되물었다.

"태양신이 마음을 바꾸었다고?"

왜 태양신이 끝까지 나서지 않은 것인지, 이해가 되지 않았었다. 가장 강력한 권속인 히스칼이 제멋대로 굴도록 내버려 두는 게 이해가 안 됐다.

신성교국에 칼리스를 끌어들이도록 내버려 둔 건, 어떤 말로도 설명이 불가능한 거였다.

아지스가 나직이 중얼거렸다.

"개입보다 관조를. 그는 변화가 필요하다고 판단한 걸 겁니다."

"변화?"

"세상이 거의 정체되었다곤 하나 느리게나마 흘러가는 세상은 간혹 변수를 낳지요. 법황 히스칼은 '자유의지'를 가진 인간입니다. 그는 태어나서 운명 지어진 그대로, 법황으로 살기를 원치 않았습니다. 자신에게 원치 않은 삶을 주고 거기에 끼워 맞추라고 강요하는 이들을 증오하기도 했지요. 신은 가장 가까운 권속을 통해서 세상을 바라봅니다. 그의 사고가 태양신에게 영향을 미친 것이 아닐까 합니다만."

지금까지 존속시켰던 체제가, 이제는 옳지 않다는 것을 깨달았기에. 그건 어쩌면…….

난 먼 과거의 기억을 떠올렸다. 내가 전생을 살고 있었을 때, 세계의 균열을 통해서 월신께선 그쪽 세계를 살펴보고자 결심하고 넘어오셨지.

아예 변화를 추구하는 마음이 없지는 않았을 거다. 어쩌면 월신께서는 다른 세계를 통해서 답을 구하고자 하신 걸지도 모르겠다.

근데 저쪽 세계도 부유한 나라는 부유하고 평탄하긴 한데 핵이니 테러니 앞날이 험난해서…….

여기는 그래도 멸망이 천천히 다가오니 돌이킬 시간이 있을 텐데, 그쪽은 하룻저녁에 세상이 멸망해 버릴 수도 있는 상황이라고!

성국에서 성녀로 태어나 이런 생각을 하는 거겠지만, 난 지금 삶과 성국에 매우 만족하고 있거든.

하지만 알지 못했던 것을, 어렴풋이나마 이해하게 되니 앓던 이를 뺀 기분이었다.

태양신이 히스칼을 지지까지 하는지는 모르겠지만, 어째서 그렇게 되었는진 알겠다. 적어도 히스칼을 통해서 나타나는 변화를 바라보고 받아들이기로 한 것이리라.

월신께서 내가 스스로 결정하도록 하여, 그 선택으로 인한 결과를 받아들이겠다고 하셨듯이. 이렇게 말하니 어깨가 무거워지는걸?

나는 곰곰이 생각해 보았다. 히스칼은 정해진 삶을 살아가는 나를 싫어했다.

그가 칼리스와 내통하게 된 건, 기본적으로 그의 사고가 칼리스의 기조와 일치했기 때문 아닐까.

히스칼이 태양신에 대해서 어떻게 생각하는진 모른다. 하지만 법황으로 살아온 이상 그를 움직이는 게 증오만은 아닐 거란 생각이 들었다.

내가 깨닫게 된 것을, 그에게 들려줄 수 있다면……. 다시 만나게 될 거라고 했는데. 그게 언제 이루어질진 모르겠다.

나는 대화를 원점으로 돌렸다.

"그래서, 마법과 신성이 본질적으로 다르지 않은 힘이기에 마법을 열심히 연구하다 보니 성력을 상대하는 것, 통제하는 것도 가능해졌다. 이런 말이지?"

"바르게 이해하셨군요. 왕자 전하께서 무척 의욕적이시라 그 영향이 없었던 건 아닙니다만."

어느덧 자리에 멈춰선 아지스가 싱긋 웃었다. 그와 나는 목적을 잃고, 기나긴 대화를 나누며 언제부터인지 모르게 자리에 서 있었다.

칼리스인인 그와 대화를 나누는 건, 생각보다 치열하다거나 거부감 이는 충돌은 아니었다. 도리어 다르게 생각해 볼 가치가 있단 것이 고무적이다.

왕속 특무단원들은 원래 이 정도 지식을 가지고 있는 건가? 그가 말하고 판단한 것에 대해선, 알 수 없는 뭔가가 깃들어 있는 듯했다. 하지만 난 그 정체를 잡아낼 수 없었다.

내 안에는 아직 꺼내지 못한 수많은 질문이 켜켜이 쌓여 있었다. 복잡하게 뒤엉켜서 어떻게 표현해야 할지 모를, 정리되지 않은 생각들이.

한 가지 묻고 싶은 것이 있었다. 법황과 성녀는 각 신의 대표

자다. 신의 목소리를 듣고, 그들을 대표할 수 있는 자격을 지닌.

그렇다면 칼리스에는 그런 게 없다는 건가. 칼리스의 왕은, 내가 알기로 그런 존재가 아니니까.

하지만 물음을 꺼내기도 전, 아지스가 아차 하는 표정을 지었다.

"시간이…… 꽤 지났군요. 곤란하게 되었습니다."

그닥지 않게 약간의 초조감이 묻어나는 얼굴이었다.

"거의 다 왔습니다. 서두르셔야겠습니다. 제 행동을 일일이 보고 당하진 않습니다만 혹시나 왕자 전하께서 아시게 되면, 제가 좀 곤란해지거든요. 성녀님도 왕을 만나기도 전에 붙들려 돌아가게 되기를 원치는 않으시겠지요?"

나는 재빨리 고개를 끄덕였다.

아지스가 택한 길은, 정로가 아니었다. 아무래도 야파에 비밀통로가 있었던 것과 비슷한 길이 따로 있는 듯했다.

그는 내 눈을 가린 뒤, 손에 그와 연결된 끈을 쥐여줬다. 그리고 날 이상한 곳으로 이끌었다.

건물 벽 앞에 멈춰 서서, 문을 열고 안으로 들어섰다.

"조심히 저를 따라오시지요."

밀폐된 공기가 느껴진다. 아마도 비밀통로일 테지. 내게 눈을 감고 그를 따라 걷는 것만으로도 주변을 그려 낼 수 있는 놀라운 재주가 있으면 어쩌려고!

물론, 나한테 그런 재주는 없다. 성녀라면 그 정도쯤은 해야 하는 것 아냐?

하지만 신께서는 내게 그런 재주를 허락지 않으셨다. 너무 세상의 벨런스를 깬다고 생각하셨던 걸까.

사실 벨런스를 생각한다면 내겐 더 특별한 뭔가가 있어야 할 텐데? 내게 주어진 시련들은 현재 상태로 감당하기에 너무나 험난한 것들이니.

투덜거려 봤자 억울해질 뿐이었다. 나는 한동안 잠자코 아지스의 뒤를 따랐다.

내가 실수로 비틀거리기라도 하면, 그가 절묘하게 끈을 당겨 균형을 맞춰 주었기에 꽤 순탄한 진행이었다.

위로 오르고 아래로 내려가면서, 처음 시작한 위치보다 두어 층 정도 위에 이르렀단 느낌이 올 때였다.

문이 열리고 미세한 바깥 공기가 쏟아져 들어왔다. 상쾌하다고 하기엔 부족한 실내 공기였다. 그가 내 안대를 풀어냈다.

"도착했습니다."

나는 이곳이 어디인지 알았다. 침실이었다. 아마도, 왕의. 난 정면에 시선을 고정한 채 말했다.

"당신, 아무리 왕속 특무단이라지만 왕의 침실로 통하는 비밀 통로 같은 걸 알아도 되는 거야?"

알긴 알더라도 그의 앎을 드러내는 데는 대가가 따를 텐데. 이렇게 맘대로 이용해도 되는 건가. 아델이 그를 처리해도 이상하지 않다.

아지스가 대수롭지 않은 듯 웃었다.

"제가 이 칼리스의 왕성에 대해서 모르는 건 없습니다."

정말로, 수상한 자다. 아델은 왜 이런 자를 곁에 두고 있는 걸까. 아군인듯하면서도, 아군이지 않은 듯한 이자를. 내가 협박했다지만, 결국 이자는 나를 데리고 여기로 왔잖아?

미심쩍음과 이해 가지 않는 기분이 겹쳐졌다. 하지만 지금은 그게 중요한 게 아니었다. 그래, 지금 중요한 것은……. 저 휘장 아래, 누워 있는 인영.

알 수 없이, 뭔가가 두려웠다. 거기에 깃들어 있는 힘은 잡힐 듯하면서도 불투명했다.

그것은 마치 안식의 관처럼 느껴졌다. 월광과 함께 월신의 가호가 깃든, 성국인이 마지막으로 눕는 자리.

"살펴보시지요."

아지스가 팔짱을 낀 채 말했다. 여기까지 안내한 것으로 그의 역할은 끝났다는 듯한 태도였다. 나는 천천히 걸음을 옮겼다.

침대 앞에서 망설여지는 손을 뻗어, 휘장을 걷어 냈다.

거기엔 한 사내가 누워 있었다. 어딘지, 아델과 닮은 듯도 한 중년의 사내. 차갑고 완고한 인상이었다. 자는 얼굴조차도 그래 보이니, 실제의 그가 어떤 성정인지는 알 것도 같았다.

마흔 정도 되어 보이는 그의 사지에는 내 손목에 달린 것과 똑같은 족쇄가 채워져 있었다.

"저주가 돌이킬 수 없게 진행되어, 인위적인 수법으로 수면에 드신 지 좀 되었습니다."

"저주가 어떤 식으로 나타났는데."

저주, 지독하다고 하지. 나는 그게 정확히 어떤 모습으로 드러나는지 몰랐다.

아지스가 고개를 저었다.

"간단히 말해, 광증입니다. 멀쩡하다가도 광증이 나타나면 갑자기 난폭해지고, 물건을 부수고 검을 뽑아 닥치는 대로 시중인들을 살해하시곤 했지요. 왕속 특무단이 상주하여 지키고 있다가 정신이 돌아올 때까지 제압하곤 했습니다. 하지만 그것도 한계에 부딪혔습니다. 왕께서는 훌륭한 검사이시며, 마법사이시지요. 월신의 저주는 흡사 광인이 된 것처럼 그 자신의 힘을 증폭시킵니다."

"그래서, 왕속 특무단원들로서도 더 이상 막아 내기 어려워진 건가."

"희생을 좀 치렀지요. 폭주하시는 주기가 나날이 잦아져서, 어쩔 수 없었습니다. 왕의 상태가 알려지는 것도 큰일이니까요. 왕자 전하께서 결정하신 일입니다."

"그렇겠지. 그런데 내 성력은 억제할 수 있으면서, 저주는 어떻게 하지 못했던 건가?"

칼리스에서 마법의 군사적 이용 방법을 연구하는 만큼이나, 저주에 대한 연구도 소홀했을 것 같진 않은데.

실제로 야파 왕한테는 자기네들이 고안한 마법저주를 걸기도 했었잖아? 부쩍 단조로워진 음성이 흘러들었다.

"저주는 단순한 힘의 작용이 아니니까요. 물의 흐름은 막으면 그만입니다만, 진행을 늦출 수는 있어도 이미 몸속에 깃든 저주는 도려낼 수 없습니다. 자세히 들여다보십시오. 기나긴 세월을 통해 깊어진 저주의 실체를."

그래, 나는 지금 확인하고 있었다. 왕의 전신에 뿌리박은 저주를. 뭐랄까, 이건…….

나는 눈살을 찌푸렸다. 달에 이면이 있단 걸 알고 있다. 그럼에도 성력은 신성한 것이라고 믿고 있었던 것 같다.

하지만 혈관을 타고 퍼지듯이 빼곡히 육신을 파고든 이 차가운 기운은 대체 뭐란 말인가.

도저히, 친숙하다고 말할 수 없는 이것은 틀림없이 월신의 성력이었다. 세월이 지나 한 겹 한 겹 쌓인 흙이 굳어 지층을 이루듯, 몹시도 단단해진.

칼리스에서 이 저주를 어떻게 하지 못한 게 이해가 갔다. 섣불리 건드렸다간 이미 저주와 하나가 된 왕의 육신은 허물어져 내렸을 거다. 이런 굉장한 걸 내가 푼다고, 어떻게?

질린 기분이 되어, 물러나려던 난 주먹을 굳게 쥐었다. 제대로 살펴보지도 않고 안된다고 말할 수는 없지.

손대기가 싫은 건 사실이었다. 손대선 안 될 것 같았다. 그게 단순히 칼리스의 왕에게 손대기 싫은 거부감일지도 모르겠지만.

성력을 사용할 수 없어도 난 성녀다. 월신의 성력은 성력에, 그리고 성녀인 내게 반응한다. 내가 얼음을 녹이듯 저주를 녹이고 힘을 회수할 수 있을지도 모른다. 그것으로 저주가 풀리게 되는 거다.

근데 이론은 이론일 뿐이잖아? 저주의 반향이 닥쳐온다면 성력 없는 지금의 내가 무사하지 못할지도 몰라. 한 가지, 방법이 더 있기도 하지.

신탁대로 만약 내가 아델과 결혼하면 저주가 풀릴지도 모른다. 하지만 저주가 풀려서 왕이 멀쩡해지면 아델이 곤란해진다고 했다. 아델의 곤경은 곧 나의 곤경을 의미한다.

나는 애초에 여기, 저주를 풀 수 있는가를 알아보려고 온 거지 저주를 풀려고 온 게 아니다.

그래, 적당히 살살 한번 건드려만 봐야지. 저주가 내 존재에 반응하는지만.

하기 꺼려지는 일을 앞둔 탓에 괜스레 잡생각만 많아졌던 것 같다. 나는 냉큼 손을 뻗어, 왕의 심장께를 짚었다. 저주가 가장 깊이 뿌리내리고 있는 곳.

어디선가 술렁임이 일었다. 귓가가 웅웅거렸다. 아주 작은 벌레들이 날개를 떨 듯이.

저주가 나를 주목한다. 오랜 세월 월신의 성역 밖에서 이어져 내려온 목적의식이 있는 성력의 발현. 이것은 마치 하나의 의지를 품은 생명체 같은 느낌이었다.

나는 손끝으로 밀려들어 조심스레 나를 탐색하는 기운을 느꼈다. 왕의 전신에 뻗은 저주가 조금씩 뿌리를 거두고, 거둔 만큼 내게로 모여들었다.

그래, 이쯤이면 되었다. 이 저주, 아마도 이 족쇄만 풀어진다면 어떻게 해 볼 수 있을 것도 같은데.

나는 왕에게서 손을 떼어 냈다. 알고 싶은 것을 알아냈으니,

이제는 돌아가자고 말할 참이었다.

턱! 돌아서려는 내 팔목을, 난데없이 뭔가가 잡아챘다. 그 느낌이 지독하게 섬뜩하여 등골에 소름이 일었다.

난 화들짝 놀라 돌아보았다. 왕이 눈을 뜨고 있었다. 조금 전까지 죽은 듯이 잠들었던 왕이!

그러나 그 눈에 초점이 없었다. 의식이 있는 것 같지 않았다. 시체가 움직여 손목을 움켜쥔 듯 그의 체온은 찼다.

겁을 먹은 난, 그에게서 벗어나려고 한껏 힘을 주어 손을 잡아당겼다.

결국 난 왕의 손아귀에서 빠져나와 나동그라지다시피 뒤로 물러났다.

"뭐야."

문제는, 내 동작이 그를 일깨운 것 같다는 거다.

왕의 얼굴이 일그러진다. 사납고, 살의에 찬. 아주 흉포한 맹수와 같은 얼굴. 당장에라도 물어뜯고 발톱으로 짓이길 듯한.

"물러나십시오."

아지스가 혀를 차며 앞으로 나섰다. 난 검을 뽑아 드는 그의 등 뒤로 비켜섰다.

왕이 서서히 몸을 일으킨다. 맹수가 몸을 일으키듯 아주 유연하여, 절대로 몇 년을 침상에서 누워 있었던 이의 동작 같지가 않았다.

모든 기운이 갈무리된 듯 그의 주변은 잠잠하기만 했다. 폭풍 전의 고요다.

"폭주 상태인 듯하군요."

차분하게 말한 것치곤, 긴장감이 묻어나는 말투였다. 아지스가 바로 말을 이었다.

"뒤에 문이 있습니다. 바로 뒤돌아서 달리세요. 어서!"

그의 말을 인지한 즉시, 나는 튕기듯이 몸을 움직였다. 날듯이 달려서 문을 여는 순간, 왕이 아지스를 덮쳐드는 모습을 보았다.

그러나 왕의 눈은, 내게로 박혀 있었다. 마치 나를 목표로 각인한 것처럼.

나는 문을 넘어서 미친 듯이 달렸다. 달려라, 에스텔! 사람 살려! 정말 뒤에서 살인마가 쫓아오고 있는 양 난 공포에 질려 있었다. 내가 저주를 건드려 왕을 일깨웠음을 자명하다.

아지스가, 그가…… 버틸 수 있을까? 괜히 날 여기로 데려왔다고 후회하는 거 아냐?

저쪽에 시녀 한 명이 날 보고 눈을 부릅떴다. 난 그녀를 향해 외쳤다.

"경비병을 불러와!"

그러다가 말을 고쳤다. 일반 경비병으로 막을 수 있을 것 같진 않다.

"왕속 특무단을!"

그녀의 눈동자가 커졌다. 아마 내 등 뒤에, 뭔가가 있는 모양이다. 엄마야, 월신님! 아델!

다행히, 근처의 방을 지키고 있었던 듯 주변의 문이 열리고 왕속 특무단원들이 자리를 박차고 튀어나왔다.

나는 시녀가 있는 곳에 이르러, 뒤를 돌아보았다. 아지스를 넘어서 나를 쫓아 나온 왕을 왕속 특무단원들이 가로막고 있었다.

단지 제치고 나오기만 한 건지, 아지스도 멀쩡히 방문을 박차고 나와 왕을 포위하는 일행에 가세했다.

"속박 마법을!"

아지스가 외치자 왕속 특무단원 중 한 명이 그를 향해 주문을 읊조리면서 구슬을 터뜨렸다. 사지를 옥죄는 힘이 느껴지자 왕이 소리를 내질렀다.

크아아아아앙!

고막을 떨어 울릴 만큼, 광포하고 인간의 것 같지 않은 괴성. 초점 없는 눈에 혈관이 파랗게 돋아났다. 꿈에 나왔으면 단박에 잠에서 깨어났을 것 같은 모습이었다.

뭐랄까, 갑자기 호러물의 여주인공이 된 것 같다. 그것도 여주인공이 되기 위한 전제처럼 힘을 잃은 상태로.

다른 특무단원이 구슬을 하나 더 꺼내어 또 한 번 속박 마법을 펼쳤다.

왕의 무릎이 바닥에 닿았다. 그의 몸에 근육이 불끈거리며 일어섰다. 얼굴이 붉어지며 목에 핏대가 일어났다. 저항하고 있는 거다.

그의 안에 깊숙이 새겨진 적의의 영향인지 왕의 시선은 나를 향하고 있었다. 내가 뭘 어쨌다고?

"사슬을 가져와라."

아지스가 침착하게 명령했다.

"다시 가사 상태로 인도해야겠다."

이미 여러 번 겪어 본 상황인 듯 왕속 특무단원들의 대처는 제법 침착했다.

그들은 속박의 마법에서 벗어나려고 전신에 힘을 주는 왕의 몸을 사슬로 단단히 묶었다.

인간이라면, 제아무리 힘을 가졌어도, 아니 카마엘이라도 저 정도로 꼼짝 못 하게 묶어 놓으면 벗어날 수 없을 것 같았다.

하지만 여전히 불안감이 가시지 않았다. 왕이 여전히 내게로 살의에 찬 시선을 고정하고 있었으므로.

"이게 무슨 일이지."

불현듯 그 목소리가 들렸을 때, 난 화들짝 놀랐다. 세찬 손길이 나를 돌려세웠다.

"네가 왜 여기 있는 거지?"

어디선가 나타난 아델이 싸늘한 얼굴로 날 바라봤다. 그의 눈동자에, 하얗게 질려 있는 내 얼굴이 비쳤다. 아델의 기색이 조금 누그러졌다.

"멍청하게, 왜 여길 와서."

무서웠단 말이야! 난 파르르 떨었다. 왕의 모습은 기괴했다. 나는 말 못 할 이질적인 두려움을 느꼈다.

내 담이 이제까진 그리 작진 않다고 생각해 왔는데 그건 아무래도 성력빨이었던 것 같다. 믿는 구석이 있었던 거지.

성력이 없으면 난 날아오는 화살에 맞아 죽는 평범한 사람에 불과할 뿐이니까.

토닥이는 것과 유사한 손동작으로 내 어깨를 누른 아델이 나를 제치고 앞으로 나섰다. 그의 걸음은 왕 앞에서 멎었다.

"아지스."

"예, 전하."

약간 낭패를 본 듯한 표정이었다. 남몰래 나를 데리고 온 데다가 왕을 일깨워 이 사태가 빚어졌으니, 그냥 넘어갈 순 없으리라.

"이 일에 대한 책임은, 후에 반드시 묻겠다."

냉기가 뚝뚝 떨어지는 음성에 아지스의 입가에 슬쩍 곤란한 미소가 스쳤다.

"예."

어쨌든 그에겐 목을 건질 자신 하나는 있어 보였다. 전혀 망설임 없이 몸부림치는 왕 바로 앞까지 다가간 아델이 짐승을 보듯이 제 부친을 내려다보며 물었다.

"어떻게 깨어난 거지?"

"성녀의 존재에 감응이 있지 않았나 합니다."

"다시 재울 수 있나."

"약을 먹여야겠지요. 시간이 필요할 겁니다."

기묘한 일이었다. 아델이 나타난 이후로 왕은 온통 내게로 쏟았던 신경을 그에게로 향하고 있었다.